ROBERTO MARINHO

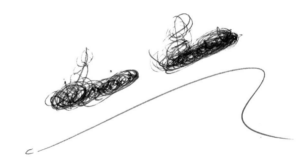

Coleção Memória Globo

JORNAL NACIONAL
A notícia faz história

DICIONÁRIO DA TV GLOBO
Dramaturgia e entretenimento

ROBERTO MARINHO
Pedro Bial

PEDRO BIAL

ROBERTO MARINHO

JORGE **ZAHAR** EDITOR

Rio de Janeiro

MEMÓRIA GLOBO

Gerência do Memória Globo
Sílvia Fiuza

Pesquisa
Juliana Peres Gomes
Mariana Campello Torres

Pesquisa iconográfica
Ana Cristina Figueiredo Frias
Ana Paula Goulart Ribeiro
Bia Durão
Mariana Campello Torres

Colaboração na pesquisa
Ana Paula Goulart Ribeiro
Juliana Alves Pinto Saba
Leandro Paz Ramalho

Assistente administrativa
Mauro Costa Carneiro

Cooordenação editorial
Mariana Zahar

Preparação de Texto
Angela Vianna

Revisão
Maria da Glória S. Carvalho
Michele Sudoh

Capa, projeto gráfico e paginação
Studio Creamcrackers
www.creamcrackers.com.br

Foto da capa
Última sessão de fotos de Roberto Marinho,
2003; foto de Dario Zalis

Foto da 4ª capa
Roberto Marinho usando roupa de mergulho
desenhada por ele mesmo, s.d.; arquivo pessoal Roberto Marinho

CENTRAL GLOBO DE COMUNICAÇÃO
Luis Erlanger, Diretor

CIP-Brasil. Catalogação-na-fonte
Sindicato nacional dos Editores de Livros, RJ.

B471r   Bial, Pedro
Roberto Marinho/ Pedro Bial. - Rio de Janeiro : Jorge Zahar Ed., 2004
il. ; (Memória Globo)

Inclui bibliografia
ISBN 85-7110-825-0

1. Marinho, Roberto, 1904-2003. 2. Jornalistas - Brasil - Biografia.
3. Empresários - Brasil - Biografia. 4. Jornalismo - Brasil - História.
I Título. II Série.

04-3060   CDD 920.5
                                                           CDU 929:070

Sumário

Dedicado ao leitor, ao ouvinte e ao telespectador.

Depois do jantar

— João... quantos anos eu tenho?

A pergunta desconcertante foi feita com a objetividade habitual e o humor pontual.

Era uma cena familiar: depois do jantar, pai e filho costumavam se sentar lado a lado para prosear, enquanto suas mulheres se acomodavam no sofá em frente.

No crepúsculo de sua vida, Roberto Marinho fez de seu terceiro filho, João Roberto, mais que amigo e confidente, um irmão.

Desde que o tempo deu sinais de que estava conseguindo minar seu velho adversário declarado com as armas da senilidade, Roberto alternava períodos impecáveis de lucidez e atividade com ausências e momentos de confusão mental.

Ele não aceitava e não aceitava que os outros aceitassem, mas tinha acontecido: era um homem velho, como todos os homens velhos.

Entre outros sintomas que indicavam que ele já transitava pelo território misterioso que a tantos espera no fim da vida, um deles assustou e deixou alguns assessores próximos paralisados, quando ouvido pela primeira vez:

ao solicitar a presença do filho João Roberto, passou a referir-se a ele como "papai".

"Papai?", se entreolhavam colaboradores, "como assim, papai?". Houve quem tentasse retorquir e explicar de forma infantil: "Seu pai morreu há muito tempo e blá e blá e blá..." Mas isso Roberto Marinho sabia, não era a Irineu que se referia. A lógica era senil, porém lógica. Ele havia atribuído aquele título àquele filho.

Não demorou até que a frase "chamem o papai" se tornasse um código corriqueiro...

Diante do herdeiro, não fazia confusão alguma, conversava com João, o filho que se tornou irmão no fim da longa jornada.

E aquela era mais uma conversa após a refeição, na noite tranqüila do Cosme Velho. Até que, olhos brilhando com um misto de curiosidade e ironia, disparou a pergunta insólita. Parecia ter plena consciência do absurdo do esquecimento, mas, de forma divertida, brincava com a própria amnésia. Demonstrando um claro prazer na brincadeira, exigia porém uma resposta a sério.

— João, quantos anos eu tenho?

João Roberto respondeu com toda a naturalidade possível.

— Papai, você está com noventa e quatro anos...

Roberto Marinho quase deu um pulo.

— Noventa e quatro! Tu estás maluco! Como assim? Noventa e quatro! Estás maluco, estás brincando comigo!

O pai encarou o filho e tentou mais uma vez, solenemente.

— Não brinque comigo. Sério, responda-me a sério, diga a verdade. Qual é a minha idade?

João Roberto não deve nem ter suspirado antes de repetir, escandindo as sílabas do número fatídico.

— Papai, você tem no-ven-ta e qua-tro anos de idade.

— Tu estás louco, maluco! Lily, Lily!

Dona Lily interrompe a sua conversa com Gisela, se é que as duas já não vinham acompanhando atentamente o fascinante diálogo dos homens.

— Sim, Roberto?

— Quantos anos eu tenho?

— Oitenta e quatro, Roberto.

Depois de olhar triunfante para o filho, não se dá por satisfeito.

— Não, também não está certo, não é possível.

O silêncio retarda o ponteiro de segundos do relógio, até que Roberto Marinho levanta-se e declara, sangue nas faces e olhos mais arregalados que nunca:

—Vou conferir na minha licença de *chauffer*!

Roberto vai sozinho em direção a seu quarto buscar o documento inapelável. Não encontra o documento de habilitação.

— Há muito tempo o senhor não tem mais carteira de motorista, Doutor Roberto – observa com jeitinho o mordomo Edgar, entregando prontamente a carteira de identidade do patrão.

João Roberto, Gisela e Dona Lily esperam sentados.

Passados alguns minutos, assoma à arcada da sala a silhueta do maior empresário de comunicação da história do Brasil. Ele atravessa a porta, ganha a luz do ambiente e, com um sorriso de Mona Lisa nos lábios, dita a manchete:

— As notícias são desoladoras...

1. 2003

Antes de começar

Mais devastadoras ou menos, as notícias foram os tijolinhos fundamentais de uma pirâmide espantosa na paisagem da história da iniciativa individual no Brasil. A partir de um jornal vespertino recém-lançado numa cidade onde circulavam vinte e duas publicações, herdado aos vinte anos de idade, Roberto Marinho construiu algo que seus compatriotas e contemporâneos não julgavam possível, factível ou sequer necessário.

Antes de começar, poupo o leitor da pergunta, antecipando a resposta. Aliás, as respostas, que nem por serem duas se excluem ou se anulam: não, esta não é uma biografia autorizada, sim, esta é uma biografia autorizada.

Não é uma biografia autorizada, em primeiro lugar porque, na estante de gêneros literários, este livro não deve ser classificado como "biografia". Antes, deve ser catalogado sob a etiqueta "jornalismo". Você tem às mãos o que se pretende chamar de "grande reportagem", um "perfil", no jargão das redações.

Cada história pede e indica a sua própria maneira de ser contada. A história do Doutor Roberto só poderia ser narrada como texto jornalístico, até por respeito, e também como homenagem ao personagem principal.

11

Quanto ao chavão "autorizada", que fique claro: a única pessoa que teria autoridade para consentir nesta obra morreu. Ninguém, nem mesmo a família, irmãos ou herdeiros, ninguém pode autorizar algo "em nome" do Doutor Roberto. Seria não apenas um desacato à sua memória e à natureza de sua autoridade mas também uma imprecisão – a omissão de pinceladas e cores importantes na confecção do retrato que aqui se pretende pintar.

Era para ter sido um livro de memórias. Doutor Roberto acalentou o projeto de escrever sua biografia durante décadas...

Em 1992, declarava, em entrevista ao *Globo*: "*Espero poder ter tempo de escrevê-lo. ... muito do material já se encontra pesquisado. Seria fácil para mim ditá-lo, usar o gravador, mas não quero fazer isso. Afinal, é o livro da minha vida. Quero escrevê-lo.*"

Tenho razões para duvidar que ele realmente desejasse realizá-lo, ou melhor, finalizá-lo. Tudo o que quis fazer, ele fez. Não escreveu suas memórias, nem permitiu que escrevessem, pois não queria contar uma história que não suportava reconhecer terminada.

Quem o conheceu intimamente não hesita em afirmar: "seria assumir o fim". Tratar de suas memórias, redigir sua autobiografia, ou deixar que alguém fizesse o trabalho, ainda que por ele encomendado, seria reconhecer a finitude.

Roberto Marinho nunca se conformou com a transitoriedade de nossa condição, e chamava o tempo de inimigo. Talvez através do irmão Ricardo, anglófilo dedicado, tenha aprendido uma expressão que gostava de repetir quando queria transmitir um sentido de urgência em suas ordens: "*How is the enemy?*"

Tinha o título do livro, do qual não abria mão: "Condenado ao êxito". Considerava-o lapidar, um achado! Seus vários quase-biógrafos falharam na tentativa de dissuadi-lo e convencê-lo de que talvez não fosse um nome tão bom assim. O principal defeito é o de soar arrogante, e definitivamente a arrogância não figurava entre os defeitos do Doutor Roberto. O título não funcionava mesmo, carecia de "pegada" – não sobreviveria nem vinte e quatro horas numa manchete de jornal, o que dizer na lombada de um livro...

Mais uma vez é importante aproveitar a deixa para rabiscar mais uns traços em nosso esboço de retrato. É preciso entender que a imagem de alguém "condenado ao êxito" fascinava o Doutor Roberto pela presença do paradoxo. Nosso companheiro adorava um paradoxo! A lógica paradoxal não o incomodava, sequer lhe era desconfortável. O paradoxo obriga a pensar, estimula a argumentação criativa, e Roberto Marinho sempre adorou a prática de esgrimir com idéias. Tinha o dom de reconhecer talento e o hábito cultivado de reverenciar a inteligência – era um caçador de cérebros. Quando se encantava por alguém particularmente brilhante, chamava para perto de si, se aquecia e crescia à luz alheia. Caçando cérebros, multiplicou braços: seria isso um paradoxo? Vamos combinar que não há paradoxo que resista a um bom pensamento dialético. Portanto, digamos para início de conversa: Roberto Marinho viveu intensamente o seu tempo, o século XX, este paradoxo tremendo e assustador.

Acima, mencionei "quase-biógrafos". Permita-me explicar...

Doutor Roberto "propôs" parceria no projeto "Condenado..." a algumas feras. Para ser mais exato, o que chamo de proposta, em alguns casos, não foi mais que uma sugestão ou mera insinuação.

Otto Lara Resende foi o primeiro "eleito". Depois de anos incumbido de fazer algo que o próprio patrão não o permitia lograr, Otto cunhou uma de suas frases célebres para justificar, ou talvez precipitar o fim do pacto: "*O que ele conta não interessa; e o que interessa ele não conta...*"

Evandro Carlos de Andrade poderia ter sido outro parceiro no sonho nunca realizado. Evandro acabou se tornando personagem importante demais na biografia de Roberto Marinho para ser seu narrador. Numa de suas raras entrevistas, Evandro nega o suposto convite, enfaticamente, bem a seu feitio: "*Não tenho esse convite, não receberei e nem aceitarei, não sou biógrafo. Nem pensar! Não tem lógica, não aceitaria, não aceitarei. Me faltaria isenção.*"

Uma das justificativas de Doutor Roberto para barrar o projeto que garantia acalentar era que não tinha "história pessoal": "*Minha história é a de* O Globo." Evandro não escreveu, fez a história de *O Globo* e foi um dos operadores decisivos na transformação mais profunda da trajetória do jornal.

Por razões semelhantes, o homem que edificou o departamento de jornalismo da TV Globo, e que praticamente inventou o telejornalismo brasileiro, Armando Nogueira, não poderia escrever "Condenado...". Armando, que durante décadas manteve uma convivência diária, proximidade de parente numa relação tensa e intensa com Doutor Roberto, diz o seguinte:

"Das pessoas com quem eu convivi numa relação de hierarquia, o chefe com maior capacidade de entender o ser humano que eu já conheci. ... Roberto falava muito por parábolas, ... era meio 'budista' nesse aspecto, meio 'oriental'. ... ele não gostava de falar muito duramente, só em momentos excepcionais, ... falava baixo e pausadamente. E a minha sensação era a de que ele estava sempre procurando a palavra exata, para não gerar uma dúvida na cabeça do interlocutor. Ele parava, pensava, para dizer alguma coisa que achava. Ele dava muita importância à palavra 'justa': a palavra certa, a palavra exata."

O editor José Mario Pereira também cortejou o biografado em potencial. No entanto, a camaradagem com o dono da editora Topbooks, cinqüenta e quatro anos mais novo que Doutor Roberto, não chegou a ganhar corpo de livro. Depois de cinco anos de conversas eventuais, José Mario acabou brindando o Doutor Roberto com uma surpresa comovente. Com artes de cirurgião, o editor montou uma entrevista de Roberto Marinho, pinçando frases colhidas em almoços. *"Quando eu a entreguei a Doutor Roberto, de tão emocionado ele chorou"*, conta José Mario. O trabalho é mesmo informativo. A lista dos filmes favoritos é surpreendente: *"Entre os muitos filmes da minha vida estão* Luzes da cidade *e* O garoto, *de Chaplin;* M, o vampiro de Dusseldorf, *de Fritz Lang ...* Ladrões de bicicleta, *de Vittorio de Sica; o* Júlio César, *de Joseph L. Mankiewicz...Também vi com prazer quase todos os filmes de Frank Capra."* Como os maiores momentos do cinema brasileiro, Doutor Roberto cita *Limite*, de Mário Peixoto; *O cangaceiro*, de Lima Barreto; e *Deus e o diabo na terra do sol*, de Glauber Rocha... José Mario Pereira pergunta: *"Para muitos o senhor é a própria encarnação da direita brasileira. Como reage a isso?"* Roberto Marinho cita Ortega y Gasset em *A rebelião das massas*: *"Ser da esquerda é, como ser da direita, uma das infinitas maneiras que o homem pode eleger para ser um imbecil."* Sobre jornalismo, recorre ao dramaturgo americano Arthur Miller: *"Um bom jornal é uma nação falando com seus botões."*

Porém, o momento que melhor expõe a psique daquele homem, na época a beirar os noventa anos, é quando elege o romance que mais o marcou e principalmente diz o porquê:

"… quando meu pai se exilou na legação argentina, viveu dias de grande angústia pessoal. Um amigo lhe levou o livro. Eu, que o visitava diariamente, o vi, muitas vezes, às gargalhadas com as peripécias do romance. Este livro mudou o seu humor, e desde então sempre que me falam dele, recordo meu pai e a alegria que As aventuras do senhor Pickwick *lhe trouxe num momento difícil de sua vida."*

A menção a Charles Dickens lhe trazia sempre a oportunidade de recordar o pai, lembrança que foi se tornando cada vez mais constante com a idade. Aliás, o pai não se abrigou na embaixada argentina – estava preso mesmo na ilha das Cobras, por conta de seu envolvimento com o movimento tenentista. O órfão amenizou respeitosamente a memória, tornando em asilo o cárcere onde ele mesmo fora várias vezes, como mensageiro das cartas entre pai e mãe.

Uma das principais testemunhas das histórias que Doutor Roberto contava sobre o pai, Irineu Marinho, foi o jornalista e poeta Claudio Mello e Souza. Com sua erudição, capacidade de análise e exposição de idéias clara e envolvente, Claudio se tornou um dos encantamentos intelectuais de Roberto Marinho e foi nomeado seu secretário de confiança, o último eleito para escrever "Condenado ao êxito". Apesar de sua característica discrição, ou talvez justamente por isso, Claudio privou de absoluta inti-midade com Doutor Roberto. Conheceu como poucos suas manias, seus humores, seus impulsos e sua obstinação.

Sofria também com a gozação dos que tinham escapado da missão impossível, Evandro, Armando e Otto. *"Otto, principalmente. Parece que eu estou vendo. Típico daqueles safados"*, conta um risonho Claudio, *"eles passa-vam assim: 'Já ouvi falar no nome do biógrafo oficial', sabe aquelas piadinhas?"*

Até que, por ter vivido muito tempo em Paris, dominar o idioma e os códigos franceses, Claudio foi convocado a organizar uma viagem do Doutor Roberto para receber uma homenagem na Sorbonne. Coube também a Claudio produzir um pequeno documentário sobre a vida de Roberto Marinho. Claudio gravou o depoimento do chefe na sala de *O Globo*: *"A mão dele tremia até que eu o fui acalmando. Eu disse: 'Primeiro de tudo o senhor vai respirar. Como se fosse caçar um grande peixe.'"* O veterano mergulhador acabou se saindo bem.

Não que ele desgostasse de câmeras, longe disso... *"Ele gostava de ser fotografado, ele não gostava de falar para a câmera, isso para ele era um sofrimento inacreditável"*, esclarece Claudio Mello e Souza.

Pois bem. No fim dessa jornada parisiense, o Doutor Roberto tinha se tomado de admiração por Claudio, que lembra:

"Encerrada as sessões da Sorbonne e os jantares paralelos, pegamos nossas malas e fomos para o De Gaulle ... chegamos mais cedo e ficamos dando voltas no free-shop. *Eu vi a tal malinha, uma pasta de couro muito bonita. E comentei com ele. Aí, eu não sei por que, ele foi para um lado, eu fui para outro. Quando eu voltei, ele estava com a pasta na mão e disse: 'Para o secretário do presidente'. Naquele momento ele estava me... ele estava... como que me colocando a espada no ombro. Ele estava me tornando um cavaleiro da ordem Marinha."*

Depois da nomeação no aeroporto Charles De Gaulle, Claudio ganhou uma sala no décimo andar da TV Globo, mas também não conseguiu cumprir a missão "sabotada" sistematicamente por seu próprio mentor. Claudio Mello e Souza pode não ter escrito a história, mas salvou a vida de Roberto Marinho. Foi num quarto de hotel de Oslo, a capital da Noruega.

Doutor Roberto sempre teve problemas de sono. Com a idade, depois de noites insones, acabava dormitando durante o dia, realimentando o ciclo da insônia.

"Numa madrugada, toca o telefone do meu quarto de hotel. Era a Lily, pedindo que eu subisse depressa. Nem esperei o elevador. Subi correndo as escadas. Ele, que tinha um eterno conflito com o sono, nesta noite o sono não veio, e ele tomou uma dose de soníferos. E não tinha o hábito. Resultado: ele caiu no chão e barrou a porta... A Lily não conseguiu abrir a porta e ele estava lá, desfalecido... Até que, com grande esforço, consegui movê-lo sobre si mesmo, consegui espaço, peguei, entrei, sentei e tal, liguei para a ambulância. Estava praticamente morto. Fomos para o hospital, emergência. ... Quando suspeitaram que era remédio, veio polícia, eu tive que dar declaração, pediram o passaporte dele... Um inferno. Um senhor de idade se drogando no banheiro! Até que eles começaram a perceber que não era bem isso, que ele era fulano de tal. Evidentemente, o embaixador prontamente apareceu lá e a coisa se desfez. O médico disse que em mais cinco ou dez minutos ele teria entrado em parada cardíaca. Saímos do hospital com a recomendação de que ele fosse direto para o hotel e ficasse em repouso. Ele chegou no hotel, trocou de roupa, arrumou a mala e fomos pegar dois aviões que nos levariam até o extremo norte da Noruega, para ver o sol da meia-noite... No mesmo dia, na mesma hora. Ele não quis saber. Ele não se deixava abater por nada. Esse negócio de repouso, caldinho, não era com ele." [1]

---
[1] Claudio Mello e Souza, 30 out 2003.

2. Em casa

No dia 6 de agosto de 2003, o homem que gozava e glosava com a idéia da morte no condicional – sim, ele dizia *"se* um dia eu vier a faltar", sempre com um sorriso maroto –, o homem que convenceu a todos que não havia motivos para que ele vivesse menos de cento e trinta anos, naquele dia ele veio a faltar.

E por esses descaminhos perfeitos do destino coube a mim não o papel de biógrafo – graças! –, mas sim a missão de fazer este breve perfil de tão extensa vida.

Encontrei pessoalmente com o Doutor Roberto apenas três vezes, nada além de um "como vai?". Lembro-me que a primeira vez foi nas ruas de Barcelona, durante os Jogos Olímpicos de 1992, e que levei um choque com o esbarrão casual. Acompanhado de um casal de amigos, Doutor Roberto e Dona Lily procuravam a entrada do ginásio de voleibol, onde estava para começar uma partida de nossa equipe feminina. Ao voltar à redação, me gabei: *"Acabo de dar umas orientações a Deus..."*

Para mim, como para tantos brasileiros, Roberto Marinho era mesmo uma entidade sobrenatural. Para alguns, divina; para outros, demoníaca.

Sim, é claro que também passei pela lavagem cerebral promovida por certa "esquerda" brasileira, na universidade e fora dela, que a tudo simplificava, enfiando-nos mastigadinho goela abaixo a explicação de toda a tragédia nacional, gente sempre pronta a atribuir todos os males do Brasil ao mais destacado capitalista brasileiro.

Proponho que entremos agora, eu e você, leitor, numa teia de histórias que possam jogar raios de luz na construção monumental realizada por este homem. Antes, permita-me abrir aspas para falar com meu chefe:

"Não, não vou botar a gravata, como era praxe obrigatória de todos os convocados a sua sala, Doutor Roberto. Pretendo que sua história seja lida pelas novas gerações, as que vão enfrentar o século XXI e podem olhar com isenção a história de um jovem desassossegado que se autocondena ao êxito.

Seus empregados mais humildes, aqueles a quem no Brasil chama-se de peões, me abraçam, se arrepiam de emoção e chegam às lágrimas quando conto a delegação que me foi dada. Por isso, o nome deste livro quase foi a expressão que o senhor mesmo nos ordenava usar, toda vez que ao senhor nos referíssemos: 'Nosso companheiro, jornalista Roberto Marinho'. Acabou prevalecendo outro título, o seu nome."

Vamos juntos, leitor, descobrir quem foi este sujeito que de sobrenatural não tinha nada, vamos assistir de olhos limpos e abertos a esta história que narra não apenas a trajetória de um indivíduo. É sobretudo uma história sobre o que pode o indivíduo.

1. Roberto *boxeur*

2

Um gigante de 1,64m

> **Paradoxo** (rubrica: filosofia)
> pensamento, proposição ou argumento que
> contraria os princípios básicos e gerais que
> costumam orientar o pensamento humano,
> ou desafia a opinião consabida, a crença
> ordinária e compartilhada pela maioria.
> *Dicionário Houaiss*

Ao tornar-se dono, sua primeira decisão foi obedecer. Nunca levantava a voz, quanto mais baixo e grave falava, mais incisivo sabia ser. Preferia o contorno persistente ao confronto declarado, mas não hesitou em usar os punhos quando julgou necessário. Era valente às raias da temeridade e sua prudência só tinha paralelo em sua perseverança. Longe de ser um galã, era irresistível nas artes da sedução. Tinha uma péssima dicção, falava enrolado, baixo em tom e volume; construía frases lapidares, se expressava brilhante e claramente, sempre em busca da palavra justa. Quando jovem, procurou a companhia dos mais velhos. Quando velho, deu poder a jovens. Era extremamente austero com dinheiro, pão-duro mesmo; mas nunca, nunca atrasou sequer em um dia o salário de seus funcionários. Seu nível de exigência era brutal, porém sua capacidade de reconhecimento semeava afeto no coração dos subordinados. Sua humildade era imperial. Era de uma simplicidade desconcertante no trato, não havia nele um traço de arrogância; no entanto, que o convidado só se sentasse quando instado a fazê-lo e, se fosse em sua sala na TV Globo, se acomodasse numa cadeira tão baixa que obrigava o sujeito a olhar para o alto para enxergar o anfitrião. Ou então abandonava-se a mesa, o que ocorria na maioria das vezes, e ia-se conversar lado a lado, mano a mano,

2. Europa – 1924

no sofá, prosa a dois que prescinde de testemunha. Ruminava infinitamente uma decisão, não esgotava jamais a sua paciência até ter um desejo realizado ou uma vontade cumprida; mas quando julgava ter chegado a ocasião, dispensava rede de segurança e se arremessava suspenso no abismo, nas asas de uma autoconfiança assustadora. Patriota, era um internacionalista. Transmitia diretrizes como sugestões elásticas para não se tornar prisioneiro delas, mas dava ordens com resoluta clareza. Trabalhava muito, mas não vivia para o trabalho; trabalhava bem para viver melhor ainda. Era de uma amabilidade extrema para com estranhos e podia ser tirânico com aqueles mais próximos. Era um moderno e, como tudo que é moderno no Brasil, carregava também o fardo, ou lastro, do arcaico.

❖

3. Fazendo planos

Só depois de seis anos apreendendo cada etapa do processo de se fazer um jornal, assumiu o comando da redação do jornal que lhe fora legado, *O Globo.*

"Minha mãe, logo depois do enterro, me pediu que assumisse a direção d'O Globo em substituição a meu pai. Eu reagi veementemente. Eu não tinha idade, cultura, nem possibilidade de substituir meu pai."
Roberto Marinho

"Ele não herdou nada do pai, ele herdou uma dívida."
José Aleixo, funcionário da TV Globo, procurador e amigo

"Como é que foi feito O Globo? Foi uma ação entre amigos e as pessoas que resolveram trabalhar lá, foram investindo numa hipótese. Largaram o emprego na Noite *e*

4. Companheiros

mudaram-se para lá por amizade ao velho Irineu... Então eu acho que vem daí o que você vê, a vida inteira, 'meus companheiros'. 'Meus companheiros' era 'meu grupo de trabalho'. Aquele episódio que ele virou assim, 'nos meus comunistas ninguém toca', não tem nada de ideológico; é o seguinte: 'No pessoal que trabalha comigo e em que eu confio, ninguém toca, são o meu grupo, os meus amigos'. É isso." Roberto Irineu Marinho, filho primogênito

"E garra, garra, uma garra impressionante, assim a crença dele de que era capaz de fazer, fazia realmente com que uma coisa acontecesse, fosse vencedora. Uma garra, eu nunca vi nada igual." João Roberto Marinho, filho

5. O jovem diretor

Como soube se submeter à autoridade daqueles a quem nominalmente comandava, Roberto Marinho ganhou gradualmente desenvoltura natural no exercício da liderança. Sua autoridade própria foi conquistada e construída através de décadas. Antes de teimar em ter razão, aprendeu que é mais valioso conhecer as razões. O seu estilo de comando, que se tornou inquestionável com o tempo e as sucessivas conquistas, pode ser entendido com o auxílio do ensaísta Harold Bloom e sua definição de autoridade, no livro *Gênio*: "*Na Roma antiga, o conceito de autoridade tinha caráter originário. Auctoritas derivava do verbo augere, 'aumentar', e autoridade dependia sempre de um aumento na origem, desse modo transportando o passado vivo ao presente.*"

6. Anos 30

Agora pense num pequeno e recém-nascido jornal vespertino que dá origem ao maior império de comunicações já erigido em nossa história e releia: "*Auctoritas derivava do verbo augere, 'aumentar', e autoridade dependia sempre de um aumento na origem, desse modo transportando o passado vivo ao presente.*"

7. Crivo

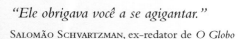

8. Rogério, Roberto e Ricardo Marinho,
à imagem do pai

"Ele obrigava você a se agigantar."
SALOMÃO SCHVARTZMAN, ex-redator de *O Globo*

"Eu nunca vi o Doutor Roberto dar um grito, eu nunca o vi fazer uma advertência em público. Eu entrava na sala, ele chamava a secretária e dizia: 'Você nos deixa aqui um pouco...'"
MAURO SALLES, funcionário de Roberto Marinho de 1953 a 1965

"Quando ele baixava a voz, era terrível."
ROGÉRIO MARINHO, irmão

9. Com Lygia de Souza Mello, sua secretária
no *Globo*

Insistia na célebre máxima: *"Mais importante que vencer, é convencer."* Sem dúvida adorava mesmo ganhar, mas fazia questão da competição. Sem adversário a ser batido, qual é o sentido de lutar?

"O Roberto Marinho usava uma expressão: dava toda uma boiada para não entrar numa briga e, se fosse necessário, botava mais boi. Ele não gostava de brigar."
JOSÉ LUIZ DE MAGALHÃES LINS, banqueiro e amigo

"Ele sabia brigar."
JORGE SERPA, amigo e conselheiro de Roberto Marinho

"O Roberto era um homem de grande coragem física. Ele dizia o seguinte: 'Um homem que não tem coragem não merece viver.'"
JORGE RODRIGUES, advogado de Roberto Marinho

"Na ditadura Vargas, o censor sentava ao nosso lado e dizia: 'Isso não vai poder sair'. Até que um dia o censor caiu na asneira de apontar com o dedo em riste, e o Roberto então 'bum'! Deu-lhe um soco."
ROGÉRIO MARINHO

10. Com Stella e os filhos

24

"Ele não sabia o que era ódio."
JORGE ADIB, ex-funcionário e sócio

"Ele tinha uma briga e uma amizade com Chateau-briand." GEORGES JOFFRE DELAHAYE, motorista da família Marinho desde 1935

"Quando ele sentia que a coisa estava difícil, amaciava, dava uma volta e retornava ao assunto depois."
ELISABETH MARINHO, cunhada

"Ele, além de muito inteligente, era esperto."
JOSÉ LUIZ DE MAGALHÃES LINS

11. Com Assis Chateaubriand

Participar de competições esportivas talvez tenha sido uma maneira que Roberto Marinho encontrou de extravasar, de forma física, seu espírito guerreiro. A condução do jornal e das empresas sempre exigiu muita paciência, habilidade diplomática e resignação; talvez tenha demandado mais espírito esportivo que a prática de esportes a que se lançava quase como um camicase.

"Ele era competitivo. Na hora da pescaria, sempre queria matar um peixe maior que o de todo mundo."
ROBERTO IRINEU MARINHO

12. Georges Joffre Delahaye

"Vocês me perguntam se ele era vaidoso com as coisas. Com o trabalho eu nunca senti, por incrível que pareça. Agora, ganhar uma competição de cavalos, nossa, ele vinha com uma cara transformada. Impressionante."
RUTH ALBUQUERQUE, segunda mulher de Roberto Marinho

"Ele nunca teve medo físico de nada, ele sempre foi uma pessoa muito corajosa." JOSÉ ALEIXO

13. Presente de Natal

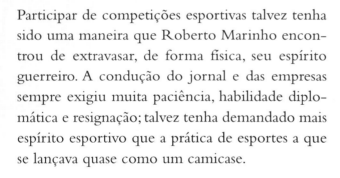

25

14. Peixe grande

"Aí veio um cardume de cações devorando um peixe gordo. Qual é a primeira coisa que ele faz? Antes do barco parar, ancorar... Ele mergulha para ir caçar cação! Quando eu digo cardume, era um cardume de duzentos cações. A competitividade vai a esse nível de loucura."
ROBERTO IRINEU MARINHO

"Ele via o que estava por trás do fato. Ele sempre dizia pra gente: 'Olhe, vocês em relação ao mundo, vocês vêem como um oceano. Vocês estão percebendo as borbulhas, mas não sabem a batalha que está se travando lá embaixo. O que está acontecendo lá embaixo, só eu sei.'" JOSÉ BONIFÁCIO DE OLIVEIRA SOBRINHO, Boni, ex-vice-presidente da TV Globo

"Adorava esgrimir com idéias, entendeu? Adorava uma discussão em que ele pudesse esgrimir."
JOÃO ROBERTO MARINHO

"Ele se habituou a ganhar, né?" ROGÉRIO MARINHO

15. Quanto mais alto, melhor...

Casou-se em dezembro de 1946, aos quarenta e dois anos de idade. Solteirão para padrões da época e atuais, exerceu o quanto pôde todos os direitos de solteiro no Rio de Janeiro. Pelo que vemos nas fotos, não se tratava de um rapaz especialmente bonito, nem feio. Surge sim uma figura entre o dândi e o malandro carioca: alinhado, empoado, cheiroso. Principalmente, enfatizam de forma unânime as testemunhas, ele era danado de bom de papo. Roberto, antes de ser Doutor Roberto, foi um conquistador irresistível. Imagine a cena em preto-e-branco, arrebatamentos de filme mudo...

"Era o filho mais bonito. Sua mãe achava que o Roberto se parecia com o Rodolfo Valentino." ELISABETH MARINHO

16. Com Rogério, Elizabeth Marinho e Stella

26

"Ele era meu marido, era meu namorado, era meu filho…" Lily Marinho, viúva de Roberto Marinho

"Ele tinha um corpo atlético aos noventa anos. E usava umas cuecas modernas."
Antônio Carlos Magalhães, senador

"Ele era romântico e extremamente aventureiro." Boni

17. Com José Maria Alckmin e Stella

"É preciso coragem para viver uma grande paixão aos oitenta e quatro anos." Lily Marinho

"Dançava muito bem. Era uma pluma dançando."
Elisabeth Marinho

"Depois do jantar, ele disse: 'Vamos até a proa?'"
Ruth Albuquerque

"Quando ele estava ao lado de uma mulher bonita, o rosto dele se transformava." Elisabeth Marinho

"5328. Ele tinha cinco mil, trezentas e vinte e oito gravatas." Edgar Peixoto, mordomo

18. Dona Chica, mãe orgulhosa

Gravatas, relógios, canetas, esses objetos, consumia sofregamente. Mais que meramente consumista, era um "novidadeiro"; buscava sempre as últimas nas áreas que lhe interessavam diretamente.

Quando a calvície passou a avançar de forma inclemente, comprou, experimentou e usou todo tipo de produto que prometia cabelo. Teve, porém, a sensatez de nunca recorrer a perucas.

O bigode – inspirado em Errol Flynn ou Clark Gable? –, começou a usar depois do matrimônio, também como artifício para impor maturidade

19. Com Armando Nogueira

20. Com José Luiz de Magalhães Lins e Walter Clark

21. Com Joe Wallach

22. No comando

23. Ruth

num semblante ainda juvenil – aqueles olhos que permaneceram tão vivos até o fim. No duro ambiente da grande imprensa e das relações com o poder, os mais velhos mandavam, e pronto. Eram tempos bem anteriores ao "poder jovem".

Não se conformava com a baixa estatura. Usava sapatos conhecidos em inglês como *elevators*. Além de saltos altos aparentes, estes calçados guardam um segredo: uma espécie de palmilha que funciona como mais um salto interno, invisível.

Não completou o curso secundário.

"A maior vaidade de Roberto era ser aquilo que ele era." LILY MARINHO

"Nunca foi um homem de formulações teóricas. Foi um homem mais de uma razão prática. Isso com muita profundidade, com espírito de cordialidade, com abertura, com tentativa de abranger e interpretar os fatos, ligado a uma cordialidade natural que era espontânea, sincera. Não era nenhuma forma de agradar. Fluía dele naturalmente." JORGE SERPA

"Ele era um psicólogo nato, uma coisa impressionante. Recebia uma pessoa pela primeira vez, conversava quinze, vinte minutos no escritório, essa pessoa ia embora e ele traçava um perfil dela que, olha... era inacreditável a sensibilidade dele em psicologia." JOSÉ ROBERTO MARINHO, filho

"Grande psicólogo!". OTTO LARA REZENDE, escritor e ex-assessor de Roberto Marinho

"Ele sabia escolher as pessoas, acho que foi o grande mérito dele. Em todas as empresas dele, sempre soube escolher as pessoas. Acreditava nos outros." ARTHUR PEIXOTO, sobrinho

"Ele era muito exigente, mas dava toda responsabilidade para você. Ele nunca foi centralizador." José Aleixo

"O Doutor Roberto era um homem que entendia as pessoas. Ele podia ficar com você dois minutos, e ele iria ler a pessoa. Era sensacional nisso, como ele entendia as pessoas." Joe Wallach, americano que deixou o grupo Time-Life para ser diretor da TV Globo

"Ele era um homem que tinha dúvidas. Não tinha só certezas, não. Ele tinha dúvidas."
José Luiz de Magalhães Lins

24. Com Mauro Salles, João Roberto, Evandro Carlos de Andrade

Alçado à posição de dono de jornal aos vinte anos, não se satisfez com a sala da redação como única e obrigatória escola. Em busca de formação, não deixava de seguir os sábios em suas academias informais, onde podiam ser encontrados diariamente – como a Confeitaria Colombo, por exemplo. Entre outros medalhões intelectuais da época, Roberto se aproximou de Afrânio Peixoto, consagrado imortal da Academia Brasileira de Letras. Quase todos os dias, ele acompanhava o velho médico e escritor, que tinha sido amigo de seu pai, até o ponto do bonde, na Galeria Cruzeiro. Certa tarde, caminhando com o jovem Roberto pela rua Gonçalves Dias, Afrânio estava particularmente de bom humor. O escritor esbanjava saúde e lucidez, se deliciando em exibir sua cultura enciclopédica ao filho do amigo morto. Eis que aparece um desconhecido, que lhe tira o chapéu: *"Doutor Afrânio, que prazer! Como vai o senhor?"* Roberto Marinho levou um susto com a resposta. Afrânio Peixoto desfiou um rosário de lamentações e suplícios incompreensível: *"Ah, meu filho, tenho passado muito mal, você nem imagina. Estou*

25. Otto Lara Rezende

26. Com o presidente Figueiredo

27. Com José Sarney

aqui sofrendo para chegar na Galeria Cruzeiro. Felizmente este jovem está me acompanhando até o bonde. Não sei se chego em casa vivo." Esta história Doutor Roberto se divertia em contar para o amigo José Luiz de Magalhães Lins, vinte e cinco anos mais novo. Só que o Doutor Roberto não comprou o estilo cantilena do velho Peixoto.

"Roberto me falou: 'Eu vou lhe dar um conselho: a humildade, se você não tem por virtude, precisa ter por esperteza. É preciso cultivar.'" José Luiz de Magalhães Lins

"Geralmente, ele ia no banco da frente. Muito difícil ir atrás." Georges Joffre Delahaye

"Roberto foi um homem que sempre me disse em nossas conversas: 'A liberdade de imprensa não é um direito dos jornalistas. É um direito do povo. É um direito do povo ser informado. Então, nós temos a obrigação de dizer aquilo que nos parece ser o fato e a verdade'." Jorge Serpa

28. Ele sabia ouvir

Todos se admiram com o fato de Doutor Roberto ter começado a TV Globo aos sessenta anos. Porém, mais revelador do que este destemor frente à idade é a informação de que o primeiro parecer favorável à concessão da TV ele conseguiu em 1951! No início do segundo governo Vargas, menos de um ano depois da chegada da TV ao Brasil!

Roberto Marinho perseverou quatorze anos até pôr o sinal da TV Globo no ar.

"Ele só tinha uma coisa que eu considerava defeito, mas que para ele era qualidade, que era teimosia. Com isso ele conseguia tudo que queria." Lily Marinho

29. Com Fidel Castro

"Sempre, sempre, sempre a idéia dele foi a TV. Ele dizia: 'Eu ainda vou ter uma TV'."
GEORGES JOFFRE DELAHAYE

"Ele entregou a empresa inteira nas mãos de um garoto de trinta." BONI, referindo-se ao "garoto" Walter Clark

"Ele não era um nostálgico. Não tinha saudades históricas: era um homem sempre voltado para o presente, para a construção das coisas que ele estava fazendo."
JOSÉ SARNEY, presidente do Brasil de 1985 a 1990

30. Axé no Pelourinho com Zélia Gattai, Jorge Amado e Antônio Carlos Magalhães

"No jornal, ele fazia o jornal, então ele dominava. A televisão ele comandava." JOSÉ ROBERTO MARINHO

"Primeiro, ele era um grande causeur, um grande conversador, gostava muito de conversar. Mas o Roberto tinha um senso de autoridade, de hierarquia, e ninguém ousava avançar o sinal com ele. Tinha uma noção da distância que ele devia manter, embora fosse sempre cordial com todos nós. Mas tinha consciência do poder dele. Ele encarnava isso."
ARMANDO NOGUEIRA, primeiro diretor de jornalismo da TV Globo

"Ele sempre dizia: 'Eu não estou querendo apurar culpa. Não, não, não. Eu quero saber o que aconteceu. E como é que a gente vai fazer para não acontecer mais.'" BONI

"Ah, se o Brasil fosse a TV Globo..." JORGE ADIB

31. Amigo do Rei

Não subiu um centímetro em sua escalada empresarial sem correr riscos. Empenhava tudo, a própria casa, todo o patrimônio se necessário, para realizar seu desejo de empreendimento.

Num almoço com amigos, comentou o parentesco etimológico entre as palavras empreender, em-

32. Com Fernando Henrique Cardoso

33. O novo *Globo* – reforma gráfica de 1995

34. Com Claudio Mello e Souza e José Aleixo

35. Com José Américo, Jorge Rodrigues e José Aleixo

presariar e empresar, afirmando que o que estava na raiz de um empreendedor era a audácia. Lembrou-se de uma frase famosa, mas apenas parcialmente. À tarde, Claudio Mello e Souza, um dos presentes à refeição, enviou o bilhete: "*Doutor Roberto, fui pesquisar e encontrei. A célebre frase* 'de l'audace, encore de l'audace et toujours de l'audace' *foi pronunciada pelo então revolucionário Danton. Em resposta a uma pergunta que, em discurso, ele fez a si próprio: 'Que é preciso para vencer os inimigos da República?'*"

"*Um ponto que o Doutor Roberto me marcou, me lembro bem: 'Olhe, você, por favor, a primeira prioridade é o salário dos funcionários. Isso eu não quero que atrase nunca. O dia em que isso tiver que acontecer, você me avise antes com alguns dias de antecedência.'*"
Arthur de Almeida, ex-funcionário de O Globo

"*Ele era um homem muito preocupado. Eu muitas vezes cheguei para almoçar, e ele: 'Eu não dormi nada.'*"
José Luiz de Magalhães Lins

"*O salário era baixo, mas quando chegava o aniversário de O Globo, ele pagava mais metade do salário. Ele dava prêmio.*" Salomão Schvartzman

"*O Roberto Marinho é o melhor patrão do mundo.*"
Mário Lago, ator e militante comunista

"*Olha aqui, Mário Lago, se os comunistas vencerem, por favor, mande me enforcar com corda de seda...*"
Roberto Marinho

"*A ideologia dele era o jornal.*"
Roberto Irineu Marinho

É contradição um chefe extremamente rigoroso ser quase venerado pelos seus empregados?

"Os artistas brasileiros mudaram de condição social com a TV Globo. Ele deu um padrão de dignidade ao artista brasileiro." Jorge Serpa

"Ele não era um homem de negócios. Era homem de empresas. É a grande distinção."
José Luiz de Magalhães Lins

36. Satisfeito da vida

"O que é o empresário? O que caracteriza um empresário? No fundo, é política, né? Tem que ver o todo e ter audácia. Se você não for capaz de ver o conjunto e ter audácia, você pode ser um bom chefe de empresa, um bom capitão-de-indústria, como se diria, mas você não é um líder, não é um empreendedor. Um empreendedor tem que inovar, e o Roberto Marinho é isso. Então, um empresário definido assim, é também um político."
Fernando Henrique Cardoso, presidente do Brasil de 1995 a 2003

"É uma pena que nós tenhamos passado tanto tempo afastados um do outro..." Fidel Castro, ditador cubano em conversa com Roberto Marinho, em 1992

37. Lily

E vocês nem imaginam o que Roberto Marinho respondeu a Fidel...Vamos saber a seu tempo, pois compreender a construção de um "imperador humilde" é desarmar, peça a peça, o que se apresenta como paradoxo.

"Ele me tratava como amigo, me chamava de amigo."
Edgar Peixoto

38. A irmã Hildinha

39. Com o irmão Rogério, na festa de 97 anos

40. Liana, sua secretária na TV Globo

"A minha primeira impressão foi a de um ditador. Todo mundo ali em volta dele com uma cerimônia, sabe? Um cerimonial todo... Todo mundo contido 'Doutor Roberto, Doutor Roberto, Doutor Roberto...'" José Aleixo

"Ele tinha, sem nenhum ressentimento, a seguinte idéia: 'Aqui na minha mesa, numa cadeira à minha mesa, ao lado, raramente sentou uma pessoa que não viesse defender um interesse.'" Armando Nogueira

"Ele era um homem de extrema polidez, um dos homens mais educados que eu já conheci. Juntava aquela sobriedade do poder que ele tinha com uma polidez muito grande. E aquilo decorria da personalidade dele sem que a gente percebesse ali qualquer esforço para que isso ocorresse." José Sarney

"Ele nunca me pediu nada, nada. Eu também não pedi nunca nada a ele." Fernando Henrique Cardoso

"Doutor Roberto não mandava, pedia. Como se fosse um favor: 'Edgar, será que dá para eu almoçar agora?'" Edgar Peixoto

"Ele adorava quiabo. Quiabo com carne moída." Georges Joffre Delahaye

"Ele não tinha escrivaninha. Tinha para inglês ver. Ele trabalhou a vida toda dele que eu conheci no sofá. Sempre no sofá." José Luiz de Magalhães Lins

"Eu sempre sentei do lado direito dele, aliás, todo mundo aqui." José Aleixo

"A casa dele era a minha. A família Marinho sou eu também." Georges Joffre Delahaye

34

"Ele gostava muito de uma boa rabada. Todos os sábados, eu fazia uma boa rabada para ele. Rabada com polenta e agrião." EDGAR PEIXOTO

41. Com o amigo Edgar

E entre todas as maravilhas da culinária francesa, preferia mesmo uma *omelete baveuse*. No idioma de Molière soa chiquérrimo, mas *baveuse* quer dizer tão-somente, em tradução livre para o português, "babadora" — aquela omelete que mantém o recheio bem molhado, 'babando' tentadora e irresistivelmente quando servida.

Ah, e os ovos quentes! Que paixão... No fim da vida, este frugal prazer só lhe era permitido de três em três dias.

"Ele não se preparou para esse evento da velhice. Quer dizer, para ele, parar de montar foi um problema; para ele, parar de mergulhar foi um problema. A família tinha que atuar nisso, porque ele não queria parar de jeito nenhum, se quebrava todo..." JOSÉ ROBERTO MARINHO

42. O único título que faltava

"Quando ele fez noventa anos, o Arnaldo Niskier fez um discurso e disse que queríamos estar presentes, todos nós, quando ele completasse cem anos. Aí, ele interrompeu o Arnaldo e disse assim: 'Não limite a vontade do Criador'. Ele conseguiu convencer a todos de que era imortal."
JOSÉ SARNEY

"Não existia o tempo para ele."
RUTH ALBUQUERQUE

43. Com os filhos Roberto Irineu, João Roberto e José Roberto

35

Uma publicação inglesa, a revista *The Economist*, em seu obituário de 14 de agosto de 2003, fez a melhor avaliação da ruptura cultural e histórica que Roberto Marinho representou na história do Brasil: *"Ele contestou a crença de que o maior país da América do Sul era grande demais. A união nacional era o mais importante."*

"Primeiro, ele tinha horror de avião e helicóptero. Depois, o horror virou paixão, mania." Rogério Marinho

"Não tinha uma máquina nova que você construísse no mundo para jornal que ele não ficasse até desesperado para comprar, entende?" José Aleixo

"Ele foi mais jornalista do que empresário."
Antônio Carlos Magalhães

"É preciso fazer justiça a Roberto Marinho. Um empresário jornalístico de formação puramente profissional, nascido praticamente dentro de uma oficina de jornal."
Samuel Wainer, jornalista

"Ele era um repórter, queria saber do fato. Se alguém quisesse realmente fazer uma ponte com o Doutor Roberto, que fizesse dando notícias para ele, furos para O Globo. Eu lembro que nós sempre conversávamos, eu já como presidente, e ele sempre me perguntava: 'Isso eu posso publicar?'. Aí, se eu dissesse 'Tudo bem, o senhor pode publicar', ele falava: 'O senhor dá licença, presidente', e corria para o telefone e dava a notícia. O gosto de ser repórter... neste momento seus olhos brilhavam." José Sarney

Os problemas com o sono de Roberto Marinho foram explicados cientificamente e amenizados clinicamente com o uso de um pequeno aparato que combatia as constantes apnéias noturnas.

Pois eu aposto que, quando jovem, se pudesse ter escolhido, ele preferiria não desperdiçar um minuto sequer da vida dormindo. E mais: este desejo que lhe atribuo irreverentemente acabou se realizando. O poder, com suas bênçãos e maldições, iria lhe roubar o sono para sempre.

"Ele era mandão. Não era fácil. Quando o Roberto vinha com uma coisa na cabeça, era muito difícil ser contra." Rogério Marinho

"Ele me chamava para a sala dele, e eu conversava horas e horas com ele, que ficava me contando história: história da vida dele, história do tio, história do pai, como é que foi, como o pai morreu, como é que ele fazia, como é que trabalhava, e pá e pá. Para eu, enfim, ir tendo a percepção da coisa." Evandro Carlos de Andrade, diretor de O Globo e do jornalismo da TV Globo entre 1971 e 2001

"Sempre que o Doutor Roberto encontrava uma coisa mais dura, mais agressiva, que ele tinha que dizer, procurava chamar alguém, fazer chegar a nossos ouvidos, e pedia o seguinte: 'Me respondam por carta.'" Boni

"Ele foi uma testemunha de modificações profundas na vida brasileira durante cem anos. E talvez tenha alertado o país para alguns pontos que até hoje continuam obscuros na análise dos observadores e dos analistas." Jorge Serpa

"Ele era muito ansioso." Boni

"Ele era uma pessoa hipersensível." Armando Nogueira

"Ele era muito possessivo." Luiz Alberto Bahia, ex-editorialista de O Globo

"Papai era uma pessoa muito extremada." Roberto Irineu Marinho

"Ele tinha mil ouvidos." Boni

"Ele era uma pessoa... que queria ser normal." José Luiz de Magalhães Lins

◆

Roberto Marinho nasceu na casa nº13 de uma rua chamada Minervina, no Estácio, o bairro popular onde viria a surgir, vinte e quatro anos depois, a primeira escola de samba da capital da República, a Deixa Falar.

1. Marinho, Irineu

3

Marinho, pai de Roberto

"Esses moços, pobres moços,
ah, se soubessem o que eu sei..."
Lupicínio Rodrigues

Menino do "bota-abaixo"

Por certo que Dona Chica buscava proteger o barrigão com as mãos, arrepiada com os ecos da baderna lá fora. Vinte e três dias antes de dar à luz o seu primeiro filho, Francisca Pisani Barros viu estourar a Revolta da Vacina, sublevação popular que pretendia tornar-se revolução.

Desde outubro a cidade já estava de pernas para o ar, o Centro parecia território bombardeado. O grande canteiro de obras desenhava novas avenidas, ruas, praças e jardins sobre escombros de vielas, becos e cortiços. Era o "bota-abaixo" encomendado pelo presidente Rodrigues Alves ao prefeito Pereira Passos, um grande esforço de modernização, saneamento e imperativa transformação urbana de um burgo colonial pestilento, onde morrer era mais fácil que viver.

Em 1904, 3566 pessoas morreram de varíola no Rio de Janeiro. Focos de cólera e peste bubônica se espalhavam do Centro para os bairros. Na falta de hospitais, tuberculosos se refugiavam em cabeças-de-porco e favelas. Quatro entre cinco imigrantes que desembarcavam no porto do Rio contraíam a febre amarela. A doença contaminava elencos inteiros de companhias teatrais em turnê.

A música mais tocada do ano é a polca "Rato, rato", de Casimiro Rocha e Cláudio Costa, uma sátira da caçada aos ratos promovida por Oswaldo Cruz. Aliado à fúria demolidora do prefeito, o médico sanitarista comanda a campanha de vacinação obrigatória. Políticos positivistas, republicanos de primeira hora alijados do poder, se juntam a monarquistas empedernidos para manipular a insatisfação popular e botar lenha na fogueira da ignorância. Parte da imprensa confunde ainda mais a opinião pública, anunciando que, em vez de imunizar, a vacina provoca a varíola. Leia-se a incitação no jornal mais importante da época, o *Correio da Manhã* de 7 de outubro de 1904:

"O governo arma-se desde agora para o golpe decisivo contra os direitos e liberdades dos cidadãos deste país. A vacinação e revacinação vão ser lei dentro em breve. ... De posse dessa clava, vai o governo do Sr. Rodrigues Alves saber se o povo brasileiro já se acanalhou ao ponto de abrir as portas do lar à violência, ou se conserva ainda as tradições de brio e de dignidade com que, da Monarquia democrática passou a esta República de iniqüidade e privilégios..."

No *Jornal do Commercio* de 15 de novembro, o resultado dos primeiros cinco dias de revolta:

"As arandelas do gás, tombadas, atravessaram-se nas ruas; os combustores de iluminação, partidos, com os postes vergados, estavam imprestáveis; os vidros fragmentados brilhavam nas calçadas; paralelepípedos revolvidos, que servem de projéteis para essas depredações, coalhavam a via pública; em todos os pontos, destroços de bondes quebrados e incendiados, portas arrancadas, colchões, latas, montes de pedras, mostravam os vestígios das barricadas feitas pela multidão agitada."

E Dona Chica lá, temendo as primeiras contrações...

A esta cidade e estado de coisas chega Roberto Marinho, e é fundamental compreender o espírito da época para nos aproximarmos da essência de nosso personagem. Como escreveu Franklin de Oliveira:

"Se o homem é a sua circunstância histórica e se o desenho de sua vida se faz segundo o modelo da paisagem em que veio ao mundo, vários traços da personalidade de Roberto Marinho — seu espírito renovador, sua capacidade empreendedora, sua sensibilidade para o fato popular, sua adesão aos valores de nossa terra e sua simplicidade congênita — podem ser, em parte, atribuídos ao espírito da terra que lhe emoldurou o nascimento e a infância." [1]

---

[1] Franklin de Oliveira, "Depoimento sobre um liberal".

Nos últimos meses de gravidez, Francisca buscou amparo na casa da mãe, Dona Cristina, e acabou trocando a calma do Saco de São Francisco, em Niterói, pela balbúrdia da capital da República. A união com Irineu não completara ainda um ano, tinham se casado na véspera do Natal de 1903; ela, moça prendada de dezessete anos, e ele, um jovem jornalista de vinte e sete.

Se não há registros minuciosos acerca do nascimento do menino, isto é assim porque aquele neném, quando cresceu, virou instituição. E toda vez que começava a contar a sua história, Roberto Marinho o fazia pelo nascimento do pai – aquele que o "instituiu", etimologicamente "criou, formou", começou.

2. Dona Chica e Marinho

Entre tantas esparsas anotações e esboços para o livro condenado a não ser terminado, encontramos invariavelmente Irineu no início da história. Nesses ensaios de introdução a suas memórias, há páginas e páginas engrandecendo, defendendo, enaltecendo o pai perdido quando Roberto tinha vinte anos de idade.

Mesmo sem fontes concretas, podemos, por exemplo, concluir com bastante segurança que o jovem Roberto Marinho nunca deu trabalho por conta de doenças ou febres. Ao contrário, temos fartas evidências de que, se trouxe preocupação aos pais, foi por excesso de energia... Já através das poucas e preciosas pinceladas de lembranças de Roberto Marinho, ficamos sabendo que outro foi o caso de Irineu, criança que não nasceu robusta e cuja saúde sempre exigiu cuidados.

Irineu, pai morto tão presente... Persistente presença tão bem demonstrada pelo apelido que a moça Francisca receberia décadas depois. Tornada matriarca, uma versão levemente adoçada pelos trópicos da típica *mamma* italiana, Dona Chica passou a ser conhecida pela alcunha de "Viúva". Até sua morte, em 9 de maio de 1976, a mãe do patrão assim seria chamada pelo pessoal da antiga redação: Dona Chica, a "Viúva". No dia seguinte, o título da matéria no *Globo* sobre o falecimento da matriarca foi: *"Morreu a viúva Irineu Marinho"*.

3. Certidão de nascimento de Roberto Marinho

Mas naquela tarde carioca, exatamente às cinco horas de 3 de dezembro de 1904, o primogênito de Francisca nascia sem título nobiliárquico, estrela mística ou herança patrimonial que pudessem indicar um destino excepcional. Talvez porque, como insistia Doutor Roberto, não era ali que começara a história. A partir dali, a história continuava...

Vamos portanto seguir o exemplo e o desejo de nosso personagem central e principiar a sua história conhecendo seu pai – a curiosidade máxima e insaciável de todo jovem órfão. E orfandade não tem prazo de validade, ao contrário, é condição que se agrava e adensa com o tempo. Doutor Roberto chegou a tal ponto que, no fim da vida, construiu uma espécie de amálgama, criando uma só biografia com duas vidas, a sua e a de seu pai.

O entrelaçamento das duas trajetórias não é desprovido de sentido, pois é fácil identificar em Roberto uma continuidade do projeto político e empresarial de Irineu. E mais: com um mínimo de curiosidade histórica, basta retroceder outra geração para enxergar uma linhagem de homens envolvidos e empenhados diretamente com a idéia de modernização do Brasil – algo que está no sangue Marinho, desde João – João Marinho Coelho de Barros, o guarda-livros, avô do Doutor Roberto. João, de quem se sabe tão pouco, apenas o suficiente para fundamentar a afirmação de que já era um modernizador antes mesmo da modernidade.

Quando hoje a gente fala em guarda-livros, tende a menosprezar a profissão, como se técnicos em contabilidade e contadores não fossem peças imprescindíveis a qualquer negócio. Traduzimos apenas a expressão, mas perdemos o significado histórico e econômico da atividade. Na metade do século XIX, o guarda-livros representava um momento fundamental do lentíssimo processo de descolonização do Brasil, um elemento de renovação absolutamente inédito e inaugural. Durante todo o período de dominação portuguesa, a atividade comercial era expressamente proibida aos nativos. Portanto não é de espantar que grande parte dos primeiros comerciantes brasileiros não fizesse idéia do que fossem crédito, juro ou as regras que movem um sistema bancário, e também sequer tivesse noção do funcionamento, na teoria e na prática, de um mero entreposto comercial, uma loja. Receita, "haver"; despesa, "deve"; essas figuras do bê-á-bá dos livros de comércio assustavam alguns dos potenciais empreendedores brasileiros como esfinges de sete cabeças.

João Marinho, português que chegou ao Brasil imperial não mais como o colonizador, e sim como imigrante pobre em busca de vida melhor, tornou-se um desses profissionais decisivos na luta por prosperidade e sobrevivência de várias casas de comércio.

O que mais se sabe sobre o avô do Doutor Roberto? Sabemos que teve cinco filhos com Edwiges de Souza Barros, mãe que Irineu perdeu com apenas onze anos de idade. Também sabemos que alcançou certa proeminência na Maçonaria, tendo sido nomeado cônsul honorário de Portugal na cidade de Resende. E sabemos principalmente que, mesmo não tendo enriquecido, conseguiu legar aos filhos o único patrimônio que resiste a qualquer tempestade: uma boa educação. Esta herança garantiu o futuro de Irineu Marinho.

Nascido em Niterói, a 19 de junho de 1876, batizado Iri*neo*, ainda estudante tratou de modernizar e abrasileirar o nome próprio. Foi como Irineu, com u, que assinou suas primeiras publicações; se é que se pode dar esse nome a jornaizinhos estudantis, manuscritos! No Liceu Cunditt, de grande reputação na época, e depois no Liceu de Humanidades, onde concluiu os estudos, aquele rapaz não pensava em outra coisa: era louco por jornal. Para ser mais exato, o jovem gostava de *notícia*, e isso iria fazer toda diferença. Os jornais da época não almejavam o caráter noticioso – a discussão de teses e o beletrismo imperavam –, mas Irineu buscava as novidades que não paravam de surgir naquele fim de século. Só que o ingresso daquele calouro no mundo colonizado e mofado da imprensa de então se deu pela via da polêmica. Da boa polêmica, diga-se de passagem.

No Grêmio Literário do Liceu, os estudantes reproduziam o modelo que encontravam na grande imprensa, dividida de maneira primária e maniqueísta entre jornais da situação *versus* jornais da oposição. As correntes do Grêmio se enfrentavam em dois jornais estudantis rivais: *A União* contra *O Ensaio*. Irineu tinha fundado o Grêmio e pertencia à turma do *Ensaio*. Quando o crítico literário da *União*, um certo Luís Azevedo, que a propósito não era estudante, desceu a lenha em alguns parceiros de Irineu, a resposta foi dada no jornal mais importante de Niterói, *O Fluminense*.

É o primeiro artigo de Irineu Marinho publicado em jornal de gente grande. O rapazote de dezesseis anos não pede licença para entrar na quase gerontocracia da imprensa de então. Ao contrário, o texto é atrevido, e, se denuncia a juventude do autor, é só pelo afã de demonstrar sua boa formação e cultura com o excesso de citações. O título é em inglês, "Remarks", em português, "Reparos". E a tática que Irineu usa para intervir em defesa de seus amigos é o ataque. Em seguida, é claro, vem o contra-ataque de Luís Azevedo. A coisa se estende de 23 de setembro a 8 de outubro de 1892, quando Irineu encerra a contenda num artigo de uma frase só. Curta os melhores momentos de ataque, contra-ataque, réplica, tréplica, sátira e *grand-finale*, tudo nas folhas de *O Fluminense*:

Irineu Marinho (23 set 1892): *"É bem azedo o autor de* A União. *Para ele, Milton foi um cínico, Shakespeare um ignorante, Voltaire um estúpido, Victor Hugo um espírito fraco, Longfellow um decadente. O homenzinho só encontra a palavra decadente para qualificar quem ele não gosta ou não conhece talvez ... Chamando de ignorantes esses escritores, provou que é um tolo..."*

Luís Azevedo (27 set 1892): *"O tal sr. I. Marinho é incontestavelmente o clow* [do inglês *clown* = "palhaço"] *da literatice niteroiense. Para quê havia de dar esse pobre rapaz! Pois não viram como ele apareceu em cena, estreou como um mestre, fazendo mil piruetas, ... neófito da pena, permitam-me a expressão, ironiza-me a ironia. Isto só mesmo a palmatória ..."*

Irineu Marinho cita o Marquês de Maricá, célebre autor de máximas, filho de um padeiro e por isso apelidado de dr. Biscoitinho, que chegou a ser ministro da Fazenda de Dom Pedro I (29 set 1892): *"...a modéstia doura os talentos e a vaidade os deslustra ..."* – e, golpe certeiro, corrige a gramática do contendor: *"Ultimando, aconselho ao sr. Luís Azevedo a leitura da* Gramática Portuguesa, *para que não cometa erros tais como 'que propôs-se' e outros ..."*

O escritor satírico Antônio Lamego, o "Gregório", publica o soneto "Enorme duelo" (30 set 1892):

Vão se bater muito breve
o Marinho e o Azevedo.
Aquele quer a espada,
e este não, porque tem medo.

O Azevedo é grande Hércules
mata quatro e esfola um:
é bastante encher a boca
e depois fazer: "Pum! Pum!"

Luís Azevedo volta à carga (5 out 1892): *"Sr. I. Marinho, vou-lhe dar uns conselhos salutares: 1º, saia do Liceu de Humanidades; 2º, não escreva mais para o público; 3º, vá plantar batatas …"*

Irineu Marinho dá a peleja por encerrada, com uma só frase (8 out 1892): *"Abandono o sr. Luís Azevedo a quem possa entendê-lo, e creio que nem Édipo aceitaria a oferta."*

Tudo muito divertido, belo desempenho para um adolescente, porém, não demora, Irineu vai descobrir que a batalha encarniçada mesmo é viver de sua paixão, o jornalismo. Nada mais insistentemente colonial do que a imprensa brasileira. Leiam a descrição que Gilberto Amado faz da redação de *O País*, o jornal governista que enfrentava o oposicionista *Correio da Manhã*. E olha que neste trecho do livro *Mocidade no Rio e primeira viagem à Europa*, Amado está descrevendo o jornalismo de 1911!

"O jornal ocupava-se … mais de Portugal do que do Brasil. O Brasil, como ele o refletia, nada mais era do que um pedaço de Portugal. Hoje … não se faz idéia entre nós de quanto o Brasil era português. A imprensa estava, em grande parte, em mãos de imigrantes lusos. Eram portugueses o gerente e cronista do Jornal do Commercio, *o cronista e o gerente do* Correio da Manhã. *Era portuguesa a direção da* Gazeta de Notícias."

Guardemos em mente este retrato das redações brasileiras para entender o impacto da fundação em 1911 de *A Noite*, um novo vespertino na capital da República. Antes, vamos tentar reconstituir o caminho de seu fundador, mais uma vez recorrendo às lembranças do filho Roberto:

"*Meu pai começou como suplente de revisão, desses que aparecem e são chamados como estivador para vir trabalhar ou não.*"[2] "Suplente de revisão", Irineu era uma espécie de bóia-fria do jornalismo. Todos os dias tentava a sorte no *Diário de Notícias*: aparecia na porta, e, lá do fundo da redação, o chefe da revisão indicava com acenos se havia trabalho ou não naquele dia. Segundo Roberto, seu pai Irineu Marinho "*... levava, então, uma vida miserável. Dividia um quarto em Niterói com seu amigo Leal da Costa e muitas vezes voltava para casa sem ter conseguido trabalho e sem dinheiro no bolso. Chegava exausto e faminto. No armário do quarto, tinha sempre um vidro de xarope contra a tosse, que ele tomava não como remédio, mas para enganar o estômago.*"[3]

Até que o amigo de sempre Leal da Costa ficou sabendo que a *Gazeta de Notícias* abrira concurso para o cargo de revisor! Era a chance de ter um emprego numa empresa mais sólida, um diário que completava dez anos de fundação. Salário baixo, é verdade, mas salário... Na *Gazeta*, Irineu faria amizades duradouras e travaria conhecimento com os mestres da hora.

Alguns anos mais tarde, um desses mestres faria uma visita, como inspetor governamental, ao liceu onde Roberto Marinho estudava, a Escola Profissional Souza Aguiar. O escritor célebre inspecionava os garotos perfilados quando se deteve diante de um deles e perguntou: "*E você, meu filho, qual é o seu nome?*" "*Roberto Marinho*", respondeu o moço. "*Ah, você é filho do Irineu, dono de A Noite? Mande muitos abraços ao seu pai!*" Roberto não ficou todo prosa à toa. O inspetor chamava-se Olavo Bilac.

Para não perder a deixa, vamos fazer uma breve acrobacia cronológica e lembrar que é a este período, numa escola pública, "*no convívio com jovens modestos que tanto representou para mim*", que Roberto Marinho se refere em sua carta ao candidato derrotado nas eleições presidenciais de 1989: "*Durante minha atribulada formação em plena adolescência matriculei-me ... na Escola Profissional Souza Aguiar.*" ("Atribulada formação": o irrequieto Roberto não tinha parado nos colégios Paula Freitas, Anglo-Brasileiro e Aldridge, e Irineu resolveu então que o filho tinha que, pelo menos, aprender um ofício.) "*Todo dia, às quinze para as sete, eu entrava na sala onde estavam os armários com o número de cada um, e era pelo número que me conheciam: eu era o Treze, conforme estava estampado no uniforme, um macacão de zuarte. Fiz meu aprendizado nas profissões de entalhador, porque gostava de transformar pedaços*

---

[2] Roberto Marinho, entrevista a correspondentes estrangeiros no Brasil, 17 jan 1990.

[3] Roberto Marinho, anotações para "Condenado ao êxito".

de madeira em objetos úteis e bonitos, e de mecânico, por me fascinar a mágica dos processos industriais. Não tivesse a vida de meu pai, de origem modesta, florescido com extraordinário êxito, e eu poderia ter tido por destino ser, com muita honra, um colega operário de Lula."[4]

Mas a carreira de Irineu Marinho de fato floresceu. O rapaz inspirava confiança nos mais velhos, pela capacidade de concentração e por uma espécie de severidade precoce. Irineu soube beber da sabedoria dos mais velhos, e aprendeu para valer com os colegas notáveis que encontrou em seu primeiro emprego, na revisão da *Gazeta de Notícias*. Colaboravam com o jornal feras como Bilac, José do Patrocínio — que tinha feito da *Gazeta* uma tribuna da causa abolicionista —, Artur Azevedo e Coelho Neto. Tratava-se de um diário de prestígio mesmo: Machado de Assis nele publicava crônicas semanais e, de Lisboa, Eça de Queirós enviaria artigos até morrer, em 1900.

O sucesso de Irineu na *Gazeta* teve o melhor desdobramento, um convite da concorrência. Um vespertino recém-lançado, impresso em papel cor-de-rosa, fez uma proposta difícil de recusar. Era *A Notícia*, jornal dirigido por Manuel Rocha, o popular Rochinha, figura folclórica que cruzaria o caminho de Irineu mais de uma vez. *A Notícia* procurava fazer jus ao nome e já continha o embrião do tipo de jornalismo que Irineu sonhava realizar — um diário mais ocupado com o factual do que preocupado em fazer política.

Na *Notícia*, porém, Irineu ainda não alcançou seu primeiro objetivo, tornar-se repórter... Por isso, não foi difícil para *A Tribuna*, naquele momento o jornal de oposição mais agressiva ao presidente Campos Salles, "comprar o passe" de Irineu, com experiência profissional incomum para um jovem adulto de vinte e poucos anos. Além do mais, trabalhavam na *Tribuna* dois grandes amigos de Irineu: Leal da Costa, sempre ele, e Eurycles de Mattos.

Só que, ainda e mais uma vez, o trabalho era na revisão... Fazer o quê? Procurar as brechas, as oportunidades que invariavelmente surgiam no dia-a-dia da redação, para mostrar o seu próprio texto. Pouco a pouco, ele foi redigindo pequenas notas, os sueltos, e afirmando seu estilo, rapidez e senso de humor.

---

[4] Roberto Marinho, "Carta a Lula", *O Globo*, 19 dez 1989.

Um dia, o secretário de redação, o todo-poderoso Jovino Ayres, pegou o moço Irineu de surpresa:

— Por que você não trabalha na reportagem?

Presença de espírito, puro ato reflexo ou susto, a resposta foi ótima:

— Não tenho idéia...

Pronto: a editoria de polícia, que abrigava a elite dos repórteres da época, acabava de ganhar o reforço de Irineu Marinho. Meta alcançada, o rapaz aproveitou a chance e impôs respeito num ninho de cobras criadas. Na *Tribuna*, Irineu ganhou respeitabilidade, prestígio, o reconhecimento dos colegas; só não ganhou dinheiro. Não que ele não conseguisse se sustentar com seu ordenado, pago em dia, a propósito... Mas agora Irineu pretendia casar e constituir família, e para isso não podia contar com a parcimônia pontual do salário da *Tribuna*.

Para onde voltou Irineu? Adivinhou quem disse *Gazeta de Notícias*! E acertou duplamente quem disse para a revisão. Bom, pelo menos dessa vez se tratava da chefia de revisão... E não demorou para que assumisse também a reportagem, onde aprontou poucas e boas com os amigos Leal da Costa e Castelar de Carvalho.

Uma prática comum no jornalismo da época era a construção de reportagens, produzidas como uma peça teatral ou um filme, com o objetivo de denunciar uma situação de fato. Um exemplo clássico desse gênero é a famosa reportagem sobre o Faquir, *Fakir* na grafia da época, que *A Noite* viria a realizar mais de uma década depois. O irmão de Leal da Costa, Sílvio, relembrou em detalhes ao *Globo*, na edição de 8 de dezembro de 1958:

"A reportagem do Fakir *... pôs em funcionamento uma notável conjugação de fatores, para a desmoralização de um dos muitos embustes de que têm vivido até hoje os exploradores da credulidade popular. Numa casa especialmente aluga-da instalaram-se salas de ambiente oriental, com reposteiros e portas secretas. Um porteiro atendia aos chamados da campainha da rua e levava o consulente — pois se tratava de gente que queria conhecer o que lhe reservava o futuro — à presença do secretário do faquir. Esse secretário, por sua vez, fazia o recém-chegado esperar numa ante-sala até o momento de ser atendido pelo adivinho egípcio.*

Todos esses personagens — rigorosamente caracterizados e pomposamente vestidos à oriental —, é claro que eram elementos da própria A Noite*. Depois de dias e dias de livre funcionamento, foi então encaminhada pelos realizadores* da reportagem uma denúncia à polícia. Com a intervenção desta e o noticiário ruidoso de A Noite, *ficou provado como se podem embair os crédulos aos poderes misteriosos dos adivinhos.*"

Na *Gazeta de Notícias*, cerca de dez anos antes, a trinca Irineu, Castelar e Leal, jovem e irreverente, aprontou traquinagem ainda mais audaciosa. Esta, vamos deixar Viriato Corrêa narrar: "*Irineu Marinho, Castelar de Carvalho e Leal da Costa, para sacudir os nervos da cidade e para atordoar a polícia, engendraram um crime arrepiante. ... Um homem teria sido assassinado em horas avançadas da noite.*" Os três repórteres espalharam pistas nas dunas de uma praia distante, Copacabana:

"*... atirado na areia, um fraque de talho elegante, uma bengala de castão de ouro e um pé de sapato. Havia um lenço de mulher, rendado e pequenino, ensopado de sangue, e, ensopada de sangue, uma fina camisa de homem. No bolso do fraque uma carta escrita por letra feminina, em papel perfumado, ... avisava que o seu marido estava inteiramente conhecedor do segredo amoroso e disposto a ir até ao assassinato ... Os personagens do crime (sentia-se isso ao primeiro golpe de vista) eram criaturas de bom-tom, 'gente bem', como hoje se diz.*

A cidade vibrou com as primeiras notícias do fato. O interesse empolgou toda gente. A polícia pôs-se a agir febrilmente, formulando hipóteses e prendendo pobres diabos e gente de categoria a torto e a direito. ... Durante quatro ou cinco dias a cidade viveu inteiramente sacudida pela sensacionalidade do assassinato."[5]

Porém, prossegue Viriato, apesar de ser um "*trabalhador admirável*", Castelar de Carvalho era muito desorganizado e cometeu um pecado fatal: esqueceu uma cópia da lista dos objetos colocados na praia que cada um dos "*criadores do assassinato*" mantinha, "*... para que não houvesse engano ...*"; e a esqueceu justo sobre a mesa dos repórteres que faziam dupla jornada, na redação e na Polícia Central. O que se deu? Viriato Corrêa conclui a narrativa da travessura:

"*No dia seguinte, quando Leal da Costa, Marinho e Castelar foram buscar novidades na repartição encarregada das pesquisas do crime, o chefe de polícia lhes disse calmamente:*

— Não há mais novidades. O caso está liquidado. Já foi feito o exame de sangue que manchava o lenço e a camisa. Não é sangue humano. É sangue de porco.

5 Viriato Corrêa, "Marinho, o aclamado: trecho de um livro de memórias", *O Globo* (s.d.).

Marinho, pai de Roberto

E tirando do bolso uma tira de papel:

— Feito novo exame no fraque, a polícia encontrou esta lista.

*E entregou a lista que Castelar de Carvalho esquecera na mesa em que tra-
balhava."*

Se é verdade que sem uma boa dose de esperteza não se vende jornal, também é certo que só com senso de responsabilidade e conseqüência se pode assumir o comando de uma redação. Irineu provaria que tinha os dois atributos, a ousadia e o equilíbrio.

O pai de Roberto Marinho trabalhava em período integral, aliás como todo bom jornalista faz até hoje... Mas não abria mão de suas atribuições paternas. Doutor Roberto sempre contava, entre lágrimas, o episódio da vacinação anti-rábica. Menino, aí entre os cinco e seis anos de idade, às vésperas do lançamento de *A Noite*, Roberto, travesso à beça desde cedo, se meteu com um cachorro danado e foi mordido. Resultado: a torturante série de injeções na barriga para salvá-lo da letal hidrofobia. Nas palavras de Doutor Roberto:

*"Naquela época, o tratamento era demorado e incômodo; acima de tudo, as-
sustador. ... Nós morávamos em Niterói, no Saco de São Francisco, e as injeções
anti-rábicas só eram aplicadas no Instituto Pasteur, na rua das Marrecas, no Centro. ... Nos dias em que eu tinha que tomar as injeções, papai deixava o jornal,
ia de bonde até a estação das barcas, atravessava a baía e ia buscar-me em casa.
Levava-me carinhosamente pela mão e, depois de feitas as aplicações, fazia todo o
caminho de volta, sem demonstrar fadiga ou impaciência, apesar do grande esforço
físico que essas idas e vindas significavam para ele. Quando chegávamos em casa,
depois dessa verdadeira viagem pelo Rio de Janeiro, ele descansava um pouco e em
seguida voltava ao jornal."*[6]

E olha que Irineu vivia momentos decisivos de sua carreira jornalística, estava prestes a passar de funcionário a dono de jornal! Era o salto inevitável depois da aclamação que mereceu na redação da *Gazeta de Notícias*. Isso mesmo, você leu direito: aclamação! Inicialmente duvidei da história da aclamação. Quando a descobri nas anotações do Doutor Roberto, considerei idealização do pai, sintoma típico de órfão... Porém, vários testemunhos confiáveis atestaram que o episódio ocorreu mesmo.

---

[6] Roberto Marinho, anotações para "Condenado ao êxito".

Passou-se o seguinte: o secretário de redação da *Gazeta*, Luís de Castro, estava muito doente, teve que largar o jornal e de fato morreu poucos meses depois. Rochinha – lembram-se? –, o Manoel Rocha, tinha deixado *A Notícia* e agora era diretor da *Gazeta de Notícias*. Acontece que o Rochinha não sabia quem nomear para o importante cargo – mais que importante, fundamental –, e resolveu promover um rodízio. Todos os redatores fariam parte do revezamento, um por semana assumindo as atribuições de secretário. Ao comunicar a decisão à redação, declarou:

— Você, Paulo Barreto, será o primeiro a ser experimentado.

Paulo Barreto, aquele mesmo que seria reconhecido como escritor de gênio pelo pseudônimo João do Rio!

Pois bem, vamos recorrer mais uma vez a esta luxuosa "fonte primária", Viriato Corrêa, que fazia parte do corpo de redatores da *Gazeta*:

"A semana de Paulo Barreto foi calma e vulgar. Não houve nada e nada que a distinguisse das semanas que ficaram atrás.

— Viram o desastre? – disse o Paulo no último dia de sua semana. — Sou uma negação completa para a secretaria."

No dia seguinte, Barreto procurou Viriato para uma conversa discreta e mandou a pergunta:

"— Dize-me uma coisa, e fala-me franco: pretendes conquistar a secretaria do jornal?

— Eu? – bradei vivamente. — Nunca! Tenho verdadeiro pavor. Estou com medo que chegue a minha semana.

— Eu tenho um plano que te poupará. Se houvesse uma eleição para escolher o secretário, em quem votarias?

— No Marinho – respondi.

— Bravos. Eu também. O João Lopes, também. O Oscar, também. Também o João Brandão. Já falei com todos. De todos nós aqui, o verdadeiro jornalista é o Marinho. Eu sou cronista, tu és cronista, Oscar Lopes é cronista, o João Lopes e o João Brandão são sueltistas. Jornalista, jornalista de raça, que ama o jornalismo acima de tudo e que só quer ser jornalista, o único que existe é o Marinho. Ele é que deve ser o secretário. … Já falei com todos. Vamos ao Rochinha comunicar que o escolhido por nós, o aclamado por nós, é o Marinho. De acordo?

— Completamente!

Quando, ao cair da noite, o Rochinha entrou na redação, Paulo Barreto foi-lhe ao encontro.

— *É então uma aclamação – disse o diretor... — Eu me felicito e felicito vocês.*

Irineu Marinho ia entrando, sem saber de nada. O Rochinha, sorridente, disse-lhe com um abraço.

— *A secretaria é sua. O senhor é o aclamado."*[7]

Quem conhece uma redação, ou melhor, quem conhece um pouquinho da natureza das relações humanas, sabe o quanto esta passagem é notável... Registrem bem o episódio, pois nos será fundamental para entender como Irineu carregou com ele os melhores da redação de *A Noite* depois de perder, em 1925, por ingenuidade e medo da morte, o controle acionário do jornal que fundou e que lhe pertencia.

Na secretaria de redação, Marinho, como Irineu sempre foi chamado pelos colegas – Dona Chica também só o chamava pelo sobrenome –, comandou uma reforma editorial bem-sucedida sob o lema *"O jornal tem que fazer sucesso a cada dia"*. O noticiário se movimentou, ficou "nervoso", como era do gosto do secretário – gosto que seu filho Roberto herdaria. Pesquisas, as *enquêtes*, sobre assuntos de interesse popular passaram a ser promovidas regularmente, o capricho na diagramação virou prioridade, a primeira página ganhou renovado status de primeira página.

Administração editorial bem encaminhada, Rochinha delega então a Marinho a reforma da estrutura financeira da empresa. Mais uma vez, o pai de Roberto Marinho se sai bem, honra as dívidas e consegue implementar algo que viria a ser sagrado para o filho: os salários passam a ser pagos rigorosamente em dia.

A essa altura, secretário da redação e diretor financeiro, Irineu Marinho manda e desmanda no jornal. Mas não é o dono. Até que se pergunta: por que não?

Para tentar ser mais preciso, esta pergunta – "por que não?" – vinha sendo debatida, rebatida, respondida e repetida em longas conversas com os colegas de jornalismo e os amigos de sempre.

Por falar em amigos, antes de ir adiante na história do surgimento do primeiro jornal de Irineu Marinho, um rápido parágrafo para o nosso inventário de práticas e comportamentos que passaram de pai para filho: Irineu era um homem de amigos, ou melhor, quem trabalhava com ele

Roberto Marinho

---

[7] Viriato Corrêa, op.cit.

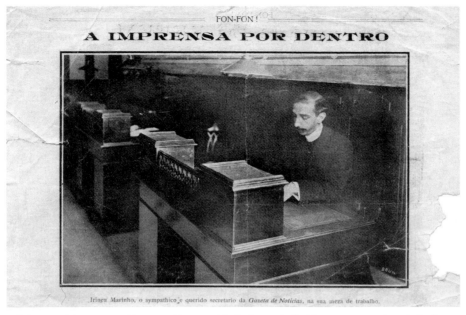

A IMPRENSA POR DENTRO

Irineu Marinho, o sympathico e querido secretario da *Gazeta de Notícias*, na sua meza de trabalho.

4. "Irineu Marinho, o sympathico e querido secretário da *Gazeta de Notícias* na sua meza de trabalho."

passava a ser seu amigo. Mais sereno quanto mais maduro, o jovem sisudo foi ficando à vontade para cultivar a sua principal arma de sedução, o senso de humor. Roberto também foi mestre na arte de fazer amigos. Como o velho Marinho, era espirituoso, mas acrescentou a seu estilo próprio de humor uma pitada generosa de ironia.

Enfim, voltemos aos planos ambiciosos da rapaziada amiga da redação da *Gazeta*... Pensavam um jornal que refletisse o frenesi dos tempos modernos que se anunciavam; não pretendiam pouco, queriam um jornal que fosse ágil, vibrante, objetivo, elegante, independente, apartidário e de humor esperto. Irineu e sua turma julgavam ter direito e dever de se tornarem testemunhas atuantes de uma era espantosa.

Aquela primeira década já anunciara que o século xx tinha vindo para transformar profundamente o mundo. Jornalistas, intelectuais, artistas, inventores e visionários de todas as cores viviam tomados pela febre do progresso, de uma modernidade que prometia mudar o mundo e o ser humano. Jornalista por vocação, Irineu não pertencia a nenhum grupo específico, mas circulava, bem-aceito, entre o mundo da boêmia literária que marcava ponto nos cafés e o universo diurno dos intelectuais que se encontravam nas livrarias.

O jornalismo era reconhecido – e o bom jornalismo até hoje merece essa classificação – como arte. Como vimos na descrição da matéria do *Fakir*, artifícios do teatro eram vitais na prática do repórter. Os bastidores dos palcos e das redações eram círculos que se sobrepunham, gente de teatro trabalhava em jornais, redatores de jornal eram freqüentemente poetas e dramaturgos.

A intimidade entre a família Marinho e o mundo da ribalta fez a cabeça do jovem Roberto. Ele mesmo contava que, ainda adolescente, teve contato com uma trupe que fez história, o Teatro da Natureza:

"Em um de meus passeios para os lados do Campo de Santana, ... vi o anúncio de que uma pequena companhia teatral faria a apresentação de todas as peças dos três maiores autores trágicos da Grécia clássica: Ésquilo, Sófocles e Eurípides. Essa companhia teatral tinha duas estrelas de primeiríssima grandeza: Itália Fausta e Leopoldo Fróes. Imediatamente eu comprei uma assinatura para assistir a todos os espetáculos, que foram realizados ao ar livre."[8]

Este é um bom exemplo do tal amálgama que afirmei ter Roberto Marinho moldado das vidas dele e do pai. O menino Roberto, na primeira infância, pode até ter testemunhado como o pai se esfalfava de trabalhar; mas quem teve uma infância pobre foi Irineu. O rapaz Roberto, quando queria comprar lugar cativo em toda a temporada de Itália Fausta, não precisava fazer contas para pagar – papai já era um próspero dono de jornal.

Foi graças a suas ótimas relações no meio artístico que Irineu conseguiu o capital inicial para fundar *A Noite*. O empresário teatral Celestino Silva emprestou vinte e cinco contos de réis para o lançamento do jornal. Ao lado dos inseparáveis Leal da Costa, Castelar de Carvalho, Eurycles de Mattos e de boa parte da redação da *Gazeta*, Irineu se convenceu definitivamente com uma carta que o amigo Vitorino de Oliveira lhe mandou de Portugal. Na "terrinha", contava Vitorino, o grande sucesso do momento era um vespertino diferente, recém-lançado! Ao contrário da concorrência, este jornal só estava nas ruas no fim do dia, início da noite. Chegara o ingrediente que faltava para moldar o jornal que vinha sendo armado em conversas e sobretudo na cabeça prematuramente calva de Irineu.

---

[8] Roberto Marinho, anotações para "Condenado ao êxito".

Alguns dos colegas foram contra a idéia de um jornal para ser vendido no cair da tarde, mas este foi um dos segredos do sucesso de *A Noite*. O vespertino faria o papel que, mais tarde, o noticiário no rádio e o telejornal desempenhariam. A idéia era fazer o sujeito levar para casa, debaixo do braço, as notícias do dia seguinte. Um diário que privilegiasse a notícia: nada poderia acontecer sem que *A Noite* registrasse – este o objetivo! Para o jornalismo "literário" da época, uma pequena revolução...

Não apenas na forma e no conteúdo *A Noite* revolucionaria linguagem e métodos. Logo o vespertino contaria com uma frota de quatro automóveis para realizar a distribuição, enquanto todos os outros jornais ainda se valiam do bagageiro dos bondes.

Meça o tamanho do susto que representou a chegada de *A Noite*, em 18 de julho de 1911, por este trecho de Humberto de Campos:

"Uma noite, ... ao tomar o seu bonde, o carioca ouviu, pela primeira vez, o grito vitorioso:

— A Noite*! Olha a N–o–o–o–o–o–ite!...*

... A Noite*, infringindo todas as leis da astronomia e do bom senso, aparecia à luz.*

...Ao tomá-lo no bonde, o burguês abriu-o, virou-o, revirou-o e estranhou:

— Uê!...

E alarmado:

— Cadê o artigo de fundo?

A Noite *era, realmente, o primeiro jornal brasileiro que aparecia sem o palavroso e tradicional artigo de fundo, inútil, vasto, sonoro, como uma pipa vazia."*[9]

Quando uma cidade se apaixona por um jornal, não tem jeito... Pode ser uma paixão de vida breve e datada, como no caso do heróico semanário *O Pasquim* durante a ditadura militar; ou casos irremediáveis de fidelidade, como o jornal da parte leste de Berlim, o *Berliner Zeitung*, que se manteve o preferido dos berlinenses orientais mesmo depois da queda do Muro.

O Rio amava *A Noite* e mais, sem forçação de barra: Irineu tinha nas mãos o gosto do carioca médio, outra qualidade que Roberto herdou e soube desenvolver.

---

[9] Humberto de Campos, *Perfis – Irineu Marinho*.

"Sim. A Noite foi amada por todo um povo. Penso nas noites de minha infância, em Aldeia Campista. O jornaleiro vinha de porta em porta. Os chefes de família ficavam, de pijama, no portão, na janela, esperando. E lá, longe, o jornaleiro gritava: — 'A Noite, A Noite!.' Ainda vejo um sujeito, encostado num lampião, lendo à luz de gás o jornal de Irineu Marinho. Estou certo de que se saísse em branco, sem uma linha impressa, todos comprariam A Noite *da mesma maneira e por amor."*[10]

Ah, a hiperbólica precisão de Nelson Rodrigues... Em pouco tempo, os caminhos dos dois filhos de donos de jornal se encontrariam de forma dramática e comovente, como numa peça deste que foi, é, o nosso maior dramaturgo. E acreditem: podem descontar todo o charme do exagero rodrigueano no trecho reproduzido acima, que ainda assim a descrição permanecerá fidedigna. Essa relação apaixonada dos cariocas com *A Noite*, construída durante a década de 10, chegou ao ápice no início dos loucos anos 20. *A Noite* buscou um caminho próprio para se afirmar, evitando o confronto com os matutinos.

O que dominava o noticiário dos jornalões continuava sendo o ra-merrame político da República Velha[11] e seu café-com-leite oligárquico. Na prática, o Brasil não existia como unidade federativa. Os "presidentes das províncias", os governadores, obedeciam às ordens do poder central quando bem lhes interessava. Mais freqüentemente, as ignoravam... Por isso, durante grande parte da República Velha, os presidentes só conseguiam governar, ou dar a aparência de fazê-lo, banalizando o recurso jurídico a seu alcance: o "estado de sítio" não era a exceção, tornara-se a regra.

Irineu Marinho bem sabia do desmando federativo, e esta consciência iria se expressar mais tarde em seu apoio a um projeto de unificação nacional, o movimento tenentista. (Mais uma vez, companheiro leitor, breve nota em nossa listinha *"de: Irineu, para: Roberto"* – Roberto Marinho nunca foi um ideológico, mas este ideal de integração da nação herdou-o do pai e levou-o além. Mesmo porque suas ambições de empreendedor dependiam disso.)

---

[10] Nelson Rodrigues, *A menina sem estrela*.

[11] A República Velha, também chamada de Primeira República, teve início com o fim do Império, em 1889, e foi até 1930. Os treze presidentes que passaram pelo governo neste período garantiram forte proteção às oligarquias agrárias. De 1889 a 1894, o cenário político brasileiro foi dominado pelos militares, e de 1895 a 1930, pela aristocracia cafeeira de São Paulo. Neste último período, São Paulo (o estado economicamente mais forte) e Minas Gerais (estado com forte produção leiteira e maior colégio eleitoral do país) revezaram mandatos na Presidência da República, o que ficou conhecido como política do café-com-leite. A hegemonia paulista no plano nacional acabou por criar conflitos que se acirraram na década de 20 e culminaram na Revolução de 1930.

5. Jantar com a redação de *A Noite*

Mas vamos voltar à trajetória político-empresarial de Marinho, o Irineu. Para tornar *A Noite* parte da paisagem da capital, Irineu evitou a pista repisada do noticiário político, sem novidade nas notícias, e apostou numa raia limpa: seu jornal se dedicaria a dar ressonância aos anseios e preocupações da comunidade. Já ao determinar que seu jornal seria o mais barato – cem réis, um cafezinho, era preço tão acessível que incluiu um público que antes não comprava diários –, Irineu foi ousado, pois como não havia mercado publicitário capaz de sustentar o faturamento, a receita das vendas era fundamental. Dependente de grandes tiragens, *A Noite* buscou, desde sempre, esse caráter de caixa de eco da conversa no barbeiro, um jornal em que o buraco de rua suburbano não tinha importância menor que os conflitos internacionais. O resultado do jogo do bicho era destaque na primeira página, tão imprescindível quanto a previsão do tempo: "*... o dia hoje acordou lindo e quase esteve formoso. À tarde enfarruscou um pouco ...*", assim começava o boletim do tempo no primeiro número do vespertino, ao lado da informação "*deu coelho*" e de um palpite para o próximo sorteio, "*galo*". E deu galo! O bicho era a loteria do povo, o sonho barato de cada dia do leitor que *A Noite* cortejava, com o bicho o jornal não tinha problemas. Logo, porém, Irineu Marinho desencadearia uma campanha pesada contra o jogo nos cassinos ilegais. Dessa campanha vem talvez o melhor exemplo para se dimensionar a popularidade de *A Noite*: a letra do primeiro samba gravado no Brasil mudou por causa de uma reportagem. Sim, na primeira gravação de "Pelo telefone", a letra do parceiro de Donga, o jornalista Mauro de Almeida, conhecido pelo apelido de "Peru dos Pés Frios", começa assim:

O chefe da folia
Pelo telefone manda me avisar
Que com alegria
Não se questione para se brincar

Pois bem. Como parte da cruzada que *A Noite* mantinha contra a jogatina (campanha que, não vamos esquecer, Roberto Marinho repetiria no *Globo* décadas depois), os repórteres Castelar de Carvalho e Eustáquio Alves instalaram uma roleta em pleno largo da Carioca, para evidenciar e denunciar a inépcia da polícia, a ausência de repressão. O próprio letrista, Mauro "Peru dos Pés Frios" de Almeida, consagraria a paródia que ficou para a história das gravações e regravações do samba:

O chefe da polícia
Pelo telefone manda me avisar
Que na Carioca
Tem uma roleta para se jogar...

A Noite foi o primeiro jornal popular do Distrito Federal. "Popular" em qualquer sentido que se quiser aplicar ao termo. Isso quer dizer também um forte e grande noticiário policial, área em que atuavam os melhores repórteres, como já vimos.

Além disso, já sabemos que a turma de Irineu estava antenadíssima na modernidade. O primeiro exemplo deste compromisso com o novo surge menos de três meses após o primeiro número do jornal: depois de se lançar, *A Noite* promove o lançamento de um objeto voador!

Às 6 horas e 42 minutos de 22 de outubro de 1911, a bordo do mono-motor *Blériot*, o piloto francês Edmund Planchut decolou para a temerária jornada entre a praça Mauá e a ilha do Governador, sobrevoando a baía de Guanabara, passando pelas ilhas Fiscal e das Cobras e evoluindo sobre os couraçados *Minas Gerais* e *São Paulo*. Irineu tinha convidado o próprio Santos-Dumont para estrelar a primeira promoção de *A Noite*. O pai da aviação não pôde deixar Paris, e *monsieur* Planchut o substituiu. Por sorte, sobreviveu... Na aproximação para o pouso na ilha do Governador, um grande estrondo e a queda encerraram o espetáculo. O piloto e seus fartos bigodes em desalinho foram resgatados sãos e salvos na praia do Zumbi.

A Primeira Guerra Mundial e a posição de neutralidade do governo de Wenceslau Braz ajudaram a transformar o fazer jornalístico no Brasil. O governo brasileiro se manteve neutro no conflito durante mais de três anos e esta posição oficial de eqüidistância se refletiu obrigatoriamente na cobertura dos jornais com maior noticiário internacional, o *Correio da Manhã* e o *Jornal do Commercio*. Desacomodados subitamente de suas petrificadas posições de "contra" ou "a favor", "situação" ou "oposição"; os diários brasileiros noticiaram o conflito com surpreendente isenção, e esta prática deixou marcas numa geração de jornalistas e leitores. Some-se a isso uma sacudida geral na geopolítica mundial, nas relações cambiais e na tecnologia da imprensa.

A propósito, os primeiros exemplares de *O Globo* seriam impressos numa rotativa "ex-combatente" do exército britânico... Desta fase, reconhecemos portanto alguns legados, diretos ou indiretos, de Irineu para Roberto: a idéia de que a fidelidade ao popular, ao "gosto médio", era questão de identidade e sobrevivência do jornal; o projeto de unificação nacional e a ligação com os tenentes; a obsessão pela novidade... Na redação de *A Noite*, Irineu inaugurou, ainda em 1911, o Aero Clube do Brasil e ajudou a criar o primeiro campo de pouso do país, futuro centro da aviação militar brasileira, o Campo dos Afonsos. O filho Roberto Marinho, porém, levaria décadas para superar o seu medo de voar. De voar baixo Roberto aprenderia a gostar, logo, logo, nas baratinhas de corrida que pilotava na velocidade apressada da juventude.

Mal (ou bem?) de família: já quarentão, Irineu Marinho ainda reagia como uma criança diante das maravilhas do novo século. Encantou-se com o cinema e ficou amigo dos irmãos italianos Pascoal e Afonso Segreto, que trouxeram para o Brasil as primeiras máquinas de filmar e projetar películas. Em 1917, Irineu produziu um filme dirigido pelo imigrante português Eduardo Arouca: *A quadrilha do esqueleto*. Numa seqüência, o mocinho acertava o bandido em pleno bondinho do Pão de Açúcar! Corte para uma cena do corpo lá, estendido no chão, com a inevitável roda de curiosos. Entre os "passantes", um menino de doze anos. Quem? O filho do produtor! Esta é a foto perdida de Roberto Marinho ator, que só nos resta imaginar...

◆

A segunda filha de Irineu e Francisca, Heloísa, nascera em 1907; depois vem Ricardo, em 1909. Com a prosperidade trazida pelo sucesso do projeto *A Noite*, a família Marinho cresce: em 1914, chega Hilda e em 1917, Heleninha, que morre com cerca de dois anos de idade, vítima de um prosaico sarampo. Em 1919, nasce o caçula definitivo, Rogério. Da filharada toda, no entanto, quem dá mais trabalho é o filho Roberto, um adolescente na mais completa acepção do termo.

Um dos primeiros sinais de ascensão social foi a mudança de Niterói para a Tijuca, mais exatamente para uma mansão na rua Haddock Lobo, com mangueiras, sapotizeiros, abieiros e um galinheiro que fazia a ale-

Roberto Marinho

6. Heleninha com os irmãos. Ao fundo, a casa da Haddock Lobo

7. Domingueira com Roberto em primeiro plano

gria da "canalha miúda"! As domingueiras na casa de Irineu Marinho se tornaram sagradas. Amigos e colegas de redação se reuniam em refeições intermináveis, que se prolongavam pela tarde em discussões, brincadeiras, bebericação e 'trepações'... Epa! Atenção, calma: 'trepação' era a expressão da época para fofocas maldosas, fuxicos. Às vezes, o folguedo virava *brain-storming*, bem antes dessa expressão ser usada – "tempestade cerebral" gerada pelas cabeças pensantes disparando idéias a esmo até que se chegava, ou não, a alguma pérola. A idéia da reportagem do *Fakir* surgiu numa domingueira dessas...

E aqui cabe mais um comentário em nossa pretensiosa tentativa de decifrar Roberto Marinho: o bairro da Tijuca encarna a alma carioca de uma maneira única. Copacabana, Ipanema, Leblon – essa face cosmopolita não explica o Rio profundo... Se a orla é exibida por natureza, os caminhos tijucanos se desenham discretos, quase misteriosos, à sombra das montanhas. O espírito do carioca médio, conservador de galochas e por isso mesmo sujeito a chuvas e trovoadas, bruscas mudanças de humor, tem a sua melhor expressão na Tijuca. A trajetória de outro Roberto, Roberto Carlos, só poderia ter começado lá e é uma bela tradução da Tijuca. Roberto Marinho nunca perdeu o contato com a freqüência mental tijucana, a meu ver o seu termômetro secreto e quase infalível da vontade do leitor.

8. Roberto, Heloísa, Braz (colaborador de *A Noite*), Dona Chica, Irineu e Ricardo, em São Paulo

A "maioria silenciosa" nacional pensa em tijucano... Além disso, a 6ª Zona Eleitoral carioca se tornaria o fiel da balança nas futuras eleições.

"E é um eleitorado conservador e representativo da classe média. Tinha a zona sul já muito misturada, porque tinha gente muito rica, tinha favela, aquela coisa, e tinha aquela 6ª Zona que era o que representava, vamos dizer, 'a média' do Rio. É isso mesmo. Ele tinha essa cabeça."[12]

No Rio de Janeiro em que Irineu Marinho consagrou *A Noite*, o dono do jornal vivia bem mais próximo de seu público. Os grandes empresários, e Irineu tinha se tornado um deles, não se encastelavam em seus gabinetes. Para avaliar aquilo que seria chamado posteriormente de "opinião pública", bastava bater perna por meia dúzia de ruas do Centro onde se concentravam os cafés, livrarias e suas calçadas, as idéias eram debatidas e a aprovação ou insatisfação com os governantes era claramente manifesta.

E o caminho tinha duas mãos. Um jovem estudante desempregado não precisava se ajoelhar no milho para conseguir uma audiência com o

---

[12] Henrique Caban, 2 jul 2004.

proprietário de *A Noite*. Acompanhe o depoimento do jornalista Manoel Gonçalves à publicação *Memória da* ABI:

"Eu saí, fui à Noite, *no largo da Carioca, subi as escadas e lá em cima estava ... o porteiro. ... eu era menino, mocinho, estudante ainda ...*

— O que você quer?

— Eu quero falar com o dr. Irineu Marinho.

— Você conhece?

— Não, não conheço.

Ele foi, voltou:

— Ele não está.

Eu ia me retirando quando abriu uma porta e apareceu um senhor meio calvo. Era o próprio Irineu Marinho. Virou-se e disse:

— O que você quer, menino?

— Eu queria falar com o senhor.

— Pode falar.

— Eu acabei de deixar O *Imparcial, eu sou estudante, sou pobre, preciso continuar trabalhando para poder continuar os estudos.*

Ele disse:

— O que é que você sabe fazer?

Digo:

— De jornal, eu sei tudo, mais ou menos tudo, porque eu tenho feito tudo, até Câmara dos Deputados, coisa e tal...

Ele chamou Eurycles de Mattos, que era o secretário, e disse:

— Eurycles, vê o que esse menino pode fazer. Dá uma nota aí pra ele..."

O menino Manoel Gonçalves foi contratado e cumpriu uma bela carreira profissional. Só deixou a redação de *A Noite*, para ser um dos companheiros de Marinho na fundação de *O Globo*, onde trabalhou até a década de 60.

Se *A Noite* abriu os anos 20 esbanjando vitalidade, o seu dono chegava à nova década assolado por problemas de saúde. Irineu nunca teve constituição robusta, as fotos mostram um senhor magro e invariavelmente pálido. Além de constantes dores de cabeça, problemas estomacais e hepáticos, Irineu sofria com cálculos renais; e tinha a "peste branca", doença cujo nome

9. Irineu, paciente e sócio-benemérito

não se dizia, daí tantos codinomes: consumpção, delicada, doença-ruim, héctica, magrinha, fininha, mal-dos-peitos, tíbia. Já vimos o cárater epidêmico da tuberculose na época, mas quando se tratava do diagnóstico de um poderoso proprietário de jornal, lançava-se mão de eufemismos mais sofisticados, chamando-se a doença pela sua manifestação mais visível. Na casa dos Marinho, a doença do pai era a pleurisia, inflamação aguda ou crônica da pleura, típica afecção tísica que pelo menos não causava hemoptise.

Para que o leitor contextualize: *A Noite* era cheia de anúncios de xaropes "contra gripes, resfriados e tuberculoses". Vários remédios prometiam a "cura da tuberculose"...

Irineu era obrigado a passar longas temporadas em São Lourenço, e de lá controlava e dirigia *A Noite*. Todas as manhãs, recebia o seu vespertino do dia anterior e corria a escrever, mantendo correspondência diária com Leal da Costa. Nas cartas, entre comentários sobre edições passadas e orientações para os próximos números, Leal recebia incumbências de cárater pessoal e familiar. Como, por exemplo e principalmente, manejar as rédeas soltas e incontroláveis do filho adolescente. Roberto, aos dezesseis anos, era um azougue. Em 1921 o rapaz já passava pelo doloroso rito de iniciação à vida sexual da época: a primeira doença venérea.

Para contextualização: no primeiro número de *O Globo*, o maior anúncio era o do Treparsol (era este mesmo o nome!), "novo arsenical contra a sífilis, preferido pelos professores Miguel Couto, Eduardo Rabelo, Juliano Moreira e Werneck Machado".

O espoleta Roberto seria tratado pelo médico Eduardo Rabelo.

Irineu Marinho para Leal da Costa, São Lourenço, 22 out 1921:

"Muito agradecido pelas providências com relação ao Roberto, que vou esperar d'aqui a pouco, pelo trem que deve chegar aqui às 4 ½. Esse canalhocrata terá tido a idéia de ao menos participar a partida ao Brício?

Magnífica, a tiragem!"

Brício Filho era um dos homens de confiança de Irineu na *Noite*, a quem Roberto freqüentemente recorria, como também a Leal da Costa, para conseguir um vale...

10. Com Leal da Costa

Roberto Marinho para a mãe Chica, Rio de Janeiro, 12 out 1921:

"... Papae me deixou 50$; voltei ao Leal Junior gastando 20$: o resto foi-se em cinemas, cafés etc. Pergunte a papae se posso pedir dinheiro ao Leal (gerente) ...

... Adeus, não diga nem brincando que eu me esqueci de V., um abraço em papae, acompanhado do respectivo beijo na caréca. À canalha miúda, muitos beijos e abraços. ... Diga a papae para não ser muito severo na crítica d'esta, pois não tive tempo de passal-a a limpo ...

... Não me esquecerei dos annos da vovó. Se até lá eu tiver o vil metal, levarei uma lembrançasinha."

Vovó era Dona Cristina, que iniciou a formação musical de Roberto. Bem mais tarde, em seus rabiscos de memórias, falaria da avó:

"... era mulher de poucas letras, mas de uma grande sensibilidade para a música. Foi com ela que aprendi a apreciar os grandes tenores italianos daquela época, em um gramofone igual ao que aparecia no selo da RCA *Victor, com a frase* His Master's Voice. *Ao ouvir Caruso, apaixonei-me pelas árias mais famosas das grandes óperas de Verdi, de Rossini, de Pucini – enfim, de todos os maiores mestres italianos ... Passava horas e horas na companhia de minha avó, ouvindo não só trechos de óperas, mas também as mais belas canções napolitanas. Ainda hoje eu as tenho de cor. ... Graças ao carinho e à sensibilidade de minha avó, os encantos e os segredos do* bel canto, *passei a assistir a todos os espetáculos do Teatro Lírico, onde vinham se exibir as mais famosas companhias italianas. Ia com tanta freqüência ao Teatro Lírico que cheguei a me tornar amigo de vários integrantes do elenco, dos cantores e especialmente das cantoras."*[13]

Pois é, "os encantos e segredos do *bel canto*", Roberto viria a explorar com calma e assiduidade alguns anos mais tarde. Por ora, ele custava os últimos fios de cabelo de Irineu...

---

[13] Roberto Marinho, anotações para "Condenado ao êxito", grifos do autor.

Irineu para Leal, São Lourenço, 20 out 1921:

"Ao Roberto escrevi hontem communicando que ia agradecer mais uma vez ao Brício a solicitude com que o tem fiscalizado. ... O marreco pensava que ia ficar em plena liberdade, compromettendo o tratamento ..."

Tratamento que se arrastaria por mais de ano, provocando efeitos colaterais; daí a resistência do paciente, impaciente por natureza.

Roberto para o pai Irineu, Rio de Janeiro, 16 ago 1922:

"Papae, já hontem, por imposição materna, fui forçado a furtar-me do grande prazer que é vel-o e ouvir os seus desesperos. Senti falta de uma e outra cousa ...

... A obediencia paterna, a obediencia cega, chama-me à rua da Assembléa 49, ao consultório do dr. Rabello... E vou!!!

... Tio Aecio diz que o ... Bueno Brandão assegurou a sua soltura muito breve, no máximo até o dia da terminação do sítio ... Tenho testemunhas."

É isso mesmo que você leu, caro leitor: em 1922, Irineu Marinho estava preso. Foram quatro meses de cárcere na ilha das Cobras, castigo imposto pelo presidente Epitácio Pessoa, por conta do apoio de *A Noite* à revolta dos Dezoito do Forte, primeira manifestação tenentista.[14] Os tenentes combatiam as oligarquias hegemônicas e pregavam a modernização da organização social, política e econômica do Brasil; além de defenderem reformas na própria estrutura do exército. Pelo que já conhecemos do velho Irineu, a sua simpatia pelo ideário dos jovens oficiais não causa surpresa.

Como mensageiro exclusivo das cartas para e de Irineu, o filho primogênito Roberto.

Mesmo preso e submetido a interrogatórios quase todos os dias, o dono de *A Noite* ainda se preocupava em primeiro lugar com a qualidade do jornal:

---

[14] O tenentismo foi um movimento de contestação da política oligárquica da República Velha. Organizado pela baixa oficialidade do exército, defendia reformas políticas e econômicas como a adoção do voto secreto, a criação de uma justiça eleitoral e um projeto de fomento à industrialização. Na década de 1920, os tenentes estiveram à frente de inúmeros levantes. O primeiro ocorreu no Forte de Copacabana, no Rio de Janeiro, em julho de 1922, com o objetivo de impedir a posse do presidente eleito, Artur Bernardes. No entanto, algumas unidades militares da cidade não aderiram ao movimento, e as tropas legalistas atacaram o forte, matando vários dos rebelados. Em 6 de julho, os revoltosos decidiram marchar pela avenida Atlântica de encontro às forças leais ao governo. Os participantes da marcha ficaram conhecidos como os Dezoito do Forte. A segunda revolta tenentista ocorreu em São Paulo, sob o comando do general Isidoro Dias Lopes. Os revoltosos ocuparam a cidade em 5 de julho de 1924 e resistiram por vinte e três dias. Os conflitos deixaram mais de quinhentos mortos e cerca de cinco mil feridos. Em outubro do mesmo ano, outro movimento militar foi desencadeado no Rio Grande do Sul, sob a liderança do tenente Luís Carlos Prestes. Derrotadas, as tropas rebeldes gaúchas e paulistas se uniram no Paraná e organizaram uma "guerra de movimento". Formava-se assim, em 1925, a Coluna Prestes, que durante dois anos percorreu cerca de 27 mil km do território brasileiro. Com o fim do mandato do presidente Artur Bernardes, a Coluna se dirigiu para a Bolívia e se dissolveu em fevereiro de 1927.

Irineu para Leal, ilha das Cobras, 1922:

"Quanto á impressão e ainda pelo que pude ver, vae peorando a olhos vistos. Pois é pena. Iamos tão bem...

Se houver qualquer cousa urgente que me queiras dizer, escreve-me e o Roberto que me traga imediatamente."

É claro que a maior parte dessa correspondência da prisão tem como destinatária a mulher, Dona Chica.

Irineu para Chica, ilha das Cobras, 12 jul 1922:

"Chica. É muito provável que o portador não me encontre hoje aqui, por eu ter ido depôr em um inquérito. Prevendo isso, deixo este bilhete já escripto. As meias que me mandaste eram pessimas – já estão completamente inutilizadas. Como aqui o chão é de ladrilhos, convém que me mandes outras, mais resistentes. Continuo tomando os remédios com toda a regularidade e sem ter tido, até este momento, o menor symptoma de crise."

Irineu pergunta sobre a saúde dos filhos, o ambiente no lar, e, é claro, sobre o jornal:

"Podes aproveitar ... para me dares algumas notícias sobre A Noite. *Não tem havido grandes dificuldades? E a machina? Já está concluída a installação electrica?"*

Ao fim de cada carta, um epíteto diferente para a cadeia:

1º set 1922 – 59º dia de quartel.
5 set 1922 – 63º dia de cornetas e tambores.
6 set 1922 – 64º dia de disciplina militar.
11 set 1922 – 69º dia de meditação e silêncio.
21 set 1922 – 79º dia de peso de metralhadoras.

Dois anos depois, livre da sombra das grades, Irineu partiu para a Europa, em busca de recuperação. Foi a primeira e a única vez que os Oito Batutas se apresentaram ao ritmo das marolas da baía de Guanabara. Quando o transatlântico apitou para zarpar, e a lancha com os músicos arrancou, acompanhando o *Conte Rosso* até quase mar aberto, os músicos não se abalaram; tinham experiência internacional. Em 1922 eles tiveram que vencer um "oceano de preconceitos" para chegar ao Dancing Sherazade, em Paris

11. Ao mar

– e "oceano de preconceitos" não é metáfora vã! Para que o leitor estime a concretude do racismo de então, basta saber que o presidente Epitácio Pessoa tinha mexido na escalação da seleção brasileira de futebol, proibindo a convocação de "pessoas de cor". Por essas e tantas, aqueles negros, pardos e cafuzos batutas estavam ali hoje: por gratidão ao ilustre passageiro (a propósito, bem mulato) cujo apoio foi decisivo para vencer quem não admitia ver o Brasil representado na Europa por um bando de crioulos. Bando não, banda: Luís de Oliveira no reco-reco, Jacó Palmieri no pandeiro, Nélson Alves no bandolim e no ganzá, Raul Palmieri e Donga nos violões. No gogó, China, e na flauta seu irmão Pixinguinha...

Os maxixes, choros, foxtrotes e *ragtimes* já rolavam forte desde a plataforma de embarque, e o jovem Roberto, pé-de-valsa desde sempre, deve ter-se controlado para não sair dançando pelo porto do Rio de Janeiro, como se a vida fosse um musical americano. Era 20 de maio de 1924, e se o embarque da família Marinho para a Europa tinha virado apoteose à beira-mar, isso se devia não só à popularidade de Irineu, mas sobretudo à determinação de seus amigos em desarmar o clima funéreo, mais propício a um réquiem que a um cateretê. Afinal, o dono de *A Noite* convalescia da operação a que tinha se submetido pouco mais de um mês antes, no dia 13 de abril, na Casa de Saúde Pedro Ernesto – uma tentativa de drenagem da pleurisia, cirurgia de cicatrização lenta e dolorosa, na época com desdobramentos imprevisíveis. Era uma viagem de reabilitação, e de fato a travessia do Atlântico começaria fazendo bem a Irineu: "*Nem cansaço! Nem dor! Nem pus! Oito dias corridos, a ferida fechava.*"[15]

Mas naquela festa feérica, na praça Mauá, uma sombra de incerteza macabra pairava sobre as cabeças e os corações: era uma despedida para

---

[15] Irineu Marinho a Antônio Leal da Costa, a bordo do *Conte Rosso*, navegando no Mediterrâneo, depois de cruzar Gibraltar, 30 mai 1924.

sempre? Um adeus literal ou um até breve?

O exagero de flores partiu de todos aqueles a quem Irineu Marinho ajudava, através de doações em dinheiro ou espaço em seu jornal. Havia buquês enviados por dezenas de figuras ilustres da República, políticos, bacharéis e doutores; porém o mais revelador da atuação social do

12. Embarque apoteótico

dono da *Noite* eram as *corbeilles* mandadas por entidades filantrópicas, associações de classe e representantes de categorias – Asylo de São Luiz, Abrigo da Infância, União dos Electricistas Theatraes, União dos Carpinteiros Theatraes, Empresa Cinematographica Paschoal Segreto, Comissões das Companhias Theatraes do Trianon, São José, São Pedro, Carlos Gomes, Recreio, República e Palácio; Sociedade Brasileira de Autores Theatraes, Semanário Fon-Fon e, por fim e enfim, a Liga Brasileira contra a Tuberculose. Os arranjos florais em profusão quase escondiam Irineu, Dona Chica e seus filhos nas fotos estampadas nas primeiras páginas do dia seguinte. Flores que, ironicamente, ganhariam um rearranjo na mesa do comandante, naquela primeira noite ao mar, pois havia outro convidado ilustre para o jantar. O ex-presidente Epitácio Pessoa rumava para Haia, em substituição à Águia de lá, Ruy Barbosa. Os

jornais praticamente ignoraram a presença do carcereiro de Irineu a bordo, a notícia foi escondida num canto de página interna. A irmã mais nova de Roberto, Hilda, que tinha apenas dez anos de idade, nunca se esqueceria da doce e florida vingança. Num bilhete escrito muitos anos depois, para ajudar o irmão a organizar suas memórias, o sentimento infantil se mostrava vivo: *"... tinha um ódio de morte dele por ter prendido papai, inclusive durante o meu aniversário [7 de setembro] ..."*

13. Cartões de embarque

14. Corrêas – Roberto em botas de cavaleiro

A temporada na ilha das Cobras havia, sim, minado ainda mais a saúde de Irineu Marinho. É verdade que a família possuía agora uma propriedade em Corrêas, onde o patriarca aproveitava o clima serrano para atenuar os padecimentos causados pela tuberculose.

Nas temporadas em Corrêas, Roberto Marinho se esbaldava entre dois de seus divertimentos favoritos: cavalgava e namorava, não necessariamente nesta ordem. Um episódio que aconteceu um pouco mais tarde entrou para a mitologia familiar: o dia em que duas namoradas de Roberto apareceram ao mesmo tempo... A casa de Corrêas, pequenina quando adquirida, tinha sido ampliada e ganhara duas entradas independentes. Cada garota chegou por um lado. Dona Chica e as filhas se desdobraram tentando receber as duas simultaneamente, sem que as moçoilas percebessem a presença uma da outra. "*Ih, cada coisa horrível que esse Roberto inventa*", sussurrava Dona Chica, "*bota a gente em cada situação...*" E Roberto? Teve um mal súbito aquele dia, ficou acamado, doente com muitas dores, não pôde atender a suas queridinhas... Nada que o impedisse de selar o cavalo e sair para passear, assim que as pequenas se afastaram.

Roberto Marinho

15. O mais sorridente

16. Miúdo

O rapaz estava aprendendo a administrar sua voracidade pela vida, tinha energia definitivamente em excesso e descobrira o esporte como uma divertida válvula de escape. Nessa época, o cavaleiro ainda não tinha se apaixonado pela corrida de obstáculos, e para extravasar o seu gosto nato por competição, participava de regatas, remador da equipe da agremiação esportiva Boqueirão do Passeio. Além disso, era um excelente, quase compulsivo, nadador; "jogava" boxe e praticava jiu-jítsu. Ressalve-se que o aprendizado de lutas ocultava uma motivação bem específica: desforra. Quando menino, ele fora vítima de uma dessas covardias tão comuns na hora do recreio de uma escola primária – um aluno mais velho, codinome Mongaguá, resolveu exibir seus músculos à custa do menorzinho, acertando-lhe um golpe tão violento no ouvido que Roberto caiu desmaiado. Só que o pequeno guardara bem a fisionomia do agressor e agora se dedicava a ficar pronto para um encontro eventual, que acabaria acontecendo. Cerca de quinze anos depois da briga no recreio, Roberto caminhava rumo à casa de uma namorada no Lido quando avistou o tal grandalhão: "*Mongaguá?*" O valentão mal teve tempo de responder, levou uma surra no meio da rua, em plena Copacabana, entre exortações a sua memória: "*Lembras daquele menininho que você surrou? Lembras? Então toma! Vais ver!*"

17. Travessia

Roberto logo veria que a vida é luta mais que briga. Aquela travessia atlântica marcaria o início da lapidação de uma coragem bruta, que tornaria o menino brigão em homem lutador, guerreiro. O filho de Irineu não poderia imaginar como a vida iria se mostrar para ele, em todas as suas facetas e falsetas, naqueles próximos anos. E, com olhos arregalados e curiosos, ele viu. Viu o luxo dos salões do *Conte Rosso*, as sedas, tapeçarias e cristais da primeira classe; e viu também os passageiros mais humildes, as famílias de imigrantes, a terceira classe onde os pais de sua mãe tinham viajado, sem passagem de volta, a caminho do Brasil.

Décadas mais tarde, homem feito e empresário poderoso em viagem à Itália, foi levado a um palácio próximo a Veneza. Os cicerones locais queriam prestar uma homenagem mostrando o Palácio Pisani, que julgavam obra dos ancestrais aristocráticos do importante brasileiro. Depois da visita, quando lhe deram os parabéns pela ascendência nobre, Roberto respondeu:

18. Pisa, junho 1924

"— *Minha família nada teve com esses príncipes Pisani, do norte da Itália. Meus avós são de Nápoles e chegaram ao Rio como imigrantes.*"

Admirado, um dos italianos comentou:

"— *Curioso, tanta gente, que não tem a vantagem da coincidência de sobrenome, vem a Itália arranjar título de nobre, e o senhor me sai com essa!*

— *É que vocês não conhecem a minha terra. No Brasil, admira-se mais os descendentes de imigrantes que conseguiram ser alguém do que os que ostentam títulos nobiliárquicos...*"[16]

[16] Roberto Marinho, anotações para "Condenado ao êxito".

19. *"Quella famiglia grossa"*

Naquela primeira ida à Itália, Roberto teve que espiar Veneza de passagem, por causa da doença do pai. Preste atenção, leitor, para o contraste chocante que nos municia em nossa batalha para decifrar o paradoxo Roberto Marinho: a beleza sublime de Veneza e a ferida aberta no peito do pai, lado a lado, frente a frente. Uma aparente contradição percorre toda a viagem de 1924-5, pois ela é ao mesmo tempo uma peregrinação de despedida e de exaltação da vida. E Roberto viu. Viu a luta de seu pai contra a morte e viu como Irineu fez da viagem uma celebração à vida.

A caravana tinha onze pessoas! Como ouviriam com freqüência na Itália, *"quella famiglia grossa..."* Além da mulher e todos os filhos – Roberto, 19; Heloísa, 16; Ricardo, 15; Hilda, 9 e Rogério, 5 anos – Irineu levou seu médico Velho da Silva, noivo de Heloísa, o colega Castelar de Carvalho e seu filho Joel. Ah, e Irma, Irma Geiser, uma governanta alemã para segurar a galerinha!

O mar fez bem ao senhor Marinho e ele parecia recuperado da escabrosa cirurgia. Mas apareceram *"pontadas no estômago ou no fígado, ou em ambos. Consultando o médico de bordo ...ficou acertado que não nos demoraríamos em Gênova e seguiríamos para Montecatini, de cujas águas farei uso."*[17]

[17] Carta de Irineu Marinho a Antônio Leal da Costa, no *Conte Rosso*, Mediterrâneo, 30 mai 1924.

20. Montecatini, 1924

Aconchegadas no coração da Toscana, as Termas de Montecatini eram célebres, e ainda o são, pelo poder curativo de suas águas e por seus suntuosos hotéis terapêuticos. Tudo tão bonito, saudável e tranqüilo, tão próximo ao tédio que Roberto rapidamente se engajaria na terapia de aprender, na prática, o significado da expressão *belle ragazze*... Já Irineu, discreto à obsessão, preocupava-se com outra coisa. Apesar de jornalista, ou justamente por isso, Irineu tinha uma precaução dos diabos com os *paparazzi* da época: "*... uma cousa me apavora desde o começo da viagem; a publicação de photografias nossas nas revistas ilustradas. As chronicas photographicas, ... com a pose da família assumindo ares de grandes viajantes de todos os séculos, far-me-iam um mal terrível aos nervos.*"[18] De pai para filho, outra origem não tem o compromisso de Roberto Marinho com a discrição, a discrição como estilo.

Ficaram pouco tempo em Montecatini, menos de duas semanas; seguiram estrada para Florença, onde também não se demorariam. Só o tempo necessário para Roberto armar reinação típica. Uma tarde, ao voltar para o hotel, Irineu vê uma aglomeração à margem do rio Arno. O veterano repórter imediatamente se acerca para apurar e – flagrante!: "*Jovem estrangeiro pratica natação, desafiando as correntes e as leis locais, que proíbem o banho*". Seu filho era a notícia. Pela travessura, Roberto perdeu a semanada.

Só em agosto, no lago de Como, Roberto pôde dar suas braçadas livremente. Nadou à vontade até sumir da vista de pais e governanta. Em vez de, como planejado, tomar o caminho do sul, de onde vieram os pais de sua mulher, Irineu fora obrigado a buscar o clima temperado do Tirol italiano, ao norte. O calor de Roma tinha-o maltratado demais: "*... febre e calafrios. No lugar da cicatriz surgiu uma inflamação e da inflamação, uma bella noite, jorrou pus, e em tal quantidade que deu para ensopar uma camiseta.*"[19]

Roberto Marinho

[18] Carta de Irineu Marinho a Antônio Leal da Costa, Montecatini, 20 jun 1924.
[19] Carta de Irineu Marinho a Antônio Leal da Costa, Bellagio, 1º ago 1924.

21. No rio Arno, antes de mergulhar

Forçado a abreviar a tão sonhada estada em Veneza, refugiou-se na altitude de Bellagio, pequeno balneário numa península do Como, à sombra dos Alpes. Enquanto Roberto dava braçadas para lá e para cá, Irineu foi melhorando: "*O resto da comitiva, que, como eu e Chica, está gozando de perfeita saúde, também te recommenda muito, sem esquecer o Roberto, que em muitos dias só vejo ao almoço e ao jantar...*[20]"

22. Carta de Irineu Marinho a Antônio Leal da Costa, Bellagio, 4 ago 1924

E a próxima parada seria Paris!

Na capital da França e da civilização, Irineu se divide entre deslumbramento e preocupação. Na primeira carta a Leal da Costa em que descreve Paris, fala de tudo "*tão belo, tão agradável, tão fascinante!*", para logo em seguida externar suas preocupações com Roberto que, "*mal chegou, precipitou-se a Montmartre! ...Aquele cavalheiro* [seu filho Roberto] *assusta-me, e o único meio prático que vejo de defender-lhe a saúde é partir...*"[21]

[20] Idem, 4 ago 1924.
[21] Carta de Irineu Marinho a Antônio Leal da Costa, Paris, 11 set 1924.

As expectativas do pai são contrariadas, e seu filho não se acaba entre pernas de sirigaitas na boemia de Paris. É verdade que o jovem mal aparecia no Hotel du Brésil, onde ficou hospedada a família – o mesmo hotel que alojou Sigmund Freud durante seus anos de formação, aprendendo hipnose. Se Roberto pouco dava as caras no Brésil da Rive Gauche, o sumiço não tinha a ver com gandaias promíscuas; o rapaz estava hipnotizado.

Até o fim da vida Roberto Marinho lembraria terna e romanticamente da moça que namorou durante aquele mês em Paris. Chamava-se Lili – com i, e não y, não confundir com a companheira de velhice! Um amigo de seu pai o levara para conhecer a casa de uma típica família francesa em Medon, nos arredores de Paris. Foi lá que Lili e Roberto se conheceram e não mais se largaram. Doutor Roberto dizia que Lili o iniciou em Anatole France, Balzac, Zola e Maupassant. A paixão podia até incluir a descoberta da literatura francesa, mas – os suspiros nostálgicos do velho Roberto nos autorizam – fiquemos à vontade para inferir que liam juntos... na cama. Um mês de aprendizado intensivo de *french kiss* com uma nativa!

Livros entre lençóis, idílio, luzes, música, champagne, estar apaixonado em Paris, os anos 20 em pleno desvario, Roberto em estado de graça. Até que seu pai o chama, e não é para dar nenhuma ordem ou bronca. Precisa conversar. Algo de grave pode estar em curso no Brasil.

Irineu deve ter começado a conversa relembrando que, em 1913, tinha vendido ações de *A Noite* como forma de conseguir capital para uma nova rotativa e aumentar as tiragens, e que Geraldo Rocha, baiano representante da firma inglesa Brasil Railways, tinha sido o comprador. Irineu permanecera o acionista majoritário, dono de fato e de direito; mas quando resolveu ir para a Europa... Bem, para fazer tão longa viagem em companhia tão numerosa, precisava de liquidez. Para ter dinheiro na mão, fez um acerto com o sócio Geraldo Rocha. Roberto deve ter ficado pálido, trezentas pulgas atrás das orelhas a sugar-lhe o sangue das faces. E Irineu provavelmente

23. Ação de *A Noite*

meneou a cabeça na hora de explicar que dois foram seus principais motivos para fazer o acordo: primeiro, não sabia quanto tempo lhe restava de vida; e, segundo, não julgava ter sucessores capazes de manter o jornal. "O acerto foi o seguinte", teria prosseguido apressadamente o pai Irineu, "ele comprou minhas ações, mas ficamos apalavrados que ele irá me revender o lote assim que eu voltar." Imagino um longo segundo de silêncio, antes da próxima frase: "Ele me prometeu." Roberto pode ter tentado perguntar alguma coisa, mas seu pai continuou, "agora, nas cartas que recebo do Brasil, começaram a surgir sinais suspeitos, estou desconfiado, assaltado por

24. Lisboa, dezembro 1924

dúvidas". O sucessor que não existia, primogênito que acabara de ser praticamente insultado, respondeu com uma frase curta: "Papai, perdeste *A Noite*." Roberto Marinho aprendia ali, de maneira brutal, entre raiva e compaixão, aparando as lágrimas do pai, a verdade contida na máxima enunciada com tanto humor por Samuel Goldwin: *"Um contrato verbal não vale o papel no qual está escrito."*

A batalha postal ainda duraria cinco meses, período em que a família se fixa em Portugal. De Lisboa, Irineu tenta evitar o desastre, manobrando como pode suas armas, tarde demais. Entre seus amigos e colegas, descobrirá que Leal, que ficou no Brasil, fará jus ao nome; e que Castellar, companheiro de viagem, o abandonará. Várias vezes, Irineu e Leal mencionam um segredo e as fatais conseqüências de sua violação.

Há base para supor que a futura aversão de Roberto Marinho a sócios tenha nascido aí. Mas também é verdade que aversão é uma palavra forte demais, já que Doutor Roberto entrou em sociedades sempre que julgou ser de seu interesse. O que a gente pode ter certeza é que, com vinte anos, Roberto aprendeu que existe abandono, traição, e que todo cuidado não é suficiente. E talvez possamos concluir também que, após presenciar tamanha traulitada, o jovem herdeiro tenha perdido qualquer pressa que porventura tivesse de ser mais herdeiro do que jovem.

Três décadas depois, Roberto Marinho abriria espaço em *O Globo* para Geraldo Rocha dar a sua versão da história, num artigo com o título "Vivo o espírito de Marinho". Rocha não apresenta nenhuma história nova ou conflitante com as informações a que Roberto já tivera acesso ou com as deduções que fizera. Antes do texto assinado por Geraldo Rocha, uma breve apresentação:

"Sem entrarmos na apreciação de fatos pretéritos nele relatados, transcrevemos a seguir o artigo com que o sr. Geraldo Rocha, fundador e diretor de O Mundo, *se referiu, anteontem, a* O Globo *e seus diretores, com palavras que muito nos sensibilizaram."*[22]

Em sua defesa, Geraldo Rocha confirma que fez tudo em acordo com Irineu Marinho, que teria lhe dito:

"Marinho me ponderou ... que A Noite *representava o seu único bem e que se sentia doente e com poucas probabilidades de uma vida longa, e assim tinha justos receios pela solidez do patrimônio que teria de legar aos seus."*[23]

Em seguida, Rocha conta que comprou todas as ações de Irineu Marinho por três mil contos de réis, cifra astronômica, equivalente na época a cerca de um milhão e meio de dólares, uma grande fortuna – mais de uma centena de milhões de dólares nos dias de hoje. Não menciona o pacto verbal de revenda e acusa terceiros de terem traído Marinho, durante sua viagem à Europa: *"... na sua ausência, elementos de sua* entourage *que aqui permaneceram tramaram uma intriga ..."*. Geraldo Rocha omite o fato de que esses terceiros só puderam consumar a traição com sua cumplicidade. No Brasil, apenas Geraldo, Leal da Costa e Vasco Lima, ilustrador e cenógrafo da célebre matéria do *Fakir*, conheciam o segredo.

"Nem o Moses estava iniciado no nosso segredo. ... Nunca me arrependi tanto de me ter comprometido a não revelar a quem quer que seja – mesmo à Chica – a transação que effectuei. Mas empenhei a minha palavra e a tenho cumprido, sabe Deus com que sacrifícios."[24]

O segredo? A informação de que Irineu Marinho tinha vendido *A Noite*. O motivo do segredo, Geraldo Rocha revela na "prestação de contas" de 1956:

---

[22] Geraldo Rocha, "Vivo o espírito de Marinho", *O Globo*, 3 ago 1956.

[23] Idem.

[24] Carta de Irineu Marinho a Antônio Leal da Costa, 1º fev 1925.

"Estando a meu cargo, nesta época, a direção do mais potente grupo de interesses estrangeiros no Brasil [a inglesa Brazil Railways]*, não me convinha figurar como proprietário de um vespertino de grande atuação como* A Noite*, e a situação se mantinha em segredo."*[25]

No início de janeiro de 1925, Leal da Costa, que assumira a direção do jornal depois da partida de Irineu, é preso. De Portugal, Irineu procura desvendar os motivos da prisão, nos exemplares que lhe chegam da Noite, mas *"… só achei a primeira notícia do 2º clichê de 7 de janeiro – 'Os acontecimentos militares' – uma simples notícia de um julgamento no Supremo Tribunal! …"*[26]

Vasco Lima aproveita-se da ausência forçada de Leal da Costa e dá o golpe: em reunião de acionistas, com o endosso de Geraldo Rocha, arroga-se a direção do vespertino. Xeque-mate!

Meses depois, numa rua do centro do Rio, Roberto Marinho daria uma surra em Vasco Lima.

"Recebo o primeiro dos teus telegrammas à hora do jantar, sete e meia da noite. Foi como se recebesse um choque electrico. … preciso descobrir através das linhas impassíveis do telegramma a gravidade do acontecimento. … O meu sistema nervoso, que desde a pleurisia tem estado completamente abalado, piorou de modo sensível. Estou uma pilha."[27]

"Uma das maiores causas da minha afflição é não saber exactamente qual a atitude de cada um dos meus amigos … quanto a meu regresso, ainda uma vez: estou à espera de tua opinião e a do Moses."[28]

Bem mais cedo do que ousariam prever, Moses, Irineu e Leal estariam reunidos, nomes em maiúsculas no cabeçalho de um novo vespertino carioca – "O GLOBO, *Director-proprietário:* IRINEU MARINHO, *Director-thesoureiro:* HERBERT MOSES, *Director-gerente:* A. LEAL DA COSTA."

"Recordo-me como se fosse hoje, quando Irineu Marinho voltou da Europa", declararia Henrique Gonçalves, um veterano gráfico de jornal, trinta e dois anos depois da chegada ao Rio do navio inglês *Darro*. Henrique era

[25] *O Globo*, 3 ago 1956.
[26] Carta de Irineu Marinho a Antônio Leal da Costa, 1º fev 1925.
[27] Carta de Irineu Marinho a Antônio Leal da Costa, Estoril, 31 jan 1925.
[28] Carta de Irineu Marinho a Antônio Leal da Costa, Estoril, 5 fev 1925.

25. Passaporte-família

o principal personagem de uma reportagem de *O Globo* sobre o último dia de *A Noite* – que tinha sido encampado em 1940 e cumprira ladeira abaixo sua agonia até fechar num sábado, 28 de dezembro de 1957. Na edição do dia 30 (*O Globo* ainda não circulava aos domingos), Henrique recordava com detalhes a volta do fundador dos dois jornais, em 20 de fevereiro de 1925:

"Fui ao desembarque do Marinho, e ele chorava feito uma criança. Lembro-me bem das palavras que me disse: 'Henrique, eu fui traído, abandonado. Mas não vou ficar desesperado. Vou fundar outro jornal. Perguntarei ao povo qual é o jornal de que está precisando. Submeterei à opinião dos brasileiros o novo nome: O Mundo? O Globo?*'"*[29]

Vítima de sua própria boa-fé ou da malícia alheia, não importa; Irineu desembarcava sabendo que tinha perdido seu jornal. Numa das inúmeras cartas que tinha mandado de Lisboa para Leal da Costa, Irineu descreveu de forma sombria o seu estado de ânimo. Mencionou uma estranha preguiça, que até então ele não conhecera, uma tristeza mais que triste, quase invencível. Num diagnóstico em linguagem atual, Marinho exibia os sintomas típicos de um quadro depressivo, e não era para menos... Naquele momento, a força que não deixava o ex-dono da *Noite* esmorecer, a energia motriz, vinha de sua mulher, Dona Chica. A *mamma*, em aliança com o inconformado e combativo moço Roberto, fez Irineu Marinho se reerguer e acreditar que valia a pena insistir.

E havia os amigos, ah, sim, logo ele iria confirmar que mantivera o crédito mais decisivo, a confiança e o afeto dos "companheiros" que tanto marcariam seu filho Roberto. Além de Leal e Moses, outros *trinta e três* colegas de redação na *Noite* seguiriam Irineu Marinho em sua empreitada! Entre eles, o jovem estudante que fora pedir emprego, Manoel Gonçalves, e mais Pereira Rego, Horácio Cartier, Bastos Tigre, Costa Soares, Eloy

Roberto Marinho

---

29 *"A Noite foi fechada para dar lugar à TV-2"*, *O Globo*, 30 dez 1957.

26. Na apuração com Pereira Rego

Pontes, Brício Filho e Eurycles de Matos, que seria o secretário de redação de Marinho no novo jornal.

Para o filho de Irineu, foi estonteante e irresistível testemunhar a velocidade com que seu pai fundou um novo jornal. Passaram-se apenas cento e cinqüenta e nove dias entre o desembarque da família e a chegada do primeiro número de *O Globo* às ruas! Isso com a tecnologia e as "facilidades" midiáticas de 1925... No início, Roberto apenas assistia fascinado ao espetáculo, não era mais que espectador. Até então, seu pai considerava o filho – e transmitia esta percepção a seus colegas de geração – boêmio demais, namorador demais, incontrolável demais, um doidivanas. Aos poucos, durante aqueles parcos cinco meses, o velho Marinho foi conhecendo-o melhor e pôde perceber que, embora indisciplinado para padrões escolares convencionais, o inacreditável Roberto tinha uma incrível capacidade de aprender.

Entre corridas de baratinha – baratinhas, recapitulemos, jovem leitor, eram os carros esportivos da época – "jogos" de boxe, rodas de samba, coristas do Teatro Lírico e o sem-número de tentações da vida noturna; sempre sobrava energia em Roberto para apreciar as maquinações de seu pai e os

27. Dândi carioca

companheiros na construção do novo jornal. O próprio rapaz também logo começaria a participar da febril atividade geral, o que traria uma conseqüência bonita, porém tragicamente breve: entre a volta da Europa e a chegada do *Globo* às ruas, inaugurou-se uma relação "de homem para homem" entre pai e filho. Irineu certamente se comoveu ao presenciar a descoberta que Roberto estava fazendo. O filho manifestava ter herdado a vocação, a paixão e a razão de vida do pai: o jornalismo.

Herbert Moses era, e continuaria sendo de pai para filho, até morrer, o homem do dinheiro. Irineu investiu suas economias, e Herbert se valeu de seus contatos no mundo financeiro para, contraindo empréstimos, levantar o capital inicial. Mais que o dinheiro, uma idéia tornou o novo jornal conhecido e falado antes mesmo de seu lançamento: a campanha "*Que nome quer dar ao novo jornal de Irineu Marinho?*". Sim, tão popular quanto *A Noite*, célebre pelas suas enquetes, o seu ex-dono resolveu perguntar ao leitor que nome deveria ter o novo vespertino. Setenta e quatro anos depois, em 1998, os netos de Irineu também recorreriam a uma consulta popular para escolher o título de seu novo diário, o *Extra*. Em 1925, entre títulos como *A Reação, O Tempo, Última Hora, O Cruzeiro, O Globo* e *Correio da Noite*, venceu este último. Mas na hora do registro descobriu-se que o nome *Correio da Noite* já tinha dono. Sorte, porque o segundo mais votado prevaleceu. E era melhor.

A primeira rotativa foi encontrada por um amigo de Irineu sob uma camada de poeira e intriga política, num armazém da Alfândega, no cais do porto. A máquina tinha sido importada pelos donos do jornal *A Nação*, Maurício de Lacerda, que estava preso, e Leônidas Rezende, que vivia escondido sob o estado de sítio decretado pelo presidente Artur Bernardes. José Vicente Perrota, *capo* da distribuição de jornais no Rio, promoveu um encontro secreto entre Marinho e o então clandestino Rezende numa barbearia, e o negócio foi fechado. A *Marinoni*, veterana da Primeira Guerra Mundial, quando servira ao exército britânico imprimindo boletins com boas notícias para os seus soldados e propaganda destinada aos

28. O prédio do Liceu no largo da Carioca

adversários; ainda iria resfolegar mais vinte e oito anos para *O Globo*. O equipamento para a gravura do jornal foi resgatado num galinheiro em Vila Isabel. No fundo do quintal, cobertas de titica de galinha, as peças foram compradas por Roberto Marinho a preço irrisório, pois o dono as julgava imprestáveis. A gravura também ganhou três décadas de sobrevida. As oficinas foram instaladas em salas voltadas para a rua Almirante Barroso, nos fundos do Liceu de Artes e Ofícios, onde *O Globo* já se acomodara em parte do térreo e no primeiro andar – a sobreloja abrigava a redação –, tudo alugado a preço mais que companheiro. Rua Bittencourt da Silva, nº15, esquina com Treze de Maio: largo da Carioca, sede de quase todos os jornais. Antes ali funcionava a Companhia de Seguros Sul-América, que mudara para sede própria, mas a parte de seu mobiliário que ficou serviu muito bem e por muito tempo ao novo jornal. Havia algo de heróico na coisa toda, um espírito de Davi contra Golias – *O Globo* nascia comprando uma briga desigual. *A Noite* chegava a tirar mais de duzentos mil exemplares diários. Bem e bem, à custa de muito sacrifício e paciência com a rotativa que teimava em engasgar, 33.435 exemplares de *O Globo* rodaram em seu primeiro dia.

Mas o principal envolvido, inspirador de tanta luta, que transmitia esse gosto pela aventura a todos, tinha prazer em se cercar direitinho. Quinze dias antes do lançamento do jornal, Irineu Marinho resolveu rodar

29. À mesma mesa, a mesma redação, um novo jornal

uma edição experimental. O palco desta prova final ficava na rua Álvaro Chaves, em Laranjeiras, e vinha sendo freqüentado por Roberto desde 28 de novembro de 1922, quando se associou ao Fluminense Foot-Ball Club. Uma marca típica do jovem namorador militante aparece na lista de dependentes declarada em sua ficha de sócio: Francisca, mãe; Heloísa, irmã; Hilda, irmã; e... uma misteriosa irmã chamada Elvira. Não há excesso de malícia em presumir que várias moças tenham cruzado as portas do "aristocrático tricolor das Laranjeiras" para gozar distraídas tardes de folguedos e segredos sob a alcunha de "Elvira". Roberto!

Voltemos à prova final de *O Globo*. O 14 de Julho, dia da queda da Bastilha, ainda era feriado nacional, e houve um *match* de futebol nas Laranjeiras, onde o Fluminense recebeu em seu estádio o visitante Clube Atlético Paulistano. Depois do jogo, um boletim, produzido pela redação de *O Globo*, foi distribuído com a reportagem completa sobre a vitória dos paulistas, 1 a 0, gol do artilheiro Araken.

Além da prudência aliada ao arrojo, combinação esperta que apreende de Irineu, Roberto, no jogo de espelhos entre pai e filho se conhecendo e reconhecendo como dois adultos, se surpreendeu com uma mania paterna que sua discrição quase sempre conseguia ocultar, as superstições: *"Papai era supersticioso. Era capaz de voltar para casa quando as coisas não lhe corriam bem e mudar a gravata, trocar de bengala (que se usava muito naquele tempo)."*[30]

---

[30] Roberto Marinho, Roteiro para "Condenado ao êxito".

O Globo saiu pela primeira vez numa quarta-feira, a cem réis o exemplar – o mesmo preço que *A Noite* mantinha desde 1911 –, primeira edição às 18 horas e segunda edição às 20 horas. Esgotou, agradou, travou longa batalha pela sobrevivência, e hoje todos sabemos quão longa é sua existência. Mas naquela quarta-feira, as oito páginas do jornal constituíam uma façanha, obra quase milagrosa de um grupo de companheiros. Este espírito de companheirismo marcou Roberto para sempre, também por ter sido responsável pela sua aproximação ao pai. Roberto se fez tão presente no frenesi que precedeu e forjou *O Globo* – ele mesmo era frenético por natureza, como já vimos – que acabou conseguindo se tornar uma espécie de secretário informal do "*director-proprietario*". Na

30. A primeira edição

curtíssima convivência profissional com o Marinho pai, podemos afirmar sem hesitação que Roberto fez uma indicação perfeita, aconselhando a contratação de um gênio. Aparecera na redação um sujeito que se apresentou de forma totalmente inusitada, oferecendo seus serviços como humorista. Ora, na época essa denominação "humorista" era muito esquisita, não se enquadrava como função, cargo ou atividade profissional. Roberto gostou do jeitão excêntrico do elemento e o interrogou:

— O senhor é humorista?

— Sim.

— O senhor teria alguma coisa aí para ser vista?

— Tenho sim.

Roberto pegou o livro que lhe foi estendido, abriu ao acaso e estava escrito: "O casamento é uma tragédia em dois atos, civil e religioso." Foi até o pai e disse:

— Você tem que atender esse camarada, porque o homem é muito engraçado.

No expediente da primeira edição de *O Globo*, já constava o nome de Aparício Torelly, ou Apporely, ou ainda, como se tornou eterno, o Barão de Itararé.

No Rio de Janeiro daquele tempo, as ruas ecoavam os pregões dos vendedores ambulantes, os antepassados poéticos da pamonha de alto-falante. Num irresistível disco de memórias, Álvaro Moreyra evoca aquela época em que "*patroas e empregadas não precisavam enfrentar filas e feiras, … compravam tudo em domicílio!*". O próprio Álvaro entoa aqueles anúncios cantados como ladainhas, orações, lamentos; "*os pregões cariocas escreviam no ar o poema da cidade*":

"'*Ai fraaaangoooo, ai galinha goooordaaaa…*'. '*Freguesa quer ovos?*' *Jabuticaba mineeeira, mineeeeeira, mineeeeeeira…*', '*Manteiga fresca de Petrópolis!*', '*Vas-sooooouurrraa, espanaaaaadooooor…*', '*Cocaaaaada preta e branca, preta e branca, e cor-de-roooosa…*', '*Soberano gargalhada, biscoito fino, bananada, ninguém me chama vou-me embora, daqui a pouco não tem mais nada, Soberano!*', '*Biscoito iaiá, tem de maisena, tem de araruta!*', '*Pomada parisiense para calos! Só tem calos quem quer!*', '*Minduim torradim, tá quentiiim…*'"

Álvaro Moreyra nos conduz então pela nostalgia do crepúsculo:"*Depois, havia um intervalo em que todos os pianos, cantoras, fonógrafos da vizinhança agiam. No final, perdido no silêncio do bairro adormecido, o último pregão anunciava ao longe…*", anunciava o jornal vespertino da cidade: "A Noite, A Noite…"

Até que, a partir de um dia, este último pregão mudou. Continuou lânguido como uma prece tuaregue, porém foi acrescido de um novo nome: "*No final, perdido no silêncio do bairro adormecido, o último pregão anunciava ao longe… que a vida continua:* "A Nooooiiittteee…. O Gloooooobbooo…" Era o dia 29 de julho de 1925.

Em 21 de agosto, vinte e três dias depois do lançamento de *O Globo*, o seu fundador Irineu Marinho começava a manhã cumprindo recomendações médicas, imerso na banheira para aliviar as dores causadas pelas pedras nos rins. O sol mal tinha nascido, Roberto chegara há pouco de seus compromissos noturnos. Fazia frio. A empregada já tinha posto a mesa para o café da manhã, só que o Doutor Marinho estava demorando mais que de costume. Bateu à porta, bateu, bateu. Nada.

31. No enterro do pai

32. "Desde hontem vinham chegando, para rodearem o corpo do inolvidável jornalista, as flores da saudade."

— Dona Chica, bati uma porção de vezes e ele não respondeu. Será que ele já foi para o jornal?

A mulher de Irineu se arrepiou, socou a porta mais e mais. Nada. Silêncio. Convocou outro empregado.

— Pedro! Olhe pela janela e tente ver o que está acontecendo!

Pedro subiu numa escada de mão e espiou; Irineu Marinho estava dentro da banheira, desacordado.

A partir daí, os detalhes conflitantes das versões não fazem muita diferença – se arrombaram o banheiro ou se pularam pela janela para abrir a porta por dentro. Um fato não permitia versões, o enfarte. Depois de tanto trabalho e tanta doença, Irineu Marinho estava morto, aos 49 anos.

O caçula da família, com seis anos de idade, olhava para cima, assistindo a agitação geral, o alvoroço; o desespero da *mamma*, o desarvoro da gente grande; "*aquele tumulto, aquele corre-corre, parecia coisa de ópera!*", Rogério guardaria a impressão para sempre.

Ninguém percebeu quando o pequeno se aproximou da cama dos pais, onde Irineu jazia imóvel. Só ouviram a vozinha de criança dizer, cheia de certeza e esperança:

— Faz "cosquinha" no pé dele que ele acorda.

❖

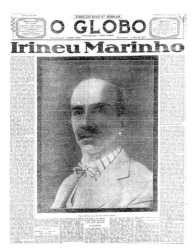

33. "A pior notícia"

1. Maturidade

4

Roberto, filho de Marinho

*"Teus ombros suportam o mundo e ele
não pesa mais que a mão de uma criança"*
Carlos Drummond de Andrade

O "JOVEM DIRETOR"

"*... Diante deste túmulo aberto, ... aqui mesmo fazemos um juramento de fé na defesa das tradições do* Globo, *seguindo os mesmos rumos, com a dedicação de todos os seus companheiros ...*", discursou Roberto Marinho, à beira da cova de Eurycles de Mattos, em 6 de maio de 1931.

Seis anos antes, dez oradores deitaram louvação comovida no enterro de Irineu Marinho. Seu filho primogênito não teve vez, refugiou-se sabiamente no silêncio.

Agora, no enterro do redator-chefe que havia sucedido Irineu Marinho no comando editorial do *Globo*, o jovem adulto Roberto – já, ou melhor, ainda com vinte e seis anos – toma a palavra. O discurso do irmão mais velho comoveu e encheu de orgulho a irmã Hilda, que estava cansada de ouvir provocações de suas colegas de escola, dizendo que "seu irmão é muito moço, só quer saber de namorar". Com o frescor juvenil que manteve intacto até a velhice, Hilda relembra:

"*Eu ficava furiosa com aquilo. O Roberto foi o segundo ídolo que eu tive na vida. Então eu pensava, será que isso é verdade? No túmulo de Eurycles de Mattos, o Roberto fez um discurso muito bonito, dizendo que iria continuar o que Eurycles fez, e prometia a ele mesmo fazer isso. No dia seguinte, eu entrei no colégio com a cabeça erguida.*"

89

Roberto não precisou falar muito para marcar a sua posição de sucessor:

"Fala, agora, um dos companheiros mais moços. ... Venho apenas concentrar no meu adeus o sentimento da família de Irineu Marinho, tão grande como aquele com o qual, no mais triste instante da minha vida, Eurycles de Mattos se associou à mágoa da perda irreparável do chefe e do mestre comum. ... Agora, como tudo se renova, eu desejo, ... com a autoridade que vem, menos de mim mesmo que do nome de que me orgulho, afirmar a minha confiança nos destinos do jornal fundado por meu pai. ... Vamos volver à lida de todos os dias para honrar a tua memória e manter vivos os exemplos de Irineu Marinho ..." [1]

Em 1925, Dona Chica tinha decidido que, naturalmente, o filho mais velho seria o herdeiro do jornal. O primogênito Roberto, porém, já sabia bastante de jornalismo para entender que o fato de deter a maioria das ações fazia dele dono da empresa, não da redação. Estrategicamente, não contestou, ao contrário, aclamou a posição de Eurycles no novo cabeçalho do *Globo*. Abaixo do nome do fundador Irineu, ao lado do tesoureiro Moses e do gerente Leal da Costa, aparecia agora o título "diretor-redator-chefe: Eurycles de Mattos".

Não se trata de decantar a humildade da decisão de "abdicar" do herdeiro sanguíneo. Mais importante para entendermos como funcionava a cabeça de nosso personagem é identificar o pragmatismo de sua decisão. Antes mesmo de estrear, *O Globo* já tinha ultrapassado *A Noite* em objetivos e ambições. As prioridades continuavam sendo a ligação direta com o sentimento popular, a busca de equilíbrio entre leveza de linguagem e firmeza de posições, e a reunião do maior número de assuntos possível – o cárater noticioso acima de tudo. Mas a idéia primordial de jornal popular agora adquiria peso, *O Globo* nascia mais maduro, como seu dono, mais "grave" que *A Noite*, como que transferindo e auferindo credibilidade da realização passada para a experiência futura.

Irineu, seus colegas e o novo jornal não ganharam maturidade à toa. O Brasil pegava fogo, os eventos políticos tornavam-se dramáticos, impunham-se como destaque obrigatório; a República Velha agonizava, podre por dentro e cercada de oposição armada. A partir dos Dezoito do Forte, os tenentes não pararam mais, vieram novas rebeliões em São Paulo e no Rio Grande do Sul, tudo culminando na Coluna Prestes, que inicia sua marcha um mês antes do lançamento de *O Globo*. É nesta segunda metade

---

[1] "O saimento fúnebre e o cortejo", *O Globo*, 7 mai 1931.

da década que os militares brasileiros solidificam a convicção de que
as Forças Armadas devem intervir
diretamente na vida política nacional. O mundo vivia o intervalo da
Grande Guerra Mundial, conhecida
como Primeira e Segunda, mas que a
história nos demonstra hoje ter sido
uma só. Ao norte do continente, o
capitalismo americano fervia o caldo
do *crack* da Bolsa em 1929[2] e da sub-

2. O cheiro da tinta

seqüente depressão econômica. No
Velho Mundo, as soluções totalitárias fermentavam sob a desmoralização
das pejorativamente denominadas "democracias ocidentais". O perifé-
rico Brasil reflete os paroxismos daqueles tempos em que para todas as
perguntas se procurava uma única resposta, total. Anos sinistros, ninho de
mais de um ovo da serpente. Lançando mão do adjetivo que virou gíria
simplificadora no início do século XXI, estava… "complicado"…

Não é de espantar que o herdeiro de vinte anos faça um recuo tático,
prefira combater à sombra. E combate. Além de percorrer todos os labirin-
tos do jornal, se lambuzando na tinta das oficinas, observando e sorvendo
as contendas e decisões de redação, e seguindo o *Globo* pelas ruas mesmo
depois de ter chegado às mãos do leitor (hábito que preservaria até fins
da década de 50); Roberto se acerca dos amigos de seu pai, sejam poetas,
seresteiros ou tenentes. Podemos supor que é desta remota intimidade com
os tenentes que advém muito da autoridade de Roberto Marinho frente
aos militares que finalmente tomariam o poder em 1964.

Por ora, continuemos a explorar os loucos anos 20, pois logo vamos
chegar à Revolução de 30, em que o jovem dono de O Globo atua como
repórter e soldado… Antes, não podemos relevar o peso que Eurycles de
Mattos tem na formação profissional de Roberto Marinho. Até como
"formação reativa", em linguagem psicanalítica, pois tudo no estilo de
Roberto é contrário ao jeitão de Eurycles. Homem temido na redação por

91

[2] Em 1929, o colapso da Bolsa de Nova York provocou a perda de liquidez das ações e lançou a economia americana na es-
tagnação. Vários empresários e investidores cometeram suicídio, e milhares de famílias empobrecidas passaram a vagar pelas
cidades do país, em busca de trabalho. Em questão de dias, quatorze milhões de americanos perderam seus empregos.

3. No destaque, Eurycles e Roberto

sua agressividade, colega de mesa do velho Marinho, o baiano Eurycles de Mattos era poeta, influenciado pelos simbolistas franceses, tendo publicado seu primeiro livro de sonetos aos 18 anos, *Estrellejamentos*.

"Eurycles de Mattos era um homem de bem. ... um probo. Ninguém mais incorrupto. ... Inútil procurar outras virtudes. Minto. Eurycles tinha, sim, outra virtude: uma capacidade de trabalho quase desumana. Fisicamente pequeno, cara amarrada, era o chamado pé-de-boi. ... Era, porém, um jornalista de velhas gerações. Fazia um jornal honrado como ele, e de uma mediocridade desesperadora, como ele. ... No tempo de Eurycles, nenhum Marinho tinha autoridade para tirar uma cadeira do lugar. E as virtudes possíveis e imprevisíveis de Roberto estavam inéditas. Sabia-se que freqüentava o Boqueirão [Clube Boqueirão do Passeio] e lá remava; que, ainda no Boqueirão, treinava boxe com o fotógrafo Moacir Marinho, seu primo; era visto guiando automóveis, em disparadas suicidas. Bem. Para diretor de um jornal grave, como era O Globo, tais dados biográficos prometiam pouco."[3]

Sim, Roberto se dedicava com afinco a dominar a prática do jornalismo, mas isso não implicava, como aliás nunca iria implicar, negligenciar um aspecto muito importante da vida: viver... Roberto, Donga, Nelson, todos eram das bandas da animada Grande Tijuca. Pois é, a mítica Aldeia Campista

---

[3] Nelson Rodrigues, *A menina sem estrela*.

da infância de Nelson Rodrigues ficava ali entre o que é hoje Vila Isabel, Maracanã e Tijuca. A propósito, a camaradagem entre Roberto e a rapaziada do samba lhe valeu uma boa peça pregada por Sinhô – uma dedicatória "ao carinhoso amigo Roberto Marinho", na canção-tango, composta numa primeira pessoa de gênero feminino, chamada "A cocaína":

...
Ai! Ai!
És a gota orvalina,
Só tu és minha vida,
Só tu, ó cocaína.
Ai! Ai!
...
Louca chego a ficar
Quando sinto faltar
Este sal ruidoso
Que a mim só traz gozo.
...
Ai! Ai!
...

José Barbosa da Silva, o Sinhô, célebre e genial malandro – criador da frase "samba é como passarinho, é de quem pegar", para justificar a apropriação de canções alheias –, foi uma espécie de inimigo íntimo, rival dos Oito Batutas. Para ofender os desafetos no vai-do-samba, Sinhô compôs "Quem são eles?", em que dizia na letra: "*a Bahia é boa terra/ ela lá e eu aqui...*" [a mãe de Donga era baiana]. Pronto. Donga contra-atacou com "Fica calmo que aparece", e Pixinguinha, em "Já te digo", detonou a insuperável deselegância de Sinhô, dizendo que, além de "*sofrer para usar colarinho em pé, ... ele é alto, magro e feio/e desdentado/ele fala do mundo inteiro/e já vive avacalhado no Rio de Janeiro*".

Pois bem, hoje se sabe que o uso de cocaína foi epidêmico no Brasil do primeiro quarto do século XX. E, como no início da epidemia que se repetiu tragicamente no último quarto do século, naqueles tempos de "baixa bela-época", o pó era chique, não era estigmatizado – ao contrário, tinha sido usado e exaltado por gente como Sigmund Freud, Conan Doyle, políticos, artistas, cientistas e até pelo papa Leão XIII! Portanto, não

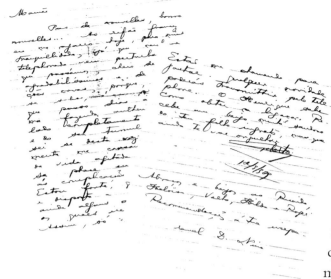

4. Carta de Roberto para a mãe,
12 set 1929

é descabido imaginar que, em suas aventuras noturnas, o jovem Roberto tenha entrado em contato com o "sal ruidoso", como Sinhô definia, com presumível conhecimento de causa, a cocaína. Porém, Roberto era um atleta obsessivo por natureza e vaidade, e não abriria facilmente este flanco na saúde que tanto prezava. O mais provável mesmo é que Sinhô tenha simplesmente aprontado uma de suas molecagens para cima de Roberto, figurinha fácil na boemia, amigo de seus inimigos.

Talvez por esta e por outras, no fim da década de 20, Roberto resolvera aliviar o pé na tábua e tenha descoberto a utilidade do freio e os benefícios da temperança. Até para conseguir manter a intensidade de seu amor pelo bem viver... Em 12 de setembro de 1929, Roberto escreveu para a mãe de uma fazenda, onde estava se recuperando de excessos:

"Não sei se desta vez estou realmente me cansando da vida agitada. ... É a primeira vez que te faço promessa escrita, e a esta não faltarei: a de retomar firme o trabalho, evitar os telefonemas exagerados e as demais coisas que possam desprestigiar o Globo. Não quero dar mais a ninguém o 'gostinho' de poder fazer comentários maldosos a meu respeito. ... Se tiveres ocasionalmente com o Eurycles, fala sobre a minha permanência na fazenda, a necessidade de descansar de alguns excessos que ultimamente fiz no Rio."

O que prometeu à mãe, em carta íntima, Roberto Marinho declararia publicamente, às vésperas de completar noventa anos: *"Eu resolvi não fazer nada, nada, nada que pudesse prejudicar a minha vida. Então passei a não beber mais, a fazer muito exercício, a ter uma vida ativa. Não fumo, não passo noites sem dormir, tenho uma vida muito ativa."* [4]

A relação apaixonada com o samba, no entanto, resistiu ao tempo e à opção definitiva pela abstemia. Em 1984, Roberto Marinho, mais que sim-

Roberto Marinho

---

[4] Roberto Marinho, entrevista a correspondentes estrangeiros no Brasil, 17 jan 1990.

plesmente contrariado, ficou furioso quando perdeu a transmissão do desfile das escolas de samba para a concorrência. Companheiros próximos lembram do desespero dele enquanto a TV Manchete transmitia, com exclusividade, a festa no Sambódromo, numa das raras vezes em que a Manchete venceu bem a Globo. Mas não foi só a derrota na audiência que doeu. Os colegas ignoravam a relação íntima e primordial de Roberto Marinho com o Carnaval. Em 1932, no dia seguinte ao primeiro desfile de escolas de samba, *O Globo* já acertava com o autor da idéia o patrocínio e a promoção do desfile de 1933 – quando trinta e cinco Escolas passariam pela Praça Onze, entre oito e meia da noite e quatro e quinze da manhã. Agora, adivinhem de quem tinha sido a iniciativa do concurso entre as Escolas de Samba? De Mario Filho, irmão de Nelson Rodrigues, uma das primeiras contratações que Roberto Marinho fez ao assumir a direção do *Globo*, em 1931. Já vamos chegar lá, inclusive para mostrar que Roberto teve que comprar uma pequena briga em família para conquistar a chefia.

Antes, um episódio que demonstra o quanto Roberto Marinho tinha aprendido nos anos passados sob o espectro de Eurycles. Recorramos mais uma vez à impiedade de Nelson Rodrigues:

"Bem me lembro de uma vez em que fui a O Globo*, ainda em vida de Eurycles. Lá não se dava um passo sem esbarrar, sem tropeçar numa figura trêmula e nostálgica. Era a geração ainda da vacina obrigatória, da primeira batalha do Marne. ... E Roberto? Que vinha ele fazer com a sua ultrajante vitalidade? Muitos daqueles homens o tinham carregado no colo. ... Roberto ameaçava posições e hábitos mumificados."*[5]

O lance ilustrativo da evolução do jovem Roberto se passa na Revolução de 30.[6] Vamos recapitular um bocadinho: Washington Luís rompe

---

[5] Nelson Rodrigues, op.cit.

[6] Com o objetivo de sustentar uma política de estabilização financeira, o presidente Washington Luís acabou por cindir as oligarquias brasileiras. Rompendo com a política do café-com-leite, retirou o apoio a seu sucessor "natural", o presidente de Minas Gerais Antônio Carlos de Andrada, e indicou para a disputa presidencial o paulista Júlio Prestes. Antônio Carlos, por sua vez, contando com o apoio de grupos regionais insatisfeitos, organizou uma chapa de oposição, a Aliança Liberal, tendo como candidato a presidente o gaúcho Getúlio Vargas e a vice o paraibano João Pessoa. A coligação também contava com o apoio dos tenentes que haviam lutado contra o governo federal nos anos anteriores. O republicano Júlio Prestes venceu as eleições de março de 1930. No entanto, usando como pretexto o assassinato de João Pessoa, Getúlio Vargas e os líderes da Aliança Liberal impediram a posse do presidente eleito com uma revolução armada. Além de derrubar o governo, pretendia-se reformular o sistema político vigente. Depois de dois meses de articulações políticas e de preparativos militares, o movimento eclodiu simultaneamente no Rio Grande do Sul e em Minas Gerais, no dia 3 de outubro. Em menos de um mês, quase todo o país aderiu à Revolução, restando sob o controle do governo federal apenas São Paulo, Rio de Janeiro, Bahia e Pará. Em 24 de outubro, Washington Luís foi deposto por um grupo de militares. Dez dias depois, Getúlio Vargas tomou posse como chefe do Governo Provisório, dando fim à República Velha e marcando o início da Era Vargas.

o acordo das oligarquias e decide apoiar outro paulista, Júlio Prestes, como seu sucessor, desrespeitando o jogo de cartas marcadas, tentando inaugurar a política do café-com-café. Os mineiros preteridos se aliam aos políticos do terceiro estado do país com maior peso eleitoral, o Rio Grande do Sul, e formam a Aliança Liberal, lançando a candidatura de Getúlio Vargas.

Pois bem, o tal diálogo, que resume e esclarece a natureza do conflito de gerações instalado na redação de *O Globo*, é uma rápida e ríspida troca de frases que confronta o sanguíneo entusiasmo de Roberto Marinho e o cinismo empoeirado de Eurycles de Mattos. Falando sobre os dois candidatos em disputa, Getúlio Vargas e Júlio Prestes, Eurycles diria: "Tudo farinha do mesmo saco, vinho da mesma pipa...". Roberto já não precisava usar meias-palavras e reagiu forte: "Mas, o que o senhor deseja, então? Que importemos um presidente do estrangeiro?"

Do exterior chegaria uma aparição celestial, que parou o Rio de Janeiro no dia 22 de maio de 1930. Cor de prata, silencioso como uma gaivota, um enorme charuto voador flutuou lenta e serenamente sobre a capital da República e levou os cariocas para o meio da rua, olhar fixo nas alturas, aos gritos e aplausos. Era a primeira vez que o dirigível *Graf Zeppelin* cruzava a linha do equador, completando a travessia Europa–América Latina.

Na eleição de 1º de março de 1930, Júlio Prestes vence Getúlio Vargas, mas em julho, o vice da chapa derrotada, João Pessoa, é assassinado, por motivos passionais. Não importa, o defunto é imediatamente explorado politicamente, e, para tirar Washington Luís do Palácio da Guanabara, os políticos derrotados se aliam a quem? Aos tenentes! O movimento revolucionário triunfa na maior parte do território nacional, mas Washington Luís resiste, encastelado no Palácio da Guanabara. Roberto Marinho participa dos acontecimentos, primeiro como soldado, depois como repórter furão.

Quarenta e seis anos mais tarde, o soldado Roberto Marinho escreveria ao comandante do Primeiro Exército, solicitando que os serviços prestados à Revolução de 30 figurassem em sua caderneta militar:

"O abaixo-assinado Roberto Marinho, ... reservista de 1ª categoria, conforme anotação em sua caderneta militar, de 4 de novembro de 1927, tendo observado

que nessa referida caderneta não constam anotações de serviços prestados como soldado, convocado para servir ao Exército durante a Revolução de 1930, serviços que muito o honram como patriota, vem respeitosamente requerer … nela inscrever sua participação em atos determinados, nos dias 23 de outubro e 20 de novembro de 1930 pelos … capitão Honorato Pradel e tenente Orlando da Fonseca Rangel Sobrinho … "

Em declaração firmada em 16 de agosto de 1976, o marechal Honorato Pradel e o general-de-divisão Orlando da Fonseca Rangel Sobrinho detalharam missões cumpridas pelo soldado Roberto Marinho:

1) Transportar em segurança o general Mena Barreto de sua casa para o Forte de Copacabana: "… o soldado Roberto Marinho, … em seu carro particular, tipo esporte, de três lugares, … cumpriu a missão." 2) Às 23:45 de 23 de outubro, levar o major Valentim Benício até o Ministério da Guerra:

"Novamente nos lembramos de utilizar o soldado Roberto Marinho e seu carro particular, desta vez sem escolta. … cumpriu a missão com a mesma eficiência anterior …". 3) "Em 20 de novembro de 1930, quando fomos encarregados de levar à Fortaleza de São João o ex-presidente Washington Luís, a fim de que embarcasse para a Europa no navio Alcântara, o soldado Roberto Marinho fez parte da escolta que nos acompanhou." 4) "Em resumo, o soldado Roberto Marinho tomou parte nos acontecimentos … de 1930, … aproveitado … para executar missões especiais, face às suas aptidões e caráter, tendo sempre se desincumbido a contento, com eficiência, disciplina e patriotismo. Cumpre salientar que, embora nessa época já fosse jornalista, o soldado Roberto Marinho não levou para o seu jornal nenhum dos episódios aqui narrados e outros que presenciou ou de que teve conhecimento na intimidade do Forte de Copacabana."

Roberto respeitou os segredos militares, mas não violou seu instinto de repórter. Quando finalmente Washington Luís deixou o Palácio da Guanabara, lá estava o jornalista com seu fotógrafo. Espalhou galhos de árvore no caminho de saída do automóvel presidencial, obrigando o motorista a parar – apenas o tempo necessário para que fosse tirado o retrato histórico. No dia seguinte, a foto se esparramava por toda a parte superior da primeira página do *Globo*, num desenho gráfico arrojado, semelhante ao que o jornal adotaria a partir de 1995. No alto, o título: "*Rendido, afinal, à gloriosa realidade que o cercava, o sr. Washington Luís retira-se do Palácio da Guanabara!*"; sim, naqueles tempos o ponto de exclamação ainda não tinha sido banido das folhas, e ao subtítulo, as maiúsculas:

ANNO VI — N.º 1895

EDIÇÃO DAS 20 HORAS

Sexta-feira, 24 de outubro de 1930

3ª O GLOBO 3ª

FUNDAÇÃO DE IRINEU MARINHO

Director-thesoureiro—HERBERT MOSES Director-Redactor chefe—EURYCLES DE MATTOS Director-gerente—A. LEAL DA COSTA

Rendido, afinal, á gloriosa realidade que o cercava, o Sr. Washington Luis retira-se do palacio Guanabara!

O PRESIDENTE DEPOSTO, SAINDO EM COMPANHIA DO CARDEAL SEBASTIÃO LEME, FOI CONDUZIDO AO FORTE DE COPACABANA ONDE SE ENCONTRA PRESO

O automovel do Palacio Presidencial quando deixava o Guanabara, conduzindo o Sr. Washington Luis, que se vê dá mão no queixo, cabeça pendente, e tendo á sua direita, S. E. o Cardeal D. S. Sebastião Leme.

Até á hora de encerrarmos os trabalhos da nossa 2ª Edição, continuava no palacio Guanabara, conforme registámos, o Sr. Washington Luis. O presidente deposto obstinava-se em não deixar aquelle proprio federal, que durante quasi quatro annos, lhe serviu de sumptuosa residencia. Os chefes do movimento triumphante trataram-no sempre com a maxima indulgencia, abordando-o repetidas vezes, no intuito de acordal-o de um verdadeiro estado de obliteração mental, que parecia não o deixar perceber a realidade gloriosa que o cercava. Por ultimo, ficára estabelecido que o Sr. Washington Luis poderia mesmo deixar o Guanabara em companhia do eminente

Almirante Isaias da Noronha, membro da Junta Provisoria

chefe da Egreja Brasileira, o cardeal D. Sebastião Leme, como symbo-lo maior da propria indulgencia, que já se excedia em envolver o chefe de Estado deposto das honras e garantias que lhe haviam sido promettidas na formal intimação da manhã de hoje. Passava, porém, das 18 horas e o antigo occupante do Cattete, onde já ha dias não punha os pés, retirou-se do palacio Guanabara, proporcionando, assim, que sejam ainda maiores as expansões do enthusiasmo do nosso povo, que aguardava, ancioso e delirante de expectativa, por essa final rendição do homem que atirou o paiz na alarmante situação de que o movimento de hoje o veiu libertar, fazendo luzir nos horizontes do futuro da nacionalidade o mesmo

sol que brilhou nos céos

O EX-PRESIDENTE deixou o Guanabara ás 18 horas

O POVO

o vaiou estrondosamente até o desapparecimento do auto que o conduzia

As demarches para que o Sr. Washington Luis renunciasse á presidencia prolongaram-se pela tarde inteira, conforme accentuámos em outras edições. Chamado o cardeal D. Sebastião Leme, S. E. compareceu ao Guanabara, em companhia de monsenhor Rosalvo Costa Rego, vigario geral da archidiocese desta capital.

Até ahi a resposta do ex-presidente da Republica era sempre a mesma:

— Só sairei daqui morto!

Entrando em conferencia com o Sr. Washington Luis, o cardeal, D. Leme encontrou-o, mesmo assim, forte reluctante

Por mais de duas horas, S. E. procurou convencel-o de que devia conduzir o ex-presidente á prisão. Seguiram no mesmo zelo o general Tasso Fragoso, cardeal D. Sebastião Leme, e monsenhor Rosalvo Costa Rego. Nos estribos do carro, viam-se varios officiaes do Exercito, todos

Por varios minutos, até o desapparecimento do auto que devia conduzir o ex-presidente á prisão. Seguiram no mesmo zelo o general Tasso Fragoso, cardeal D. Sebastião Leme, e monsenhor Rosalvo Costa Rego. Nos estribos do carro, viam-se varios officiaes do Exercito, todos

Já encasuavam, a muitos, as esperanças de demover o senhor Washington Luis. A sua irreductibilidade raiava pela loucura. De repente, soube-se que o ex-presidente cedera. Não mais deixaria, apenas morto, o Guanabara. Concordava em abandonar o palacio vivo, e bem vivo.

E realmente, momentos após, o Sr. Washington Luis deixava os seus aposentos, em companhia do cardeal D. Sebastião Leme e se dirigia para a sala, onde se encontravam os seus ministros e membros de suas casas civil e militar. Despedindo-se ligeiramente de todos, abraçando-os.

E logo, em companhia dos officiaes do Exercito presentes, elle se encaminhava para o jardim, afim de rumar para o local que fora designado. Saiu pela portão do lado direito.

Ao seu apparecimento, estrugiu formidavel vaia. O povo, que se comprimia nas ruas proximas, rompeu em longa, interminavel assuada. A vaia durou

Dr. Pandiá Calogeras membro civil da Junta Provisoria

O Sr. Washington Luis preso no Forte de Copacabana

Deixando o Guanabara, o senhor Washington Luis foi conduzido para o Forte de Copacabana. "Ahi chegando", foi levado para perto o Estado Maior das forças-perseguidoras, que installaram o seu quartel general na unidade militar.

O ex-presidente ainda se manteve, durante algum tempo, em palestra com o S. E. D. Sebastião Leme, monsenhor Rosalvo Costa-Rego, bem como, com o general Tasso Fragoso, chefe do governo provisorio.

A COMMUNICAÇÃO aos governos dos Estados

O Dr. Cardeal Bernardes, minis-tro Sr. Washington Luis, acaba de ser preso. A noticia circula

(Conclue na pagina seguinte)

5. Furo!

"O PRESIDENTE DEPOSTO, SAINDO EM COMPANHIA DO CARDEAL SEBASTIÃO LEME, FOI CONDUZIDO AO FORTE DE COPACABANA ONDE SE ENCONTRA PRESO."

"A Avenida é toda uma visão alucinante. Os aviões a cortam sob a vibração das massas. As sirenes atordoam. ...Aparecem retratos de Getúlio Vargas, em quadros estampados, diante dos quais o povo prorrompe em vivas."[7]

"Nas imediações do Forte de Copacabana – o tradicional forte da imortal epopéia dos dezoito heróis – ... o entusiasmo dos moradores atingiu o auge, e, à passagem de carros conduzindo praças revolucionários, todos com um laço vermelho no fuzil ou na farda, o povo prorrompia em vivas ardorosos ao 'Brasil Livre' e à 'Revolução Vitoriosa'."[8]

Não é por acaso que, uma vez triunfante na luta pelo comando da redação de *O Globo*, Roberto Marinho ganharia o apelido de "tenente-interventor".

Pois é, amigo leitor, talvez você tenha se surpreendido com a expressão "luta pelo comando", no parágrafo acima. Não se espante, fica combinado que autoridade não se confere nem se ganha de presente, autoridade se conquista; não foi diferente com Roberto. Apesar de, durante os seis anos de Eurycles no poder, ter precocemente atingido o que se pode chamar de "maioridade" como repórter, Roberto Marinho estava longe de ser a escolha unânime da redação para ocupar o cargo de "diretor-redator-chefe". Alguns companheiros de Irineu Marinho, co-fundadores do *Globo*, gostariam de ter aprisionado o sucessor no estigma do eternamente jovem, fazendo dele uma espécie de príncipe Charles, príncipe sem sorte, para sempre à espera.

É curioso: a percepção geral dos brasileiros com menos de setenta, mesmo oitenta anos, é a de que o Doutor Roberto Marinho foi velho durante muito tempo. Agora, explorando os caminhos de sua vida e seu tempo, constatamos que o oposto também é verdade: Roberto foi o "jovem" Roberto décadas a fio. Trabalhando com os contemporâneos do pai, e os chefiando, Roberto batalhou sob e mesmo contra a sombra paterna, por muitos anos – lembre-se de que, quando Dona Chica morreu, em 1976, a redação ainda a chamava de "Viúva". Logo a "Viúva", que foi a primeira a querer ver o primogênito no poder, imediatamente depois da morte do patriarca!

[7] *Diário da Noite*, 24 out 1930.
[8] *A Batalha*, 25 out 1930.

Mas se, em 25, Roberto sabiamente discordou da mãe e aclamou Eurycles, seis anos depois ele iria seguir os conselhos e incentivos de Dona Chica e brigar pela direção do jornal. No dia 8 de maio de 1931, a foto de Roberto aparecia na primeira página do *Globo*, junto ao texto:

"A redação do Globo *... integra hoje na sua direção, definitivamente, o nome do primogênito da família do nosso saudoso fundador. O seu aparecimento no rosto deste jornal não significa qualquer obediência a considerações de ordem patrimonial, e sim uma escolha baseada no critério do próprio mérito, e feita, a bem dizer instintivamente, por todos os companheiros de Irineu Marinho e Eurycles de Mattos, de cuja escola o nosso novo diretor-redator-chefe, ainda que jovem, foi sempre um dos mais brilhantes discípulos ...".*

As coisas nunca são tão simples como aparecem na primeira página. Mesmo depois de empossado, o "jovem Roberto" é procurado por Brício Filho, um dos fiéis amigos de Irineu que migraram da *Noite* para o *Globo*. Com muito jeitinho, Brício tinha costurado uma solução política entre redação e família para manter o "tenente-interventor" fora do comando "por enquanto". A idéia era empossar o genro de Dona Chica, marido da filha mais velha, Heloísa, o já renomado médico Velho da Silva. Jovem destemido, como já vimos, Roberto deu uma de suas respostas na lata, melhor seria dizer "no sino": *"Ótimo! O senhor tem toda razão, sr. Brício! Toda a razão. Façamos assim: o Velho da Silva vem para cá, cuidar do jornal; que eu vou para a clínica dele, tratar dos doentes e dar aulas na Faculdade de Medicina. Assim está bom?"*

Dona Chica não admirou-se, apoiou integralmente a posição de Roberto. A "Viúva" sabia um bocado de jornal e não desconhecia os riscos enormes que seu filho estava herdando ao assumir a direção. Assinou embaixo. Ou melhor, no alto do expediente até 1952, sob o logotipo do jornal: *"Propriedade da viúva Irineu Marinho e filhos"*. O *Globo* tinha muitas dívidas e, além da natural concorrência matutina, possuía um rival poderoso e estabelecido disputando a raia da tarde – só em finais da década de 40, O *Globo* ultrapassou *A Noite* e se tornou líder dos vespertinos cariocas! Mesmo diante de cenário tão inóspito, desde o primeiro momento Dona Chica demonstrou total confiança na capacidade de decisão e discernimento do filho. A matriarca acompanhou a distância as batalhas de Roberto e se manteve impecavelmente informada.

O 19 de março, aniversário de Dona Chica, sempre foi o dia da confraternização mais importante da família, todo mundo na casa de Corrêas. Nas fotos mais antigas, ela parece sisuda, mas isso provavelmente se deve à tortura que era posar para retratos naquela época – o sujeito tinha que ficar imóvel, de preferência sem respirar, durante intermináveis segundos. Francisca Marinho não era uma pessoa severa, e isso, além de visível nas suas fotos de velhice, é fato confirmado por filhos, netos, parentes e contraparentes. Dona Chica era sim mandona, característica que legou a Roberto. Ordenava que não a chamassem de Francisca, pois não gostava de seu nome, como também achava feio o nome do marido, a quem só se referiu durante toda a vida pelo sobrenome. Marinho, que tantas vezes desejou se fazer invisível, homem de voz mansa, que comparecia às inevitáveis festas e badalações sociais como quem vai passear num cadafalso. Ficava sentado num canto, recebendo as visitas, cumprindo a conversa amena e pequena, enquanto Chica dançava. Isso mesmo: sozinha, em elegantes vestidos, exibia feliz da vida seus dotes de bailarina.

Vamos nos permitir, leitor, formular uma equação não exata, mas que nos aponta um bocado de pistas: Irineu, o realizador introspectivo + Chica, a extrovertida reflexiva = Roberto Marinho, soma e multiplicação

6. Propriedade da viúva

7. *La mamma*

de inquietude e contemplação; dançarino sempre, nunca sapateador.

Dona Chica era italiana para chuchu! Estourada, falava muito, falava alto. Para que possamos compor a cena de clã napolitana, vamos subir a serra da lembrança numa noite de férias em Corrêas, onde toda a família passava o verão: uma neta de Chica tinha convidado uma amiga para jogar biriba naquela noite, mas a moça nunca apareceu. No dia seguinte, as duas adolescentes se encontraram e foi revelado o motivo do "bolo", do sumiço: "Eu estava chegando na sua casa", explicou a amiga, "mas ouvi os gritos de uma briga tão feia que eu achei melhor nem bater à porta e dar meia-volta." Não tinha acontecido briga nenhuma, era só a hora do jantar, ora essa...

Vovó Chica tinha grande paciência e tolerância com as crianças e suas artes. Quando chegava o fogaréu da adolescência, não demonstrava tanto jogo de cintura, especialmente na criação das moças. Porém, na prática, apesar de pertencer a uma outra época, ter sido criada num outro mundo, Dona Chica tinha uma capacidade admirável de se manter atualizada e aberta para novas idéias. Não se escandalizava facilmente... Estamos constatando, leitor companheiro, que muitas peças do quebra-cabeça Roberto Marinho vêm de parte de mãe, como esse gosto pelo surpreendente, mesmo que chocante a princípio. Outro traço bem próprio de Dona Chica era sua consciência social. Tinha presenciado o amadurecimento do compromisso do marido com a construção de uma nação, sabia que o Brasil não era (ainda não é...) um "país pronto". Essa crença na viabilidade do Brasil também foi transmitida ao filho, até como um anteparo para os largos ombros que ele seria forçado, e tomaria gosto nisso, a desenvolver.

A "Viúva" sempre zelou para que os irmãos se mantivessem unidos, sua preocupação maior, mas nem procurava disfarçar o seu xodó por Roberto, seu eterno Rodolfo Valentino... Porém, mesmo no fim da vida, quando o filho mais velho já se tornava o "homem mais poderoso do país" – ou a quem este título foi atribuído pelo imaginário nacional, já que neste território é muito difícil separar fato de fantasia –, o lugar de pai na mesa da família era dela. Matriarca, *mamma*, que quando ficava zangada esquecia momentane-amente o português e esbravejava em italiano. Não era de reclamar à toa, mas quando reclamava, o fazia no idioma de Dante! As netas se espantavam com os acessos de fúria mediterrânea e ficavam tão interessadas naquele idioma operisticamente sonoro que pediam: "Ensina pra gente, vó!" Mal recuperando o fôlego, Dona Chica proibia terminantemente que as meninas ousassem repetir o que tinham acabado de ouvir: "*Capito?*"

A mudança de sujeito numa pergunta que repetia a cada reunião familiar evidencia o quanto Dona Chica sabia das coisas. Ela indagava a respeito da tiragem do principal concorrente. Depois de anos de perguntas sobre a competição com *A Noite*, ela passou a sempre querer saber tudo sobre a *Última Hora*. Até que um dia, para surpresa de muitos, a interrogação passou a ser: e a tiragem do *Jornal do Brasil*, como anda? Sem fazer alarde, a "Viúva" permanecia antenada, bem informada sobre os exércitos inimigos.

Da primeira metade dos anos 30, aqueles tempos inaugurais do co-mando de Roberto, apenas um documento registra aconselhamento direto

8. Os meninos de Dona Chica

de mãe para filho. A carta não é datada, mas como a idade de Roberto é citada, sabemos que se trata de 1932, e pelo teor do escrito é provável que estivéssemos às vésperas da Revolução Constitucionalista,[9] que *O Globo* apoiaria e cobriria com amplo destaque e enviados especiais à linha de frente da guerra. Momento político explosivo!

"Roberto

Fui advertida por várias pessoas ... de que o Globo, *embora não atacando diretamente os tenentes, vem fazendo uma campanha irritante, insistente, só tendo reprovações para tudo, sem haver justiça para as boas ações. Não te deves esquecer que justamente a pessoa encarregada desses artigos no* Globo *é um despeitado, suspeito e venenoso. ..."*

Nessa altura do texto, imagino Dona Chica pensando em italiano e traduzindo simultaneamente enquanto escrevia em português... Depois de mais algumas palavras duras, a fala maternal:

"Lembre-se da enorme responsabilidade que está sobre você e de todos os riscos que se pode passar, material e moralmente. Reconheço que tens feito um jornal brilhante e que foste além da minha expectativa; mas isto não impede que os teus vinte e sete anos e a tua vibração te levem a um ato violento, correndo você até perigo de vida. Estou certa de que você atenderá ao meu apelo, calculando a minha aflição de mãe extremosa e que só te deseja uma carreira brilhante.

Com um beijo de sua mãe

Chica"

Mamãe podia ficar tranqüila. O tranco de Roberto Marinho no *Globo* não seria um solavanco, e sim um empurrão sutil e tão teimoso que se prolongaria por mais de quatro décadas! Mais obstinado que insinuante, sutil é exagero, verdade... O "jovem diretor" decidiu, por exemplo, começar a sua reforma pelo noticiário esportivo e provocou uma pequena revolta na redação. Ninguém sequer sentava à mesma mesa, redonda, do novo editor de esporte. Filho de dono de jornal, logo ele mesmo teria o seu *Mundo Esportivo*,

---

[9] A Revolução Constitucionalista foi uma rebelião armada que começou em São Paulo dois anos após a subida de Getúlio Vargas ao poder. O movimento, comandado pelo general Isidoro Dias Lopes, exigia o cumprimento das promessas de campanha da Aliança Liberal e da Revolução de 1930, sobretudo a elaboração de uma nova Constituição para o país. O movimento teve início em 9 de julho de 1932 e contou com a adesão de grande número de civis: intelectuais, industriais, estudantes e outros segmentos das camadas médias. São Paulo, no entanto, não recebeu o apoio de outros estados e acabou não tendo condições de resistir. Depois de três meses de combate, a luta terminou com a rendição das forças rebeldes, em 3 de outubro de 1932.

Mario Filho era praticamente um bárbaro aos olhos da velha-guarda do *Globo*. A seu lado, só se abancavam os dois irmãos, Jofre e Nelson, que no início trabalhavam de graça. Os destinos de Nelson Rodrigues e Roberto Marinho, dois órfãos de donos de jornal, se cruzariam através do século.

A história da família Rodrigues foi marcada pela tragédia. Como Irineu Marinho, Mario Rodrigues, pai de Nelson, também tinha

9. Nelson Rodrigues, um gênio eternamente grato

perdido o seu jornal, *A Manhã*, para um sócio. Como Marinho, o velho Rodrigues também persistira e fundara *A Crítica*. Só que depois de perder o filho chamado Roberto, um artista plástico extraordinário assassinado por estar na hora errada na cadeira do pai, Mario Rodrigues não resistiu, morreu de tristeza e álcool. Seu terceiro filho, Mario Filho, com a genialidade pródiga na família Rodrigues, tomou a frente e, hoje se reconhece, inventou o jornalismo esportivo brasileiro.

"Eu me lembro da nossa primeira conversa, na rua Almirante Barroso, na porta dos fundos do jornal. Em pé, na calçada, depois do expediente, Roberto explicou o seu papel. No Globo, ninguém cuidava de espanar o pó do tempo, o pó que, desde A Noite, cada geração legava à geração seguinte. Ele estava disposto justamente a usar o espanador. Mas sem assombrar os redatores antigos. Queria também mudar, sem choque e gradualmente, a página de futebol. Mas confessou que tinha medo dos nossos exageros. Disse mesmo: 'Vocês, um dia, puseram a fotografia de Jaguaré no penico'. Não era verdade, claro. Puro folclore. ..." [10]

Olha o nosso temerário prudente aí, mandando espanar mas sem assombrar. Sempre, no decorrer de toda sua vida, Roberto arriscou tudo na hora de jogar os grandes lances; sempre com cuidado para não assombrar, fosse sua vetusta redação em 31, fosse o leitor na reformulação gráfica de 95. Sabia que tudo pode ser perdido de uma hora para outra – ele vira acontecer em casa – e se intrigava com o comportamento

Roberto, filho de Marinho

---

[10] Nelson Rodrigues, op.cit.

extravagante dos Rodrigues, uma família com tantos pontos em comum com a sua – gente de jornal.

Nelson Rodrigues conta que a "*...família passava fome em Copacabana. E jamais ocorreu a um de nós mudar para o subúrbio. ... Seria tão fácil alugar uma casinha em Todos os Santos, ou em Padre Miguel*"; e que ficou fixado num comentário de Roberto Marinho: "*Vocês tomavam táxi para atravessar a rua.*" Nelson reconhece: "*Era uma verdade exagerada, violentada, mas uma certa verdade.*" A ambivalência de sentimentos de Nelson por Roberto se manifestou complexa e inteira nos primeiros quatro anos de convivência.

Mario Filho cumpria com brilhantismo a missão de renovar o noticiário esportivo, trabalhando em dois jornais – rodava o *Mundo Esportivo* nas oficinas do *Globo*. O irmão vibrava:

"*Antes dele, a página de esporte de* O Globo *era algo de antigo, obsoleto, nostálgico, como o primeiro espartilho de Sarah Bernhardt. Roberto chamou Mario e tudo mudou. O futebol, o boxe, o basquete encontraram todo um novo tratamento plástico, lírico, dramático.*

Isso aconteceu no esporte e no resto. Mas Roberto não mudou sem ferir, sem humilhar uma rotina sagrada. ... Roberto fizera outro jornal, não euclidiano."[11]

No final de 1931, Roberto e Nelson aprontaram uma tão séria que quase morrem juntos. Numa promoção conjunta, *O Globo* e o *Mundo Esportivo* anunciaram um espetacular raide Rio-Santos, uma regata de 207 milhas náuticas: uma competição de ioles, barcos a remo! Os remadores Angelu, Boca-larga e Engole-garfo só esperavam o tiro de largada quando a Capitania dos Portos proibiu a competição, alegando que se tratava de rematada loucura – o que era dramaticamente verdade: ioles são aqueles veículos aquáticos fininhos, de estabilidade tão precária quanto a de um palito de fósforo boiando. Para despistar e levar adiante o temível torneio, Roberto, Nelson e Mario Filho armaram uma falsa partida na praia do Flamengo, enquanto os barcos largavam do Leblon. O problema é que, dois dias depois, os organizadores da corrida maluca tinham perdido contato com os atletas. Mario Filho queria alugar um avião, mas Roberto, sempre marinho, convenceu os parceiros de que era melhor usar uma lancha. Embarcaram Nelson, Roberto e o fotógrafo Santana. Após horas de navegação em diligência vã, o motor começou a falhar e morreu, ali

---

[11] Idem.

próximo a ilha Grande. Enquanto o marinheiro tentava consertar a pane, Roberto resolveu, para passar o tempo, praticar tiro ao alvo nas gaivotas que os circundavam. Sossegue, ecológico leitor do século XXI, naqueles tempos caçar não era feio. Enfim... Quando o barqueiro tentou religar a máquina, a explosão! Roberto Marinho e Nelson Rodrigues estavam a bordo de um barco em chamas, tanque ainda cheio de gasolina. Em volta, o mar infestado de tubarões, excitados pelo sangue das aves abatidas. Pois bem. Graças ao surto pistoleiro de Roberto, um grupo de pescadores portugueses se aproximou, atraído pelos estrondos que entenderam como pedidos de socorro; que o foram, ainda que misteriosamente premonitórios. Ou melhor, sem mistificações, fala sério: uma coincidência de muita, muita sorte!

Ainda é cedo para afirmar, não encontramos tantas pistas ou sinais que nos permitam avançar em nossa charada e dizer isso, mas não resisto a antecipar mesmo assim a declaração: "Roberto Marinho era um homem de sorte." A propósito, os remadores já tinham chegado sem incidentes a Santos.

Por ora, a expressão "homem de sorte" é uma idealização óbvia, mais ou menos como o processo de demonização da figura de Roberto Marinho que Nelson Rodrigues passaria a cevar em seu íntimo, do seu jeito irresistível e irremediavelmente obsessivo. Isso só depois de principiar a receber, a ter salário no *Globo*, pois, nas palavras dele, mesmo "... *o Raskolnikof exige um salário*"!

"Um ano depois, comecei a ganhar. Eis o meu primeiro ordenado: – duzentos mil-réis. E, então, aconteceu esta coisa prodigiosa: – enquanto não recebi um tostão, era gratíssimo a Roberto. Tinha-lhe afeto: olhava-o como a um irmão. Mas, remunerado, passei a olhar com ressentimento, despeito, o jovem diretor. ... Fui, por muito tempo, uma espécie de Raskolnikof de Roberto Marinho. Odiei a sua casa, as suas varandas, os seus automóveis, os seus ternos, os seus cristais." [12]

Nelson passou a saborear cada derrota que seu irmão Mario conseguia impor ao "querido diretor" na mesa de sinuca do jornal, cultivou em silêncio e resmungos um ódio autodegradante. Fascinado por Dostoievsky e obcecado por *Crime e castigo*, Nelson criou e incorporou uma caricatura do personagem Raskolnikof, aquele rapaz que mata friamente

---

[12] Idem.

uma velha usurária, após concluir que, se Deus não existe, não há pecado, nada é proibido.

"Eu era ressentido até contra os sapatos de Roberto Marinho. E, além dos sapatos, os ternos, as camisas, as gravatas. Eu tinha um único terno, um único par de sapatos. ...

...

Até que caio doente. Doente para morrer. Minha cama dava para o espelho. Via em cada olho um halo negro; as minhas faces estavam escavadas; e tinha a sensação de que olhava o meu próprio cadáver. Pedi, pelo amor de Deus, que cobrissem o espelho com um lençol. E foi aí que Roberto Marinho me salvou a vida." [13]

A tuberculose, a "peste branca".

A caminho do Sanatorinho de Campos de Jordão, Nelson se torturava:

"... e Roberto Marinho? Ele teria que dar licença, com vencimentos integrais. Mas eu imaginava: – 'Apenas licença e sem vencimento, não serve'. ... Meu irmão Mario Filho foi falar com o 'querido diretor'. Na mesa grande, Roberto ouvia e, ao mesmo tempo, fazia desenhos, a lápis, num papel. Mario disse tudo. E quando acabou, Roberto, sem parar de desenhar, respondeu: – 'Claro. Continua recebendo, do mesmo jeito. O tempo que for preciso. Quero que fique bom. O resto não interessa.'" [14]

Três anos depois, recuperado, Nelson voltou à redação do *Globo.* *"Ao me ver, Roberto Marinho disse, simplesmente: 'Alô, Nelson'. Foi só."*

Mais tarde, Roberto se tornaria um dos acionistas do *Jornal dos Sports*, dirigido por Mario Filho. Em 1949, Mario aumenta o capital do jornal, se faz sócio majoritário, e os 50% de ações que pertenciam a Roberto Marinho viram 20% num átimo de reunião. Lance parecido demais com alguns traumas de juventude: Roberto se desliga da sociedade e doa sua parte para outro irmão Rodrigues, Paulinho.

Um amigo, dos mais importantes, queridos e próximos colaboradores de Roberto Marinho, é hoje da opinião de que, por causa de tão longo e íntimo conhecimento, Roberto nunca deu o devido valor a Nelson Rodrigues, não chegou a reconhecer com justiça a dimensão de seu gênio. *"Alô, Nelson".*

Mas a gratidão de Nelson se derrama vida afora. A mínima chance que se apresentasse, lá estaria defendendo e exaltando o amigo Roberto. Uma das histórias que contava mais parece uma homenagem rodrigueana

---

[13] Idem. [14] Idem.

ficcional; portanto, deve ser comicamente verídica. Já beirando os sessenta anos, Roberto Marinho estava para fazer uma contratação polêmica. A maioria absoluta de seus assessores, conselheiros, colegas e companheiros de redação condenou o sujeito. Diziam que ele iria trair Roberto, que não prestava; em suma, todo mundo era contra. Roberto então disse o que, para Nelson, foi "*... uma das coisas mais lindas ... que já ouvi ... em toda a minha existência humana: 'Eu prefiro ser traído a desconfiar de todo mundo'*".

Não julgue a frase apressadamente como confissão de boa-fé, ou ausência de malícia. Quando diz "eu prefiro ser traído a desconfiar de todo mundo", Roberto pode estar dizendo:"Tenho mais o que fazer!" (mesmo porque quem contrata sempre pode demitir). Creio que foi a partir da convivência com Roberto Marinho que meu suave chefe Armando Nogueira encontrou inspiração para elaborar uma frase sábia e inesquecível: "*Minha função, como diretor, é administrar talento, não caráter.*"

Nelson Rodrigues, que assumiu com humor e espírito esportivo a pecha pechincha que lhe atribuíram de "reacionário", ainda haveria de sofrer na velhice a violência da ditadura contra sua própria família, o filho Nelsinho envolvido na luta armada. Numa conversa patética, em janeiro de 1970, na tribuna de honra do estádio do Morumbi, durante o jogo São Paulo x Porto, o anticomunista mais genial do Brasil perguntou sussurrante ao ditador mais macabro do regime militar, Emílio Garrastazu Médici:

— Presidente, o senhor me garante que, ao contrário do que dizem, não há tortura no Brasil?

— Dou-lhe a minha palavra de honra de que não se tortura.

Antes de Nelson Rodrigues Filho ser capturado e ficar preso por sete anos, a cara dele figurava com destaque na lista de terroristas procurados, exposta em todos os aeroportos, rodoviárias e jornais. Menos no *Globo*. Roberto Marinho mandou que tirassem a foto e só dessem o nome.

Uma carta sem data, possivelmente do início dos anos 60, quando *O Globo* passava maus momentos na disputa com o *Jornal do Brasil*, além de ilustrar bem a firmeza do comando de Roberto Marinho, aponta quando e como seu estilo de liderança se fundou. No texto escrito não há a atenuante da voz baixa; se é que uma reprimenda murmurada torna-se necessariamente mais amena. Não sei. Sei que é um exemplo eloqüente do tom imperial, mais que imperativo, de alguém que está atacando não só para defender a si mesmo, mas para defender alguma coisa, aquilo que é seu; no caso, o jornal. A repreensão é dirigida ao topo da hierarquia do *Globo*.

"Estou profundamente decepcionado com o que está acontecendo com O Globo."

Não conseguimos até hoje fazer um jornal sintético. Pelos reflexos que recebo da redação, o 'brilho' mede-se pelo tamanho das matérias.

O Globo é diariamente 'furado'. Quando se pede uma explicação, depois de algumas horas de indagações e pesquisas, a resposta é vaga e insatisfatória."

As vacilações, desculpas e evasivas remetiam Roberto ao passado, à redação que assumiu em 1931.

"Lembro-me do Globo do tempo de Eurycles, quando éramos diariamente 'furados' pela A Noite e pelo Diário da Noite, e as explicações eram mais ou menos as mesmas. Quando assumi a direção jornalística do jornal, tive de reorganizar tudo. As tarefas eram confiadas a companheiros, e estes respondiam pelo noticiário diário. Quando deixavam de dar matérias por outros publicadas, eram advertidos e posteriormente demitidos. Os horários eram duramente cumpridos. A hora de 'rodar' raramente mutável. Essas punições nunca impediram que os meus companheiros tivessem por mim grande afeição. Creio que vocês sabem disso. Durante décadas, fui considerado o diretor de jornal mais amigo de seus companheiros."

No bilhete, que ordena *"uma resposta objetiva e que valesse por uma correção segura, rápida e eficaz de rumos, em benefício imediato do nosso jornal"*, recorda uma conversa recente que tivera com um dos destinatários – este teria afirmado que o tipo de chefe que Roberto buscava era uma figura heróica, deus olímpico, coisa do passado...

"Disse-me que a figura antiga do Júpiter tronante, na redação, já não existe. É pena. A meu ver precisamos com urgência encontrar esse Júpiter tronante, que se responsabilize pela redação, que seja um 'super-visor', um homem capaz, jornalista equilibrado e que, em plena redação, esteja atento ao jornal."

Afastado do dia-a-dia da redação, envolvido com novos e altos vôos empresariais, Doutor Roberto parece desejar o "jovem diretor" Roberto. Sonha encontrar alguém com coragem para lhe enfrentar, que mereça seu respeito. Pois o tal Júpiter tronante existia e tinha nascido justamente em 1931, 17 de outubro de 1931, cinco dias depois da inauguração da estátua

10. A velha redação

do Cristo Redentor no alto do Corcovado. Chamava-se Evandro Carlos de Andrade. Roberto Marinho procurou durante décadas por Evandro. Mais precisamente quatro décadas.

Por enquanto, estamos nos anos 30, quando o Zeus da modesta redação do *Globo* era ele mesmo. Roberto Marinho, com vinte e seis anos, tornara-se o diretor de jornal mais jovem da história da imprensa brasileira.

Todo o trabalho de preparação do jornal se concentrava numa única sala. Ao contrário do silêncio que o computador trouxe e hoje reina nas redações, escute leitor; escute a barulheira das teclas e sininhos das velhas e trambolhudas máquinas de escrever, os telefones e os berros ao telefone em ligações precárias, as ordens gritadas de mesa a mesa, o eco de passos apressados sobre os tacos do assoalho, a correria: até as folhas de papel faziam barulho.

"Era um semicírculo. No meio, a imponente mesa redonda com as coleções; acolá, a velha e enorme mesa comprida do então nascente copidesque – descreve Alves Pinheiro, jornalista recém-chegado da Bahia – *"...e, lá no fundo, o famoso muro das lamentações, aquela imensa e tradicional sacada de que, cada um de nós, da velha-guarda, conservou uma recordação especial: um elogio, uma advertência, um desabafo, uma confidência e até um abraço do jovem, alvoroçado e dinâmico diretor."*

Poucos anos depois, o dinamismo do jovem diretor proporcionaria a Alves Pinheiro a chance de um belo furo de reportagem, uma aventura bem animada. "*Grande animador, ... que, como ninguém tinha o dom de adivinhar as tendências e o paladar do povo.*" Só os companheiros daqueles rápidos anos conviveram com este diretor: "*Chamava-se Roberto Marinho: em mangas de camisa.*" [15] Logo, seria quase impossível flagrar Roberto sem paletó e laço de gravata exemplarmente composto, "Windsor duplo".

Afinal, o comando da redação – com seus pólos de autoridade, seus conflitos diários, sua tensão permanente – era apenas uma parte do aprendizado do moço dono de jornal. O rapaz teria que se diplomar, em prática áspera, na arte da política. Mas ele gostou à beça do negócio, descobriu mais uma vocação, uma nova paixão.

Sua iniciação na eterna queda de braço entre imprensa e governo se dá num país sacudido por idéias e ações extremas, num momento mundial em que as receitas radicais são a regra, não a exceção. A formação política de Roberto Marinho transcorre num Brasil em que todos conspiram e tudo conspira para a instalação de um regime totalitário. Em 10 de novembro de 1937, Getúlio Vargas instauraria o Estado Novo [16] e promulgaria uma nova constituição – a versão tupiniquim do fascismo. A concentração do poder central nas mãos de Vargas e do exército implicaria uso da força até em linguagem simbólica: a primeira cerimônia pública do Estado Novo foi a incineração ritual das bandeiras estaduais, a partir de então proibidas. Os restos mortais da República Velha arderam na mesma fogueira.

Se no Brasil, desde sempre, o braço de ferro entre jornais e governo fora especialmente complexo – já que tradicionalmente era o Estado a maior

[15] "Alves Pinheiro", *Revista de Comunicação*, 1962.

[16] Estado Novo é o nome que designa o período ditatorial do governo Getúlio Vargas, que se inicia com o golpe de Estado de novembro de 1937 e se estende até a deposição do presidente, em outubro de 1945. Esse período foi caracterizado pelo fortalecimento de tendências centralizadoras e totalitárias presentes no Estado brasileiro desde a Revolução de 1930. No dia 10 de novembro, o governo ordenou o fechamento do Congresso e decretou a entrada em vigor da nova Constituição, conhecida como "polaca", pelas semelhanças com a Constituição polonesa de então. A nova Carta outorgada era extremamente autoritária e dava ao presidente amplos poderes. Em menos de um mês, os partidos foram dissolvidos e os sindicatos foram postos sob tutela estatal. O período também foi marcado por forte censura à imprensa. Em 1939, o governo Vargas criou o Departamento de Imprensa e Propagada, o DIP, que tinha função de regular e censurar a produção intelectual e a vida cultural do país. A ditadura do Estado Novo se estendeu até 1945, quando a participação do Brasil na guerra ao lado dos aliados – em defesa da democracia – afetou a estabilidade interna do regime. Cresceu a oposição entre intelectuais, estudantes, religiosos e empresários, e Vargas perdeu o controle da situação. No início de 1945, anunciou eleições gerais para o final do ano, tendo o marechal Eurico Gaspar Dutra, ministro da Guerra, como seu candidato. Mas o crescimento do queremismo, movimento popular que lutava pela permanência de Vargas no poder, causou a desconfiança da oposição, que se articulou com a cúpula militar e destituiu o presidente em 29 de outubro.

fonte de dinheiro, seja através de empréstimos bancários, favorecimentos ou verba publicitária –, com a ditadura varguista o jogo endureceu ainda mais. Lourival Fontes era a versão tropical de Joseph Goebbels, o ministro da propaganda na Alemanha nazista. Nas fotos da época, a sisudez e a linguagem corporal do jornalista sergipano Fontes formam quase uma caricatura de vilão. Cuidado, no entanto: ressaltar o aspecto caricato de Lourival Fontes não significa menosprezar seu imenso, tremendo poder. Além de cuidar da censura e do controle da imprensa, centralizar decisões sobre investimentos em propaganda e concessão de créditos, Lourival Fontes chegaria a deter, através de regulações alfandegárias, o monopólio do comércio de papel! Sim, logo quem quisesse publicar um livro, uma revista, um jornal ou um mero caderno escolar com folhas em branco, quem quisesse comprar papel, tinha que lidar obrigatoriamente com um intermediário: o Estado.

Se chamam, como chamamos, os anos 20 de "loucos", que adjetivo atribuir à década de 30? Por ora, tratemos os 30 como anos "substantivos" e vamos percorrer a veloz jornada de Roberto Marinho através da década, para observar como ele vai forjando o seu estilo próprio de comando empresarial e de atuação política.

O primeiro objetivo político de Roberto Marinho, dono e diretor de redação de um pequeno porém ambicioso vespertino da capital da República, é a sobrevivência. E sabe como ele luta pela sobrevivência? Vivendo.

Mudou-se, saiu da casa da *mamma* e foi morar sozinho. Primeiro para uma casa na rua Nascimento Silva, pagando aluguel de trezentos e vinte mil-réis. Bucólica demais, um grande areal, Ipanema foi trocada poucos meses depois pela Urca, bairro criado artificialmente, à força de aterros, durante os primeiros vinte anos do século. Na casa da Urca, maior, alugada a um conto e duzentos mil-réis, a três quadras do Cassino, tornou-se vizinho dos seus shows e, principalmente, de suas coristas, vedetes e estrelas. Roberto jamais gostou de jogos de azar, um tipo de competição que não o atraía, pois se perde mais do que se ganha. E ele sempre gostou de vencer no final.

Quando Nelson Rodrigues fala dos "automóveis, casas e varandas" de Roberto Marinho, é a esta casa da Urca que está se referindo. O carro era um espetacular Lancia, em que Roberto pisava fundo, em "pegas" como o "quilômetro lançado", na Rio-Petrópolis – mil metros de reta com o

11. Carros e garotas

pé afundado "na tábua". *"Ele corria mesmo, corria, corrida de verdade. Diziam: 'é um perigo. Esse camarada qualquer dia se arrebenta todo.' Mas nunca se arrebentou não."* [17] É, não se arrebentou de carro mas, nas provas hípicas, o cavaleiro Roberto Marinho sofreria quedas tão espetaculares quanto alguns dos campeonatos que conquistou.

Lourival Fontes ainda não é o chefão, mas em 2 de julho de 1931, Getúlio cria o Departamento Oficial de Publicidade, a primeira tentativa de estabelecimento de um órgão que organize todos os aspectos, instâncias, etapas e metas da propaganda política. O DOP ainda não tem poderes de censura e funciona à sombra da Agência Nacional, fornecendo noticiário chapa-branca para os jornais.

Uma das primeiras decisões editoriais do "jovem diretor" foi iniciar a publicação de uma série de artigos, na primeira página, cobrando o fim do governo provisório e a volta a uma ordem legal. A postura legalista de nosso "tenente-interventor", *"... o regime da lei não é só o preferido, é o único que se compadece com o direito"*,[18] levou naturalmente o seu jornal a apoiar a crescente insatisfa-ção dos revolucionários de 30, que exigiam de Vargas uma Assembléia Constituinte. Dois dias antes de explodir a Revolução Constitucionalista em São Paulo, o editorial de Roberto Marinho terminava assim:

"... ainda será dentro da luz que o Brasil, vendo embora os farrapos de todos os partidos, o

12. Vencer

---

[17] Fernando Segismundo, 15 set 2003.

[18] "Já agora seria impossível contrariar os anseios do país inteiro pelo regime da ordem legal!", *O Globo*, 25 nov 1931.

desmantelo de todas as ambições subalternas e dos desejos do poder, verá eletrizado a bandeira da Constituinte, que esta não se rasgará, porque não é já Minas, São Paulo ou Rio Grande do Sul que a empunha, mas a nação brasileira, que é a senhora única dessa Revolução sem donos".[19]

A casa da Urca tinha três andares, o último com uma ampla varanda debruçada sobre a baía de Guanabara: *"Era o mar, um mar imenso. Tive então a idéia de fazer ali uma espécie de deque de navio."*[20] Assim foi feito: a cobertura virou um convés à prova de ondas e tempestades, e neste barco de faz-de-conta rolavam festas de verdade! Havia as reuniões sociais comportadas, em que até a irmã mais nova era convidada: *"Eu adorava. Não conseguia esperar o fim do jantar, aquela conversa chata à hora do licor. Queria começar logo a dançar"*,[21] lembra Hilda, louca por dança como a mãe e o irmão. Eram promovidos também, da forma mais discreta possível, rega-bofes mais restritos, digamos, mais propícios a solteiros em pleno usufruto da liberdade, sob o jugo soberano da testosterona.

Já em fins da primeira metade da década, as noites "clandestinas" foram rareando, e nem por isso a qualidade das festas decaiu. Ao contrário, Joaquim Rolla, dono do Cassino da Urca, passou a testar seus novos espetáculos na casa do amigo e vizinho Roberto Marinho. Os ensaios gerais

13. Comentário da irmã Hilda sobre a pose de galã

[19] "Bandeira única", *O Globo*, 7 jul 1932.

[20] Roberto Marinho, anotações para "Condenado ao êxito".

[21] Hilda Marinho, 8 jul 2004.

se tornavam pré-estréias exclusivas, para valer! Cenários montados para que a iluminação também fosse testada, elenco desfilando os figurinos completos e músicos vestidos a rigor atacando com gosto, espalhando notas musicais pelo mar enluarado. Seja tolerante com meus poucos arroubos de imaginação, parceiro leitor; irresistível pintar uma lua sobre as noites do Rio, que então ganhava seu epíteto definitivo: a música "Cidade Maravilhosa", de André Filho, foi o maior sucesso do Carnaval de 35.

As *avant-premières* no "deque" de Roberto Marinho ficaram famosas, e se o dono da casa arrumou muitas namoradas nessa brincadeira, casos sérios também começaram ali, nas ocasiões familiares, as noites em que Hildinha podia comparecer. "*Numa dessas noites, descendo pela escada em caracol para o andar térreo, vi um casal abraçado em doce enlevo amoroso. Eram Alzira Vargas e Amaral Peixoto.*"[22] Foi na casa do jovem diretor do *Globo* que a filha do presidente Vargas se encantou com seu marido, que, por sua vez, viria a ser nomeado interventor federal no Rio de Janeiro pelo Estado Novo. Coisas de Distrito Federal: vamos prestando atenção a este idílio entre Roberto e o Rio de Janeiro-capital da República, manter este vetor na manga, para entender a futura oposição tenaz, rejeição visceral à idéia de Brasília.

Vida e trabalho, jornalismo e política, amizade e negócios, noite e dia, Roberto Marinho amava tudo isso ao mesmo tempo, intensa e integralmente, num cenário tão deslumbrante quanto imprevisível, numa cidade tão cheia de encantos, contradições e desafios.

A esta altura de nossa aventura, penso que já podemos afirmar que naquela década de 30, o jovem Roberto descobre definitivamente o seu maior dom, e o desenvolve: a facilidade de comunicação com qualquer tipo de interlocutor, e uma natural desenvoltura para transitar entre universos aparentemente antagônicos. Como se "paradoxo" não passasse de um nome que a gente dá a dilemas que não consegue resolver...

Fosse até que horas fosse a farra, no jornal ele fazia questão de ser o primeiro a chegar, às quatro da manhã, estragando o sono do Octaviano, o porteiro da noite. E do dia também, mas de dia não precisava de porteiro, *O Globo* vivia de portas abertas. Vamos entender melhor esta sem-

---

[22] Roberto Marinho, anotações para "Condenado ao êxito".

cerimônia: o imponente prédio do Liceu de Artes e Ofícios, na esquina de Bittencourt da Silva com o largo da Carioca, abrigava, além do jornal, outros ramos de atividade, como salões de sinuca e bilhar, bar, restaurante; o movimento da rua entrava portas e janelas adentro sem pedir licença. Tudo era aberto ao público, só a redação e as oficinas impunham naturalmente algumas restrições, e olhe lá! Esse contato direto com a vida real fazia bem ao jornal.

Roberto começava a trabalhar cedinho para dar o exemplo e poder cobrar rendimento e garra de uma redação que tinha encontrado em estado de acomodação. Além de sacudir vigorosamente seus companheiros, uma das primeiras idéias de Roberto foi propor cumplicidade ao leitor, e isto não é uma figura de linguagem. Era a interatividade da época, o "repórter-amador"! *O Globo* incentivava seus leitores a participarem diretamente da feitura do jornal, pedindo que ligassem para a redação, sempre que houvesse uma notícia. Aconteceu alguma coisa na sua vizinhança, um assalto, um sinistro? Ligue para a redação, seja o nosso "repórter-amador"! A iniciativa foi um sucesso e só teve que ser gradualmente abandonada com a radicalização política e a perseguição aos comunistas – o "repórter-amador" deixou de ser confiável, passou a ser um delator em potencial.

14. Hora do fechamento

Paulistas e adversários de Vargas perderam nas armas em 32, mas teriam compensação na arena política no ano seguinte. Em 3 de maio de 1933, as mulheres participam pela primeira vez de eleições, votam para a Assembléia Constituinte e até elegem deputada a médica paulista Carlota Pereira de Queirós. Em São Paulo, quarenta gatos garoados, sob a liderança de Plínio Salgado, fazem a marcha inaugural do integralismo, a cópia brasileira do nazi-fascismo. Camisas verdes, a letra grega Sigma, Σ, fazendo de suástica, braços esticados na saudação em tupi: "Anauê!" Em um ano, se multiplicariam a trezentos mil e passariam a ser muito úteis a Getúlio. Enquanto o governo Vargas encaminhava habilmente a construção de seu modelo fascista, os integralistas assumiam com gosto o ridículo, a bravata, o estigma.

O Globo aplaude o início dos trabalhos da Constituinte, e o seu diretor-redator-chefe vibra com a realização do Primeiro Grande Prêmio de Automobilismo do Rio de Janeiro, vencido por Manuel de Tefé. O Circuito da Gávea começava na praia do Leblon, seguia beirando o mar, chegava a São Conrado, subia a estrada da Gávea, descia a rua Marquês de São Vicente, dava a volta na praça Santos-Dumont e tinha a sua reta final na avenida Visconde de Albuquerque.

O trecho inicial da corrida, à beira-mar, Roberto Marinho conhecia bem. Quantas vezes Roberto não tinha passado o braço sobre um belo par de ombros e ordenado a seu motorista Joffre que tocasse para a avenida Niemeyer? Lá chegando, Joffre fazia longos passeios pelas pedras escarpadas, apreciando o movimento das ondas, enquanto Roberto e parceira se dedicavam a assistir ao emocionante esporte que logo ficaria tão popular, uma tradição carioca: a corrida de submarinos, que para quem não está ligando o nome à pessoa é a prática do namoro em automóveis estacionados de frente para o mar.

Georges Joffre Delahaye, negro de origem antilhana, era um garoto quando começou a trabalhar no *Globo* como "faz-tudo". Logo tirou a "licença de *chauffeur*" e passou a ajudar principalmente na distribuição dos jornais, ocasionalmente dirigindo carros para a reportagem. Quando se mudou para a Urca, Roberto Marinho fez de Joffre o seu motorista particular; parceiro mudo, quase uma sombra, sempre instado a andar "mais rápido, Joffre, mais rápido!". Como não havia horário, expediente mais que integral, vinte e quatro por vinte e quatro horas, podendo ser convocado a qualquer momento, Joffre foi morar na casa da Urca. Algumas vezes, a caminho de casa, Roberto mandava Joffre largá-lo ali mesmo, no Cassino, e seguir em frente; não se importasse, ele voltaria a pé ou de carona. O trajeto incluía atravessar uma rua chamada Irineu Marinho, a um quarteirão de casa.

No Cassino da Urca, Roberto Marinho fez afetuosas e importantes amizades; algumas de mais importância, outras de mais afeto. Foi no futuro prédio da primeira TV do Rio, a Tupi, que iniciou uma longa e afetuosa amizade com Raymundo de Castro Maya e César de Mello e Cunha – homens mais experientes, dinheiro mais velho, donos de um refinamento que Roberto invejava e almejava (César de Mello e Cunha, por exemplo, tinha um Rolls-Royce bicolor, marrom e caramelo, que usava somente para ir à missa e casamentos). Pertencentes ao que se pode chamar de "aristocracia-brasilis", Mello e Cunha era engenheiro, e Castro Maya, herdeiro de uma instituição da cozinha nacional: a Gordura de Coco Carioca, ancestral dos óleos vegetais e margarinas. Na categoria das amizades importantes, mas nem por isso menos afetuosas, conheceu Francisco Campos. Se bem que o famoso "Chico Ciência" freqüentasse mais o Copa e seu salão de jogos, onde se quedava em transe frente à corrida saltitante da bolinha na roleta. Preto no branco, em 37, o jurista Francisco Campos escreveria a Constituição do Estado Novo, a "Polaca". Em 64, verde-oliva, redigiria primeiro o Ato Institucional, o AI, que se tornaria AI-1, assim que ele escrevesse o AI-2.

Fica difícil precisar se o dia começava cedo ou a noite acabava tarde. O fato é que da Urca para o largo da Carioca, quatro da manhã, depois ao meio-dia, jornais na rua; sinuca sempre que houvesse tempo, Roberto era bom de taco e gostava de se investir da função de instrutor, ensinar como é que se joga esse negócio. Jeitão de Dona Chica, que um dia ao ver Joffre chupando uma manga, disse: "Não é nada disso, não é assim que se chupa manga!" Mandou lavar a fruta e só se deu por satisfeita quando Joffre aprendeu uma técnica de devoração mais higiênica. O motivo era nobre, mas o jeitão napolitano da tutora emprestava um quê de comédia à aula de chupar manga.

Voltando ao dia-a-dia, noite-a-noite, quantas noites Joffre a esperar o fim do jantar do patrão para ver se sobrava alguma sobremesa. As refeições

15. Joffre das crianças

eram trazidas do Cassino e na maioria das vezes não tinha resto de doce não, pois Roberto sempre foi formiguinha. As namoradas, era Joffre quem levava em domicílio. Luz del Fuego? Conheceu bem! No sentido bíblico? Isso era assunto do Roberto. Contanto que não viessem as cobras! Roberto Marinho dormia pouco, e pelado. O pijama viria junto com o casamento, ainda ia demorar.

Imagine a intimidade do motorista para saber que o patrão dormia pelado: *"Quem dava injeção médica nele era eu..."*, conta o suave Joffre, em 12 de janeiro de 2004. Mas não se iludam, crianças, mesmo velhinho, não queiram ver o Joffre brabo! Até hoje ele cuida dos netos de Roberto Marinho; como cuidou dos quatro filhos. Quatro irmãos, quatro homens controláveis à custa de um famoso cassetete, conhecido como "Carequinha", parceiro inseparável da pedagogia do chofer, arma que nunca foi usada, a não ser para fazer bastante barulho em golpes no estofamento do automóvel – o suficiente para calar a algazarra dos meninos.

Joffre conduziria Roberto à sua primeira lua-de-mel, se ela tivesse acontecido. Já tinha até tirado passaporte, iria dirigir uma caminhonete pela Europa, mas uma semana antes, o chefe disse: "Não vamos mais." Como sempre podia dizer, a qualquer hora do dia ou da noite, de repente: "Vamos agora para São Paulo!"; "Toca para Campos de Jordão!" Vida agitada! O patrão não andava com dinheiro, nunca andou: *"Eu é que tinha que andar com dinheiro."* [23]

Logo teremos Joffre como testemunha e coadjuvante de destaque num momento crucial da vida de nosso personagem, o primeiro casamento.

---

[23] Georges Joffre Delahaye, 12 jan 2004.

Antes, Roberto ainda circulava, alegremente celibatário, chucro demais para ser laçado por uma aliança no dedo. E os eventos políticos, que se sucediam, tinham impacto de terremoto, não permitiam perda de tempo com devaneios românticos. Lembre-se, companheiro de leitura, a primeira meta do nosso "jovem diretor" era tão-só sobreviver.

Pois bem, a Constituinte encerra seus trabalhos em julho de 1934. Uma semana antes da promulgação da Constituição e de o presidente da República ser eleito de novo pela Assembléia, Vargas segue aprimorando, atarrachando seu controle sobre a comunicação social. Em 10 de julho de 1934, Lourival Fontes é nomeado diretor-geral do Departamento de Propaganda e Difusão Cultural. O DPDC substitui o DOP, o Departamento Oficial de Publicidade. Subordinado diretamente ao ministro da Justiça, Lourival ganha novos poderes para o exercício direto e cada vez mais truculento da censura sobre os jornais, sob o eufemismo de "coordenação das relações com a imprensa"; além de intensificar o uso da máquina de propaganda, formular e executar a política do Estado nos setores de cultura, cinema didático e radiodifusão. E, não esqueçamos, é nesses meados da década de 30 que começa a gloriosa era do Rádio!

A redação do *Globo* estava irreconhecível. Como estratégia para combater *A Noite*, Roberto tinha decidido rodar o jornal mais cedo, em sucessivas edições, às onze, ao meio-dia, uma, duas, três da tarde. O mais comum era chegar ao fim do dia com seis edições rodadas! A trabalheira deu certo, o objetivo foi alcançado: quando *A Noite* saía, no horário tradicional, entre cinco e seis horas, o seu noticiário já estava obsoleto. Para conseguir rodar tantas edições, Roberto Marinho teve que fazer uma travessura, da qual muito se orgulhava e que contou, repetidas vezes com o mesmo gosto, até o fim da vida. Comprou, instalou e botou para funcionar mais uma rotativa, tudo secretamente:

"Vocês já pensaram em esconder um elefante... em casa? Pois eu consegui esconder do dr. Moses, durante três anos, no antigo edifício da rua Bethencourt da Silva, onde estava instalado O Globo, *uma grande e ruidosa rotativa. ... Representou um episódio de luta do redator-chefe, sequioso da projeção e da expansão do seu jornal, contra o tesoureiro, com as contas a pagar, as naturais limitações de despesas..."*[24]

[24] "Questionário", entrevista concedida a *Realidade*, 27 jul 1967.

16. Com Herbert Moses

Sim, é um bom exemplo da luta entre redação e administração financeira, mas é também um ótimo exemplo de como os amigos de seu pai, agora seus companheiros, conservavam grande autoridade sobre o jovem diretor. Mesmo investido do poder nominal de dono, Roberto ainda tinha que fazer coisas escondido, ainda que fossem para o bem do negócio. Mas se envolvessem risco a ponto de exigir persuasão, e ele não tivesse a força de convencer, fazia assim mesmo, como ato de rebeldia filial. Isso foi especialmente verdade com relação a Herbert Moses, uma raposa política, de raciocínio ágil, bons reflexos e muita paciência para negociar. Além de ter sido, durante décadas, responsável por toda a gerência do dinheiro do *Globo*, Moses foi um dos primeiros mentores políticos de Roberto Marinho. Herbert Moses foi presidente da ABI, Associação Brasileira de Imprensa, de 1931 a 1964 – importante não se esquecer disso, leitor! Logo vamos nos deparar com um documento desconcertante, um "grampo" de uma conversa telefônica entre Moses e Roberto, que pode nos dar uma ou duas idéias acerca da natureza de suas relações: "*Perfil de Moses. O seu fabuloso lado positivo, a sua inteligência, a sua ainda mais fabulosa agilidade mental. Os seus processos. A guerra de nervos diária.*"[25]

Guerra, guerra mesmo, Joffre e Roberto encontraram no caminho de casa, naquela noite do 26 de novembro de 1935 – o 3º Regimento de Infantaria se rebelara, sob a liderança de um companheiro de Roberto na Revolução de 30, o capitão comunista Agildo Barata. Sem poder avançar, Roberto ficou espiando a movimentação das tropas, os tiros, os gritos, explosões e clarões na noite da Praia Vermelha. É mister abrirmos um parágrafo agora, para que o leitor possa entender por que

[25] Roberto Marinho, Roteiro para "Condenado ao êxito".

raios Roberto não tinha como chegar em casa na madrugada da revolta comunista[26] na Praia Vermelha.

Antes, outra pergunta: por que Roberto tinha se mudado para a Urca? Digamos que, em primeiro lugar, pela novidade de habitar um lugar inventado, obra humana. Roberto nunca resistiu a uma novidade. Para um homem que morria de amores, ou melhor, vivia apaixonado pela sua cidade e amava o mar, a paisagem incomparável, até hoje imbatível, certamente também foi decisiva. E, é lógico, o solteirinho escolheu, astuto, a vizinhança animada do Cassino, que, a partir da legalização do jogo em 1933, tomara o lugar do "Hotel Balneário", na Praia da Urca. Roberto Marinho só não tinha como prever que estava fixando residência no que viria a ser um epicentro nervoso e vital dos caminhos da República e de seu destino pessoal. Antes de nos precipitarmos mais uma vez e atribuirmos a nosso personagem uma sorte transcendental – mudou para o lugar certo na hora certa! – vamos entender melhor a geografia da vida pessoal e pública de Roberto Marinho no bairro que escolheu.

Vamos pegar uma rápida carona com Joffre, rumo à avenida João Luís Alves, número 260, bairro da Urca, residência do jovem senhor Roberto Marinho. Só havia um caminho para chegar a Urca em 1935 – é assim até hoje –, a avenida Pasteur. Ao nosso lado direito, víamos, como ainda vemos, os prédios do Hospício (hoje parte da Universidade Federal do Rio de Janeiro) e do Instituto Benjamim Constant, que fazia então o que faz até hoje, cuidar de pessoas cegas. Do nosso lado esquerdo, onde ficava a praia da Saudade e uma colônia de pescadores, o amigo Raymundo de Castro Maya fundara o Fluminense Yacht Club, que se tornaria, em 1943, o Iate Clube do Rio de Janeiro. Os primeiros trezentos metros de cais tinham sido construídos em 1927, e Roberto Marinho fizera-

---

[26] Em julho de 1935, o Partido Comunista Brasileiro começou a organizar uma insurreição armada com o objetivo de tomar o poder e instalar um governo popular-revolucionário sob a chefia de Luís Carlos Prestes. O movimento teve início em Natal, em 23 de novembro, comandado por sargentos, cabos e soldados do 21º Batalhão de Caçadores. Nos dias seguintes, eclodiu também no 29º Batalhão (próximo a Recife), no 3º Regimento de Infantaria da Praia Vermelha e na Escola de Aviação do Campo dos Afonsos (ambos no Rio de Janeiro, na época Distrito Federal). A rebelião ficou restrita aos quartéis e não alcançou o apoio esperado do operariado. Mesmo assim, serviu como argumento para o Congresso decretar o estado de sítio. A polícia, dirigida por Filinto Müller, desencadeou uma violenta repressão contra os comunistas e todos os opositores do governo de Getúlio Vargas. A revolta foi rapidamente reprimida, e dez mil pessoas foram presas, inclusive Luís Carlos Prestes. O episódio ficou conhecido como "Intentona Comunista", expressão cunhada pelos meios oficiais com intenção depreciativa, uma vez que "intentona" significa "intento louco, plano insensato".

se o sócio número 588 do clube em 24 de abril de 1930. O primeiro pavilhão normando do Iate Clube seria inaugurado em 1936. Havia três hangares: o primeiro para barcos a vela, o segundo para lanchas, e do terceiro Roberto Marinho preferia guardar distância; o hangar para aviões, com rampa para os assíduos hidroaviões. Atrás do hangar nº3, a pista de grama para pouso e decolagens. Nessa época, Roberto ainda se pelava de medo de avião e deve ter assistido a prudente distância a partida e a chegada do emocionante raide aéreo Rio-São Paulo-Rio, disputado por nove aviões, em 1938, tendo o vencedor marcado o tempo recorde de nove horas e dois minutos. Por ora, deixemos Joffre seguir em frente até chegarmos à praia Vermelha. Ou melhor, antes da areia propriamente dita, ao forte construído no século XVIII, que em 1860 fora ampliado para abrigar a Escola Militar e que seria bombardeado naquela noite de 1935.

Contra o panorama das pedras colossais dos morros da Urca e do Pão de Açúcar, o cavaleiro Roberto estrearia em competições de saltos, na pista de equitação da praia Vermelha, freqüentada igualmente por civis e militares. Ah! E sobretudo seria no ambiente chique dos bastidores hípicos da Urca que Roberto cairia fulminado de paixão por uma moça paulista, bisneta do barão de Taubaté, um encanto no verdor irresistível de seus vinte anos. Chamava-se Stella, mas apresentava um grave problema: Roberto era amigo de seu pai...

Mas isso é assunto de pós-guerra – por enquanto, nem a Segunda Guerra Mundial havia começado, nem aquela batalha noturna terminado, tornando impossível a passagem de Roberto. Para chegar ao bairro da Urca, então, como hoje, só havia uma entrada – e naquela noite, uma barreira de fogo no caminho. Depois de assistir eletrizado aos combates, Roberto resolveu ficar na casa do irmão Ricardo, que morava ali perto. A revolta comunista que, de tão desastrada, entrou para a história com título pejorativo, a Intentona, fechava o ano extraordinariamente "eventuoso" de 1935.

O *Globo* do jovem diretor Roberto Marinho foi testemunha central do turbilhão de fatos que agitou o país.

Foi mirando as janelas do *Globo* que, do alto de seus vinte e um anos, o comunista Carlos Lacerda leu, no dia 5 de julho, o manifesto "Todo poder à ANL!", escrito por Luís Carlos Prestes. A Aliança Nacional Libertadora tinha sido fundada em março, para servir como "braço legal" do clandestino Partido Comunista Brasileiro. E onde você acha que a aliança comunista estabeleceu a sua sede, caro leitor? Na rua Almirante Barroso, em frente às oficinas de *O Globo*, jornal que denunciaria sistematicamente a ANL como "disfarce ludibrioso" dos comunistas:

"*A Aliança Nacional Libertadora faz propaganda comunista*", titulava *O Globo*, em 2 de julho.

A Aliança tinha escolhido o 5 de julho, aniversário dos levantes tenentistas de 22 e 25, para realizar manifestações em todo o país. Seis dias depois, o governo Vargas decretava a ilegalidade da ANL. Dia 30 de julho, alto da primeira página de *O Globo*:

"*SOVIETS NO BRASIL. Confirma-se a campanha do* Globo *contra as atividades extremistas da Aliança Nacional Libertadora.*"

Logo abaixo, a reprodução de um panfleto da Aliança, em que se lia "*Luís Carlos Prestes vos concita pela liberdade!*", junto a uma gravura do Cavaleiro da Esperança de dedo em riste.

Enquanto, ainda coadjuvante em sua segunda fita, Carmem Miranda dizia na tela "Alô, alô, Brasil!", o Brasil dizia *bye-bye* a práticas e códigos políticos que vinham sendo ridicularizados e atropelados por ideologias que anunciavam um novo mundo, um novo homem! E todas as correntes ideológicas cortejavam o mesmo personagem: o operário, o trabalhador, o proletário. Como queira chamar, leitor, é este indivíduo que personifica – quase um ente abstrato – em idealizações, estátuas e manifestos, a força do trabalho contra o capital.

Por uma dessas coincidências e caprichos do serpentear da história, *O Globo* tinha uma ligação tradicional com o operariado, legado que Irineu Marinho e seus companheiros carregaram consigo da *Noite*. Vamos lembrar de 1924 e das flores ofertadas à família Marinho em seu embarque para a Europa; arranjos florais envolvidos em fitas com os títulos de praticamente todas as associações de classe e categorias, embriões do sindicalismo carioca. *O Globo* de Roberto Marinho herdara algo que podemos até chamar de um trabalhismo à frente de seu tempo; ou simplesmente atribuirmos este legado à estratégia de um jornal que buscava representar os interesses de seu leitor, para ter assim cada vez mais leitores. Desde o primeiro número, em 1925, a coluna O Globo no Operariado já aparecia no alto da página sete ou oito, ao lado da figura heróica de um operário em serviço, com chaminés fumegando ao fundo, e o subtítulo "A vida nas associações de classe". Depois de O Globo no Operariado, vieram Vida Trabalhista, Reportagem Sindical e Sindicatos.

Portanto, o jornal de ROBERTO MARINHO – sim, porque em meados dos 30, o nome do 'jovem diretor' passou a ser o único em maiúsculas no expediente, além de "ASSINATURAS", é claro – possuía autoridade reconhecida para ouvir e ser ouvido pela classe trabalhadora. Obviamente, para os adeptos do dogma comunista, O *Globo*, como toda a "imprensa burguesa", não passava de um jornal a serviço do grande capital. Já para os integralistas, os jornais eram a expressão gritante da decadência do liberalismo e de sua frouxidão moral. O fato é que todo mundo falava nas páginas do *Globo*; de Plínio Salgado – "*A lei de segurança visa exclusivamente o integralismo*"[27] – a Agildo Barata – "*AGILDO BARATA FALA AO GLOBO. Pela primeira vez, desde os acontecimentos de novembro, o chefe da rebelião vermelha do 3º RI é entrevistado pela imprensa.*"

A entrevista do capitão Barata, realizada dentro da Casa de Correção, a prisão na rua Frei Caneca, valeu ao jornal a invasão de sua redação pela polícia e a apreensão da edição de 11 de setembro de 1936, a primeira de sua história. A segunda edição impedida de circular seria a de 1º de abril de 1964.

Apesar dos elos históricos com os trabalhadores, O *Globo* sempre pretendeu falar com todas as classes, e me arriscaria até a dizer que, na sua insistência em atingir a classe média, ajudou a criá-la. Nos anos 30, a postura editorial do jornal pode ser resumida no combate aos "extremismos" e na defesa dos interesses do setor privado, diante de um governo com desígnios declaradamente monopolistas.

"O Globo *era inimigo rancoroso do integralismo e do comunismo. Quando a polícia apreendeu mais de dez mil armas (inclusive rifles e metralhadoras, peças de uso exclusivo das Forças Armadas) nos núcleos integralistas, o jornal noticiou com destaque. Ao contrário dos Diários Associados, que não queriam desagradar alguns amigos de Assis Chateaubriand.*"[28]

---

[27] *O Globo*, 30 mar 1935.

[28] Edmar Morel, *Histórias de um repórter.*

A postura pessoal do dono de *O Globo* é a de alguém que se prepara para uma longa travessia, a despeito das tempestades, raios e trovoadas do instante. Esta determinação em fazer, realizar algo a despeito de suspeitas preocupantes ou mesmo sinais adversos, e obedecer a impulsos aparentemente temerários, esta atitude iria se repetir em diversos momentos da trajetória pessoal-empresarial de Roberto. Parece que Roberto Marinho nunca teve medo do Brasil! Em certas ocasiões especialmente dramáticas da vida nacional, o otimismo de Roberto Marinho só parece justificável e compreensível por uma fé na própria intuição, que despreza o racionalismo retórico e invariavelmente fatalista. Ou simplesmente, trata-se do olhar de repórter, para quem as

17. Só a polícia leu

notícias "Flamengo leva goleada" e "É hoje o fim do mundo" brigavam pelo espaço da primeira página e podem se equivaler em importância – no que muitos rubro-negros, como Roberto, concordariam plenamente.

Um treino freqüente para grandes travessias começava ali mesmo, pela praia da Urca. Roberto adorava desafiar as ondas e nadar até Copacabana, dando a volta no Costão do Leme. Por baixo, mais de três mil metros de mar aberto! Certo dia, Roberto completou bem o percurso, mas chegou às areias de Copa bastante aborrecido. Tinha sido ultrapassado em plena travessia, por uma mulher! Depois, se conformou ao ser informado de que se tratava da campeã brasileira de natação. Se não era Maria Lenk treinando, já então veterana das Olimpíadas de 32, em Los Angeles, pode muito bem ter sido uma moça chamada Piedade se preparando para os Jogos de Berlim, em 36. Impossível confirmar quem foi a mulher que deixou Roberto na espuma. O fato é que Piedade Coutinho fez história não somente pelo quinto lugar que alcançou na prova dos 400m nas Olimpíadas de Hitler. Pela façanha atlética, ela se tornou a estrela da primeira telefoto publicada na imprensa brasileira, em 17 de agosto de 1936, na primeira página de *O Globo*. Imagino, imagine, o sorriso de satisfação de Roberto Marinho, satisfação dupla: parte compartilhada com a redação, pelo marco pioneiro com a estampa da telefoto; e parte saboreada no seu íntimo, com a lembrança de uma moça que certa feita o bateu numa corrida marítima.

Nos fins de semana, Roberto freqüentava o hangar nº2 do Iate Clube e não perdia oportunidade de singrar o mar carioca, a bordo de lanchas. Participou de "corridas de lanchas velozes", promovidas pelo Iate, mas como venceu apenas um páreo, pilotando a lancha *Caiçara*, em 1932, sua carreira na modalidade foi abreviada. Preferia chegar bem pertinho da arrebentação da praia de Copacabana, para verificar os "brotos" na areia. "Brotos" não; na época, se diria "uvas", talvez... Não interessa o substantivo, o importante eram os predicados. Nesse período de ativo solteirismo, Roberto Marinho dava os seus cartões de visita para as moçoilas rasgados pela metade: o pedacinho de papel com o sobrenome dissolvia-se na água salgada. Num belo dia ensolarado, quase que a sua própria lancha se desmancha sob os vagalhões copacabanenses. No afã de chegar bem perto, pertinho de seus alvos femininos, Roberto deu chance ao perigo – típico de nosso personagem, diga-se de passagem. O motor morreu, e quando a embarcação estava prestes a ser devorada pelas ondas, um musculoso nadador a empurrou vigorosamente para além da arrebentação. O salvador da pátria chamava-se Edu e posteriormente tornou-se um dos mais célebres membros do lendário Clube dos Cafajestes. Até o fim de seus dias, Roberto Marinho declararia enfaticamente a sua eterna gratidão a Edu, o rapaz que o salvou de um naufrágio tão perto da areia quanto da tragédia.

Roberto Marinho não concebia diversão sem aventura. Nem trabalho. Mais que pura sapequice, a vontade de correr riscos era também, ou principalmente, conseqüência do desejo de vencer.

Agora, a questão não era mais apenas sobreviver, era crescer!

E o nosso homem, já sabemos, quando cismava com alguma coisa, não havia o que o demovesse da idéia. Por exemplo, Roberto se resignaria a esperar décadas até realizar seu plano de fazer do *Globo* um matutino – ele considerava, com razão, que os jornais da manhã tinham mais credibilidade. *O Globo* só viraria matutino na década de 70, mas já em 1937 houve edições experimentais com o título do jornal sobreposto por letras cursivas, em branco, desenhando a palavra "Matutino"!

Competitivo às raias da compulsão, Roberto não media investimentos na hora de lutar pelo que queria. Até os mais ressentidos adversários de Roberto Marinho nunca puderam deixar de reconhecer este que foi um de seus maiores méritos, talvez por ser uma qualidade rara em proprietários de jornal e proprietários em geral: reinvestir prioritariamente o lucro na própria empresa.

Essa observação já foi várias vezes repetida, e o gesto louvado, com relação aos primeiros anos da TV Globo. Para ser exato, durante mais de uma década, Roberto Marinho não tirou um tostão para si mesmo daquela que cresceria para constituir uma fabulosa galinha dos ovos de ouro – a nave mais alta da catedral que ergueu durante sua vida.

O que às vezes é esquecido, ou menosprezado, é o fato de que esta sempre foi a estratégia do empreendedor Roberto! Antes mesmo do tremendo amadurecimento que representaria a pedreira dos anos 30, o "jovem diretor" apresentava uma audácia na hora de gastar que constrangia a concorrência. Onde estivesse a fumacinha de notícia exclusiva, um rastro de furo, lá iam os repórteres do *Globo*, custasse o que custasse. Com uma boa história nas mãos, o repórter disporia de todos os recursos necessários para acompanhá-la. Hoje parece óbvio. Por isso é fundamental observar essa conduta da chefia de reportagem do *Globo* sob a ótica da época: um tempo em que o jornalista estava mais acostumado a esperar a notícia, interpretá-la e torná-la objeto de tese do que fazer o que chamaríamos, em "linguagem de dia de semana", de cavucar, fuçar, apurar.

O repórter Edmar Morel chegou ao *Globo* em 1937 e conta em seu livro *Histórias de um repórter*, que nunca tinha encontrado condições de trabalho semelhantes.

"*Vindo de dois jornais que pregavam o comunismo, … em momento algum sofri o menor constrangimento.*" Ao contrário, Morel cita pelo menos três comunistas que encontrou como companheiros na redação do *Globo* da década de 30: "*Um dos melhores redatores era o Antonio Mesplê, comunista da velha-guarda e que merecia a total confiança de Roberto Marinho. Pedro Motta Lima, ao deixar a prisão, voltou para este jornal, onde desfrutava de invejável pres-*

tígio. Pedro Teixeira ... era outro comunista." Mais que a tolerância ideológica, Edmar Morel se espanta com o profissionalismo ambicioso do jornal:

"O vespertino fundado por Irineu Marinho em 1925 aparecia aos meus olhos de provinciano como algo de espantoso. Tinha automóveis, lanchas, até aviões de pequeno porte para as reportagens. ... A secretaria de redação de O Globo era exercida por Manoel Gonçalves (um perfeito cozinheiro de jornal). [Manoel Gonçalves, olha o estudante que foi pedir emprego a Irineu Marinho aí!] *Roberto Marinho e Alves Pinheiro ... viviam de igual para igual com os repórteres. ... Fiquei na reportagem de polícia, sob o comando de Alves Pinheiro, o maior chefe de reportagem de todos os tempos ... "*[29]. [Uma das "crias" mais célebres de Alves Pinheiro foi o repórter David Nasser.]

Quantas vezes Evandro Carlos de Andrade não escutaria a mesma frase proferida pelo patrão Roberto Marinho..."Alves Pinheiro, o maior chefe de reportagem de todos os tempos!" Tratava-se da implicância preferida do Doutor Roberto com Evandro, este sim o melhor chefe que já teve sob seu comando.

Alves Pinheiro tem uma biografia bastante típica da época, talvez de difícil compreensão para um leitor contemporâneo. O primeiro emprego que o baiano Pinheiro arranjou no Rio foi na polícia, como investigador do *"gabinete do então coronel Felinto Muller, meu querido, inesquecível, saudoso Felinto Muller, ... durante nove anos ... o chefe de polícia de Getúlio"*.[30] Ok, leitor, justa é a surpresa diante de adjetivos tão carinhosos a respeito de uma das figuras mais violentas da ditadura Vargas. Porém, esse negócio de dois empregos, trabalhar na polícia e na editoria de polícia, não era exceção, era regra. E foi assim durante muito tempo, até o AI-5 cravar uma fenda letal nas relações políticas dentro das redações; levando uns para a clandestinidade da resistência à ditadura, e outros, parte da turma dos dois empregos, para o outro lado, da repressão paramilitar.

Pois vamos adiante! Já como repórter contratado do *Globo*, Alves Pinheiro foi protagonista do mais clássico exemplo da política de Roberto Marinho de investir o que fosse necessário para conseguir o que ninguém tinha. É a história da pioneira neozelandesa da aviação, Jean Batten.

---

[29] Idem.

[30] Alves Pinheiro, "Memórias de *O Globo* – VII: fui intimado a prender Roberto Marinho", *O Globo*, 1975.

"Asas femininas sobre o Atlântico!", chamava na primeira página a edição das onze horas de *O Globo* de 11 de novembro de 1935. "*Londres – A jovem aviadora Jean Batten ... espera condições atmosféricas favoráveis para voar para a África, a fim de fazer a travessia do Atlântico até o porto de Natal.*" Na edição das treze horas do mesmo dia, o título ganhara em tamanho e dramaticidade: "*A GLÓRIA OU A MORTE! Jean Batten voa sozinha e nem pára-quedas traz no avião. 'Ponho toda a minha vida nas mãos', declara, ao partir, a arrojada aviadora.*" Mesmo com o rádio pifado, a senhorita Batten desembarcou triunfalmente em Natal. De lá seguiu para Salvador, com destino a Buenos Aires, escala no Rio de Janeiro. Em Caravelas, no litoral sul da Bahia, houve o último avistamento do monomotor *Percival Gull*. Jean Batten desaparecera em algum lugar entre a Bahia e o Rio de Janeiro. O que fez *O Globo*? Alves Pinheiro conta:

"*Roberto* [Marinho]*, como acontecia nessas ocasiões, inflamou-se de entusiasmo, de euforia profissional.*" Três repórteres foram escalados na cobertura: um faria a busca de lancha, outro de avião, e Alves Pinheiro seguiria de carro, acompanhado do fotógrafo Moacir Marinho, o primo e parceiro de boxe de Roberto. Partiram para a região dos Lagos, mas estradas não havia ali. "*Saímos por este mundo afora, atolando-nos, dormindo no mato, ... até que depois de vencermos um areal quase infinito, a pé, no calcanhar, fomos bater a uma solitária choupana de pescadores. Heureca! ... Lá estava, deitada numa rede, os olhos esbugalhados, Jean Batten, em carne e osso!*"[31]

Enquanto todos os jornais, matutinos e vespertinos, abriram suas edições com o mistério do desaparecimento de Jean Batten, entre especulações tardias e obituários prematuros, *O Globo* se esbaldou de vender:

"*JEAN BATTEN NADA SOFREU! A arrojada aviadora desceu em Araruama, por falta de combustível, depois de uma noite de angustiosa ansiedade.*"[32] "*JEAN BATTEN, ILESA, FALA AO GLOBO. A ruptura do tanque de essência forçou a descida.*"[33]

Na quinta edição do dia, a foto de *miss* Batten desembarcando, sorridente, de um hidroavião no Rio de Janeiro, rasgava a primeira página de uma margem à outra.

---

[31] "Alves Pinheiro", *Revista de Comunicação*, jul 1962.

[32] "Jean Batten nada sofreu!", *O Globo*, edição das onze horas, 15 nov 1935.

[33] "Jean Batten, ilesa, fala ao *Globo*", *O Globo*, edição das treze horas, 15 nov 1935.

No dia seguinte, 16 de novembro, mais surra na concorrência:

"O GLOBO *NO RANCHO ONDE DORMIU JEAN BATTEN. A famosa aviadora passou a noite entre pescadores, de revólver à mão.*"

Na segunda-feira, 18 de novembro, novas manchetes suculentas:

"*Depois de um domingo delicioso em Petrópolis*", isto é, depois de tirar a moça-notícia da cidade no dia em que não circulava, *O Globo* voltava com material exclusivo, o retorno de Jean Batten ao lugar onde fez o pouso forçado: "*JEAN BATTEN FOI PASSAR O DIA COM O SEU NAMORADO, O PERCIVAL GULL, EM ARARUAMA.*"[34]

Dias de pauleira e glória depois, Alves Pinheiro se arrastou rumo à porta de saída da redação. Vamos deixá-lo descrever a cena em seu estilo todo próprio:

"*Depois de todo este esforço exaustivo, duas noites sem dormir, três dias sem um minuto de pausa, deixava a redação como um destroço humano. Alguém, porém, me chamava. Era o Roberto:*

— Espere um pouco. Preciso falar com você.

Incrível, retrucava eu de mim para mim. Incrível! Esse homem é insaciável. Quer ver que vai me dar uma nova prebenda! E, humildemente, abeirando-me do jovem e eufórico diretor, disse-lhe quase numa súplica:

— Roberto, estou exausto. Quero ver se descanso um pouco.

O homem, porém, mantinha-se impassível. Insensível. E disse de mim para mim:

— É um monstro!

Sim, era mesmo um monstro, mas um monstro de compreensão e estímulo, de entusiasmo. Afastara-se rápido, e eis que voltava com o talão de vale na mão, a ordenar:

— Assine isto e vá embora! ...

Não! Não era possível. Inacreditável! Um conto de réis de gratificação! Um conto de réis para quem ganhava quatrocentos cruzeiros por mês...

— Assine logo e vá embora para casa.

Mas acontece que não fui. Com um conto de réis no bolso, vinte e quatro anos de idade e a cidade por ménage *naqueles belos idos de 1935, quem é que iria para casa?*"[35]

---

[34] "Jean Batten foi passar o dia com seu namorado, *Percival Gull*, em Araruama", *O Globo*, edição das doze horas, 18 nov 1935.

[35] "Alves Pinheiro", op.cit.

Os "belos idos de 1935" terminariam com a prisão de centenas de comunistas, depois da Intentona. A caça aos "extremistas" provia o governo com os pretextos de que necessitava para concretizar o seu projeto totalitário e arrochar ainda mais a censura à imprensa. Estava cada vez mais difícil fazer jornal. As manifestações integralistas e o fantasma, real e fictício, das conspirações comunistas levaram Getúlio Vargas a decretar o "estado de guerra". Não era como o

18. Estado Novo

surrado "estado de sítio" da Velha República. Com o "estado de guerra" todas as garantias constitucionais foram suspensas, e nem parlamentares mantinham qualquer imunidade. Em 10 de novembro de 1937 foi dissolvido o Congresso e instaurado o "Estado Novo". Agora, toda redação teria pelo menos um censor.

"O censor destinado ao Globo *era um pobre fotógrafo lambe-lambe, que fazia ponto no Passeio Público: analfabeto, ferrava o próprio nome com dificuldade e a cada minuto telefonava para saber se determinada matéria podia ser publicada. ... O objetivo era fazer o jornal capitular, isto é, deixar de atacar a doutrina do Sigma, exportada da Alemanha, ... Ante os sucessivos atrasos − pois a primeira edição saía às onze horas −, o diretor pediu a substituição do censor por um outro que ao menos soubesse ler, nada conseguindo.*

Roberto Marinho, um dia, perdeu a paciência e deu uns tabefes no infeliz censor, botando-o para fora da redação. Foi um deus-nos-acuda. Chegou a correr o boato de que o jornal seria fechado, e seu proprietário se exilara numa embaixada. À tarde, Roberto Marinho foi localizado jogando bilhar no salão ao lado da redação." [36]

"18 horas. Chego ao gabinete. Felinto Muller preocupado. ... Então ouço esta incrível 'ordem de serviço':

— Alves Pinheiro, pegue meu carro, vá a O Globo *e prenda o Roberto.*

Redargui:

---

[36] Edmar Morel, op.cit.

— *Meu caro chefe, uma missão impossível. Absurda. Monstruosa. Como é que eu, chefe da reportagem de* O Globo, *vou prender Roberto? ... Para além de tudo, Roberto é meu amigo.*

...

Felinto impassível.

— *Prenda o Roberto. ...*

Chego à redação. Roberto está disputando uma partida de bilhar, ... interrompe o jogo, ... vou direto ao assunto:

— *Roberto, o chefe de polícia ordena-me que o prenda. Eu jamais, porém, cumpriria ordem tão hedionda. ...*

Roberto não pestaneja. Larga o taco. Veste o paletó. E parte...

Tomando a direção de seu carro, larga diretamente para o gabinete de Felinto. E apresenta-se.

No dia seguinte, ei-lo preso, na Vila Militar, com outros diretores de jornais. "[37]

Alves Pinheiro ficou quarenta anos no *Globo*. Foi repórter, chefe, colunista; na década de 60 tomou-se de paixão por Portugal, onde ficou amigo íntimo do ditador Antônio de Oliveira Salazar.

Como já sabemos, Roberto Marinho adorava provocar Evandro Carlos de Andrade dizendo: "Nunca houve um chefe de redação como Alves Pinheiro!" Evandro sabia que não era uma comparação justa, nem mesmo sincera, era só para chatear mesmo. Até que no dia 7 de abril de 1980, Alves Pinheiro suicidou-se, deixando uma declaração pública, *"para ser publicada depois do meu falecimento:* O Globo *jamais me desamparou. Embora aposentado, continuei trabalhando com ótimos vencimentos. De Roberto tudo obtive. ... Jamais um patrão e um diretor terão sido tão compreensivos, tão generosos, nobres. Sigo, simplesmente, meu trágico destino."* E um bilhete pessoal:

"Generoso e caríssimo Roberto.

Perdoe-me. Era impossível prolongar o terrível sofrimento e as angústias. ...

Agora, com meus profundos reconhecimentos, o tranqüilo reencontro na Eternidade.

O derradeiro adeus do seu desgraçado

Alves Pinheiro

Vítima de uma doença terminal, Alves Pinheiro não quis esperar e se

---

[37] Alves Pinheiro, op.cit.

enforcou com a gravata na maçaneta da porta do banheiro. A brincadeira implicante com Evandro nunca mais se repetiu. Primeiro, porque perdera a graça. Depois, porque Roberto nunca aceitou ser abandonado, e o suicídio é a forma mais agressiva de abandono.

◈

"*É necessário atravessar um túnel, na esperança de que o futuro abra perspectivas para a restauração de um regime democrático.*" Com esta frase, exemplo de pragmatismo a qualquer prova, Assis Chateaubriand, que até 10 de novembro de 1937 fazia oposição a Vargas, saudou o dia seguinte ao golpe do Estado Novo. Chatô continuava a expandir seu império e não seria a nova ordem getulista que o iria deter. Proprietário do que já era a primeira cadeia de comunicação no Brasil, controlando jornais e estações de rádio em vários estados, Chatô se adaptaria à ditadura, diversificando sua atuação empresarial, investindo na produção de café e algodão, e em fazendas de gado.

Por ora, estava oficialmente interditada a prática do jornalismo independente. A Constituição, urdida por Francisco "Chico Ciência" Campos e garantida pelo ministro da Guerra Eurico Gaspar Dutra, foi outorgada por Getúlio Vargas, sem ambigüidades: "*Quero instituir um governo de autoridade e liberto das peias da chamada democracia liberal.*"[38]

A frase de Vargas, proferida no discurso de anúncio dos novos tempos do Estado Novo, afinava-se perfeitamente com um sentimento germanófilo, predominante na *intelligentzia* – ou *burritzia*, como queira – nacional. Não era só no Brasil. No mundo todo multiplicavam-se admiradores do "cabo austríaco" Adolf Hitler. Afinal, a despeito das condições humilhantes e degradantes que o Tratado de Versalhes havia imposto à Alemanha, o *Führer* conseguira reconstruir a economia do país eliminando o desemprego, gerando desenvolvimento, abrindo estradas e promovendo a estetização da política de forma nunca antes vista. E de maneira arrebatadora, diga-se a verdade. Se Joseph Goebbels botou para funcionar, pela primeira vez na história, uma máquina de propaganda absolutamente eficaz em seus objetivos de manipulação e controle da opinião pública, inaugurando o que veio a ser o popular "marketing político", não se pode negar ou menosprezar a

---

[38] Getúlio Vargas, 10 nov 1937.

excelência da estética nazista. As grandes manifestações, as marchas, hinos e canções, as fardas e bandeiras em profusão, a movimentação perfeitamente disciplinada das massas de militantes, toda a linguagem artística totalitária atendia ao anseio geral por ordem, harmonia e sentido.

Hoje sabemos também que, para reerguer a auto-estima dos alemães, Hitler deu início à mais tétrica caça às bruxas até então empreendida, e as primeiras bruxas foram os judeus. Porém, naquele momento histórico, era senso comum a idéia de que o melhor modelo de organização social exigia um Estado forte, que controlasse toda e qualquer informação, e o culto à personalidade de um líder carismático.

Era igualzinho do outro lado, no totalitarismo da União Soviética de Joseph Stálin, com a agravante de que lá qualquer um podia virar bruxa, a qualquer momento.

No Brasil, também teríamos nossas marchas e manifestações monumentais, o maestro Heitor Villa-Lobos regendo o canto orfeônico de milhares de pessoas em estádios de futebol, as cartilhas escolares com "vovô Getúlio", a polícia secreta onipresente e onipotente, a tortura, os assassinatos e exílios, o nacionalismo. Tudo competente e minuciosamente talhado e encaixado no figurino totalitário.

A Constituição do Estado Novo confere à imprensa a qualidade de "serviço de utilidade pública", o que limita, restringe e acaba, na prática, por extinguir a liberdade de expressão. Todos os meios de comunicação e instituições de educação ou diversão, de escolas a rádios, de jornais a peças de teatro de revista, tudo passa a ser controlado e censurado. Lourival Fontes agora manda, comanda e desmanda, à frente da sigla DNP, Departamento Nacional de Propaganda, órgão que toma o lugar e amplia a atuação do Departamento de Propaganda e Difusão Cultural, o DPDC.

DOP, DPDC, DNP, todas essas siglas são apenas estágios do desenvolvimento muscular do que se tornaria nosso Ministério da Propaganda de fato, o DIP, que ganharia este nome nos últimos dias de 39. Registre-se que, em seus dois anos de existência, o DNP fundou uma instituição impossível de esquecer: a Hora do Brasil, até hoje nossos inescapáveis sessenta minutos

19. Gargalhadas com Vargas

diários de oficialismo nas rádios. E, principalmente, foi no comando do Departamento Nacional de Propaganda que Lourival Fontes ganhou a assinatura de Vargas ao pé do decreto-lei n°300. Poupando-nos do palavrório jurídico: através de mecanismos alfandegários, taxas, isenções e burocratismos, o decreto dava ao Estado o monopólio do comércio de papel. Fosse para ler, escrever, desenhar ou manter o asseio íntimo; quem quisesse comprar papel só tinha um vendedor. E mais: Fontes determinava as cotas, a quantidade de papel que cada jornal teria direito a comprar.

O início da segunda parte da Grande Guerra, em setembro de 1939, inflama ânimos e paixões já previamente exaltados. O governo brasileiro oscila ambiguamente entre a simpatia escancarada pelo regime alemão e o óbvio interesse pela cor do dólar. E mais: todos os sinais vindos da Europa apontam na direção de um triunfo rápido e arrasador das forças nazistas; enquanto os vizinhos da América do Norte não parecem nada interessados em se meter de novo nas trincheiras européias.

É numa estranha data, entre o Natal e o Ano-Novo, que nasce o Departamento de Imprensa e Propaganda, em 27 de dezembro de 1939. Como já vimos, o DIP é o novo nome de um conjunto de práticas que já vinham pautando as relações de poder entre governo e empresariado, Estado e imprensa.

Assim como Chatô, o bambambã da comunicação da época, busca novas áreas de atuação empresarial, Roberto Marinho também sabe muito bem que, para cumprir sua meta de crescer, precisa inventar moda. Contra o peso insuportável do poder semi-absoluto de Lourival Fontes, Roberto contrapõe a leveza da fantasia. O seu lançamento mais bem trabalhado e otimamente sucedido, em 1939, fora o *Gibi*. Desde 1937, quando pôs nas bancas o *Globo Juvenil*, Roberto percebera as grandes oportunidades que o público infantil e infanto-juvenil representava. Não poderia prever que, mesmo depois de adultos, os leitores jamais deixariam de se encantar com as tiras...A distribuição dos primeiros exemplares das revistas em quadrinhos foi uma das últimas oportunidades de ver Roberto Marinho sem paletó:

"... encostava o carro lá e não tinha ninguém pra ajudar a encher... 'Doutor Roberto, não tem ninguém pra ajudar.' Ele tirava o paletó e ajudava a encher a mala do carro. Eu e ele. Aí quando chegava ali no Globo, *no largo da Carioca, o pessoal que trabalhava por ali ajudava a tirar. Ih, muitas vezes!"*[39] – relembra o motorista Georges Joffre Delahaye.

As histórias em quadrinhos, onde o Capitão Marvel sempre vencia o Doutor Silvana, rapidamente viraram mania nacional, foram um ótimo negócio editorial e representaram um aumento significativo do patrimônio de *O Globo*. Foi o primeiro de uma série de saltos altamente lucrativos para a empresa da família Marinho.

Falar em saltos, é em 1939 que Roberto começa a participar de competições hípicas. Além da busca de superação de adversários e obstáculos, e do gosto em dominar e comandar um animal poderoso como o cavalo, o perigo envolvido no esporte eqüestre o seduzia. O cavaleiro iria cumprir uma carreira de bastante sucesso, conquistando inúmeros títulos – só que deixou de representar o Brasil numa Olimpíada por birra, e se confessou arrependido depois. Confessou na intimidade, ao filho mais velho, como veremos.

Talvez a meta mais significativa de Roberto nas pistas de obstáculos, a que melhor traduza e explique sua paixão pela equitação, fosse a sua busca por obstáculos cada vez mais altos. Conseguiu vencer um campeonato brasileiro de salto em altura, em 23 de dezembro de 1945, no Quitandinha, com o cavalo Joá.[40] Nesse esporte, em que o percurso perfeitamente cumprido,

RM

Roberto Marinho

---

[39] Georges Joffre Delahaye, 12 jan 2004.
[40] "O sr. Roberto Marinho venceu o campeonato brasileiro de salto em altura", *O Globo*, 24 dez 1945.

dentro de seu desenho e do tempo estabelecido, é o objetivo – uma competição em que até nervos de aço se esfrangalham –, Roberto se destacava mais pela coragem que pela frieza. Ele amava os cavalos excepcionais, os mais difíceis, os mais fortes, os melhores. Para alguns especialistas em hipismo, o irmão Rogério poderia até ser um cavaleiro mais técnico, porém os melhores cavalos iam para o irmão mais velho... Muitos anos e saltos depois, a preferência pelos animais mais fogosos quase lhe custou a vida.

Na virada dos anos 40, que trariam os seus quarenta anos, Roberto enfrentava outras feras: se antes a questão era sobreviver para crescer, agora tratava-se de crescer para sobreviver.

20. Adrenalina

Por falar em viver e crescer, este é um bom momento para traçarmos uma listinha básica do que cresceu, amadureceu, do que nasceu e foi instituído por Roberto Marinho durante a substantiva década de 30.

Vimos que, ao tomar as rédeas da redação, tornar-se o dono de fato do jornal, Roberto Marinho se inicia compulsoriamente na política. Vimos também que ele descobre que tem talento político e o dom de estabelecer interlocução em qualquer espectro das correntes de pensamento, dogma ou ideologia. Vimos que Roberto prefere pessoas a idéias, ou melhor, prefere tratar de idéias com pessoas a tratar pessoas como se fossem idéias. Esta capacidade de observação e escuta do outro vai diplomando o futuro "grande psicólogo", a que Otto Lara Resende iria se referir; alguém cuja argúcia permitia, em instantes, a "leitura", a decodificação do interlocutor, seus interesses, forças e fragilidades.

De forma talvez amarga, a gente poderia interpretar esse olhar sempre perscrutador sobre o outro como arma do guerreiro que se dedica em primeiro lugar a conhecer o seu inimigo. Coisa de chinês. Prefiro deixar na gaveta os manuais de guerra orientais e os conselhos da amargura, e não deixar de reconhecer em Roberto um interesse genuíno pela natureza humana – e olha que a maior parte dos exploradores desse território são vencidos, algumas vezes pela tristeza, outras pelo cansaço, e tantas vezes pelo nojo... Não, Roberto Marinho cultiva com gosto e vontade a ciência de decifrar esse estranho "bicho da terra tão pequeno" e acaba por se tornar um fazedor de amigos, um irresistível construtor de alianças.

Porque não seguirmos vendo e revendo? Anotemos.

Em 1931, logo que assumiu na garra o comando de *O Globo*, Roberto Marinho deu início à aquisição de sua pinacoteca. Bom, dito desse modo, até parece que o jovem Roberto planejou em fichários a acumulação metódica e organizada de uma coleção de artes plásticas. Nada disso. Roberto amava arte em geral, tinha sido criado numa família que cultuava toda manifestação estética, e foi de forma espontânea e bastante indisciplinada que começou e multiplicou sua coleção de quadros. Com critério absolutamente pessoal, sem ligar muito para aval crítico, comprava o quadro de que gostava e principalmente do pintor de que gostava.

Podemos afirmar que o compromisso com uma coleção de quadros veio em segundo lugar, antes vinha a amizade com os artistas. Roberto os invejava assumidamente, sempre foi fascinado por habilidade manual, fossem mãos de mecânicos, artesãos, caçadores, escultores, músicos ou pintores. (Chegou a se arriscar fazendo desenhos singelos, pintando algumas telas, não tão bem resolvidas quanto as poucas esculturas que produziu e enfeitam decentemente o jardim do Cosme Velho.) Como mais que a aquisição, valia a amizade, construiu sim uma pinacoteca desigual, de altos e baixos, porém os píncaros são muito altos. Numa época em que a arte moderna ainda era alvo de deboche, Roberto apreciou aquelas ousadias – gostar de gestos ousados, leitor: já conhecemos este traço. Tornou-se amigo querido do comunista Cândido Portinari: "*...por anos a fio freqüentei seu ateliê, assistindo, portanto, ao nascimento de muitas obras-primas.*"[41] Comprou vinte e sete óleos de José Pancetti, autor de seu quadro favorito, *O boneco*; e nunca escondeu sua paixão incondicional pela arte e pela pessoa de Lasar Segal.

---

[41] Roberto Marinho, anotações para "Condenado ao êxito".

Sua pinacoteca é quase exclusivamente brasileira, mas não interpretem isso como manifestação de nacionalismo. Muitas vezes adquiria quadros por desejar possuir uma obra que julgava bela; mas tantas e tantas vezes comprou apenas para ajudar um artista em dificuldades financeiras. Entre pinturas, desenhos, esculturas, tapeçarias e gravuras, deixou uma coleção de 1.350 obras. Só interrompeu o ritmo de colecionador, iniciado em 1931, de comprar em média uma tela por mês, ao casar-se, em 1946. *"O orçamento ficou mais apertado, a responsabilidade aumentou, fez-se necessário mais controle, economia..."*, confidenciaria Roberto a um amigo que prendeu o sorriso, décadas mais tarde. Pouco antes de casar, o empresário tinha feito vários golaços empresariais, e se já não era pobre, tinha-se tornado muito mais rico, milionário em qualquer moeda.

Em 1936, no campo do Fluminense Futebol Clube, com portões abertos ao público, *O Globo* promoveu a encenação da ópera *Aída*, interpretada pela soprano Gabriela Bezanzoni. Ela mesma, por quem Henrique Lage se apaixonou e para quem ergueu a mansão no meio da floresta tropical, o futuro Parque Lage. Ecos bucólicos na memória de um jovem que viu Itália Fausta no Campo de Santana... Nosso personagem se gabava de que nenhum espectador no mundo, não-profissional da música, assistira a tantos concertos e óperas quanto ele. Provavelmente estava certo, mas que ele compartilhou a sua paixão com o maior número de pessoas possível, ah, isso ele fez: pois se em 36, *Aída* foi encenada no estádio das Laranjeiras; cinqüenta anos depois, a mesma ópera de Verdi seria montada num palco, sobre o lago da Quinta da Boa Vista, no Rio de Janeiro. Naquela récita de 1986, um projeto chamado Aquarius lançava mão, pela primeira vez no Brasil, de legendas eletrônicas com a tradução das letras. Roberto Marinho mergulhava pessoalmente nas iniciativas do Projeto Aquarius. Dizer que Roberto Marinho "mergulhava" no Aquarius não se trata de joguinho de palavras, como ilustra bem essa história contada pela sobrinha Ana Luísa:

"Doutor Roberto se envolvia até o pescoço com o Projeto Aquarius, ia, assistia, tinha a maior empolgação com aquilo. Teve um Projeto Aquarius em que o maestro era o Henrique Morelembaum, e a peça era O lago dos cisnes, *uma peça que qualquer maestro sabe reger e qualquer orquestra sabe tocar. Nós avisamos o Morelembaum que ele tinha que chegar pelo menos com uma hora de antecedência ao local. Porque aquilo fica cheio. A Quinta fica cheia no Projeto Aquarius desde as oito horas da manhã. ... Porque o cara vai com a galinha, com a farofa, com a família, toma lá posse do lugar e fica esperando. Bom, o Morelembaum achou que havia um certo*

exagero, e não chegava. A Quinta encheu de gente, o Morelembaum não aparecia, e quando chegou a hora de começar – porque o Aquarius começa rigorosamente na hora marcada: 'São 19 horas... Sul América Seguros e O Globo apresentam –' Sete horas da noite, nada do Morelembaum. Aí, Doutor Roberto lá, sentado ali na área de convidados, na frente, aflitíssimo, ia, perguntava: 'Cadê o Morelembaum que não chega?' Começou a ver a equipe inteira aflita, aquela coisa. Aí ele começa logo a perguntar. Aí, alguém que estava ali na área de convidados, falou: 'Ah, eu vi o Mário Tavares.' Mário Tavares era um maestro conhecido, que na época era maestro da TV Globo, da orquestra da TV Globo, e que estava sentado ali entre os populares, ali na frente. Doutor Roberto não conversou, foi lá: 'Quem é o Mário Tavares?' E o Mário Tavares: 'Sou eu, Doutor Roberto.' 'Vem reger.' O concerto começou com o Mário Tavares, vestido com um paletó emprestado de um músico, regendo; e no segundo ato, entrou o Morelembaum."[42]

Bravo! Voltemos agora na gangorra da memória aos tempos de Getúlio, quando se dá a formação político-empresarial do nosso personagem.

Em 1937, como já vimos, o *Globo Juvenil* só trouxe alegria ao editor, assim como o *Gibi* multiplicaria cifrões e contentamento em 1939.

A Copa de 1938, na França, entrou para a história como a primeira que empolgou o Brasil, graças também à audácia de *O Globo*. Uma foto de Leônidas da Silva, o Diamante Negro, que seria eleito melhor jogador do torneio, ocupou simplesmente toda a primeira página. Ao melhor estilo do flagrante do presidente Washington Luís, em 30, ou do sorriso de Jean Batten a rasgar a folha, em 35.

Em 1939, Roberto compra uma casa no Cosme Velho. A aquisição do imóvel e, pouco a pouco, de todos os terrenos vizinhos já faz parte de um plano íntimo, digamos, de amadurecimento definitivo, que era o seguinte, em linhas gerais: constituir família, ter presença política e atuação social intensa, morar numa casa que se prestasse a grandes eventos, jantares e banquetes, nobre o bastante para receber a elite brasileira e principalmente visitantes do exterior. Já na segunda metade da década de 30, podemos identificar em Roberto Marinho uma visão de mundo que mais tarde se concretizaria na chamada "globalização". *"A construção da minha casa, no Cosme Velho. O meu programa de receber estrangeiros."*[43] Porém, a casa com que sonhava o interna-

---

[42] Ana Luisa Marinho, filha única de Rogério Marinho, 14 jul 2000.

[43] Roberto Marinho, Roteiro de "Condenado ao êxito".

cionalista Roberto não poderia ter inspiração mais brasileira, e isso veremos assim que o imóvel original for demolido, em dezembro de 1940.

Antes, um ano antes, em 29 de dezembro de 1939, atenção para a formação do Conselho Nacional de Imprensa. O CNI é um fórum típico das práticas de cooptação da ditadura Vargas em suas relações com a imprensa. Que fique claro: a cooptação se dava como uma das alternativas de ação estatal possíveis. O DIP e seus conselhos, como o CNI, eram a via civilizada do embate entre o regime e os jornais. Da violência à mesa de negociações, da brutalidade ao aliciamento puro e simples, Vargas usou todos os recursos para tentar impor sua vontade. Eis quatro exemplos.

O caso do *Estado de S. Paulo*.

A família Mesquita, proprietária do jornal, e Getúlio Vargas eram inimigos irreconciliáveis. Contra Julio de Mesquita Filho, o Estado Novo usou a truculência policial mesmo, a "força pública" do interventor Adhemar de Barros, outro antigo desafeto do jornal. Forjaram o flagrante grosseiro de um arsenal no sótão do *Estado de S. Paulo* e simplesmente tomaram a empresa. Durante cinco anos o *Estadão* rodou como propriedade do Estado Novo.

Pompeu de Souza.

Não era dono de jornal, nem poderoso, sequer chefe de redação, mas era um adversário temível, entrincheirado na editoria internacional. O jornalista Pompeu de Souza sabia pensar – qualidade sempre incômoda para os tiranos. Como, neste caso, de nada valeria a Getúlio recorrer à violência, o ditador resolveu seduzir o adversário:

"Pompeu de Souza era responsável pelo noticiário internacional do Diário Carioca*, e Pompeu era um rebelde, um conspirador político, um agitador tremendo que usava aquele noticiário para fustigar o governo. Mas um dos procedimentos típicos de ditadura em relação à imprensa, foi com o Getúlio, e depois foi com os militares, é: ou você coopta, ou você traz para o seio do seu conforto, ou você baixa o cacete, né? No caso do Pompeu, o DIP ... ofereceu para o Pompeu ir ser correspondente na* Voz da América[44]*, em Nova York. E o Pompeu foi. ... Quando o Pompeu voltou, voltou trazendo na cabeça dele tudo que era moderno em jornalismo."*[45]

---

[44] Emissão radiofônica norte-americana, com noticiário diário, transmitida em ondas curtas para o mundo todo.

[45] Evandro Carlos de Andrade, 3 fev 2000.

Como editor do *Diário Carioca*, Pompeu de Souza foi responsável pela revolução modernizante da imprensa brasileira na década de 50, trazendo de sua experiência norte-americana o que havia de mais atualizado em matéria de jornalismo no mundo. Ficou conhecida como a revolução do lide e do sublide (*lead* e *sublead*), mas pode ser resumida num conjunto de regras que obrigam à concisão, clareza e objetividade na transmissão da notícia: o mais importante no início, e assim por diante, em ordem decrescente de importância. O que, quem, quando, onde e por quê. Ou, como disse Paulo Francis: "… *terminou o lero-lero das reportagens intermináveis em que a estrela era o repórter, e não o assunto.*" Quem diria? O maior salto qualitativo da história da imprensa brasileira teve início numa decisão do ditador Getúlio Vargas.

Carlos Lacerda.

O jovem comunista de 1935 continuava jovem mas abandonara o comunismo há séculos! Releve minha força de expressão, leitor, e sejamos cronologicamente precisos: Carlos Lacerda tinha acabado de sair do Partidão em 1939 e escrevia na revista *Observador Econômico e Financeiro* sob a chefia do jornalista Olímpio Guilherme. Seu chefe, assim como os chefões da ditadura, achavam que Lacerda ainda era comunista. Para lidar com figura tão brilhante e explosiva, o DIP fez uma proposta a Carlos Lacerda:

"… *o Olímpio Guilherme disse: 'Agora tenho um assunto … escabroso, e eu não sei se você vai poder aceitar, porque você é comuna mesmo e não vai querer fazer'. Eu perguntei: 'O que é?' Ele disse: 'O DIP encomendou … uma história do comunismo no Brasil com base na exposição anticomunista que o Estado Novo montou para mostrar sua luta para destruir o comunismo no Brasil; o inimigo externo e essas coisas de sempre…*"[46]

Sob a alegação – diga-se de passagem, procedente – de que todos já estavam mesmo atrás das grades, Carlos Lacerda escreveu o artigo e declinou os nomes de nossa *nomenklatura* tupiniquim. Aos que o acusavam de traição, Lacerda informava que tivera a anuência do Comitê Central do Partido, que o autorizara a fazer a reportagem, em vez do "*jornalista tremendamente anticomunista*" Heitor Muniz, que faria a matéria caso Carlos se recusasse.

---

[46] Carlos Lacerda, *Depoimento*.

Roberto Marinho e o CNI.

O Conselho Nacional de Imprensa era composto de três representantes de agências do governo e três representantes de classe. À cabeceira da mesa, Lourival Fontes e, em pelo menos numa ocasião, o próprio ditador Getúlio Vargas. "*O Conselho Nacional de Imprensa, constituído por jornalistas, realizou de março de 1940 a outubro, noventa e quatro reuniões. Atribuindo-se a cada uma o espaço de tempo de cinco horas, temos um total de 470 horas consumidas no apurado estudo de questões relativas à imprensa.*"[47]

CONSELHO
NACIONAL DE IMPRENSA

O Conselho Nacional de Imprensa, constituído por jornalistas, realizou de Março de 1940 a Outubro de 1941, 94 reuniões. Atribuindo-se a cada uma o espaço de tempo de cinco horas, temos um total de 470 horas consumidas no apurado estudo de questões relativas à imprensa. Ao alto, flagrante de uma reunião realizada no Palácio do Catete, ao serem os membros do Conselho recebidos por S. Excia. o Sr. Presidente Getúlio Vargas. Ocupam a mesa: 1 — Presidente Getúlio Vargas; 2 — Lourival Fontes, Diretor Geral do D. I. P.; 3 — Belisario de Souza; 4. — Cipriano Lage; 5 — Roberto Marinho; 6 — Pedro Timothio;

21. Roberto Marinho no Conselho Nacional de Imprensa

Do lado não-governamental, havia representantes do Sindicato dos Jornalistas, da Associação Brasileira de Imprensa e do Sindicato dos Proprietários de Jornais. Para representar os empresários, o nome de Roberto Marinho se impôs naturalmente. Ele tinha independência de jovem diretor de vespertino, com mobilidade política e facilidade de interlocução já reconhecidas, e agregava a isso algo que os velhos donos de jornal prezavam muito, tradição: um sobrenome. Roberto Marinho participou de penosas reuniões, em que a queda de braço entre o Estado e os representantes da sociedade se dava de maneira nem sempre cordial. Quase trinta anos mais tarde, Roberto se recordaria de uma reunião particularmente difícil, quando foi voto vencido. Getúlio não pediria conselho a conselho algum para violentar o *Estado de S. Paulo*.

"*No Estado Novo, como todos devem lembrar-se, a imprensa sofria as maiores humilhações, com as suas redações invadidas pelos censores, as suas edições apreendidas, os seus diretores e redatores detidos. Foi nessa emergência que o presidente Getúlio Vargas resolveu, para estabelecer um modus vivendi entre o Governo e os jornais, instituir um Conselho de Imprensa. ... Se os arquivos do antigo DIP ainda existem, poderão ser constatadas as intervenções, sempre taquigrafadas, que tive permanentemente na defesa dos jornais ameaçados de qualquer violência. No*

145

---

[47] *Anuário da Imprensa Brasileira*, nº1, DIP, 1942.

caso específico da intervenção do governo no Estado de S. Paulo, ... *verificou-se que os três membros nomeados pelo governo aprovavam a intervenção, e os três representantes de classe a combatiam. Houve sessões que se prolongaram noite adentro. Os meus colegas representantes da* ABI *e do Sindicato dos Jornalistas acabaram por convencer-se das razões apresentadas ardorosamente pelo meu brilhante e velho amigo Lourival Fontes, na época diretor do* DIP. *Ainda assim, mantive-me na posição inicial de defesa do* Estado de S. Paulo.*"*[48]

Em reuniões do Conselho Nacional de Imprensa, deliberava-se sobre empréstimos e dívidas de empresas jornalísticas. Num dos encontros do CNI, decidiu-se pela encampação do jornal *A Noite*, enredado em caos financeiro. Não há registro da posição do representante do sindicato patronal neste episódio, porém, pelo que já conhecemos do estilo de atuação política de Roberto Marinho, podemos apostar numa abstenção relativa ao destino do jornal de Geraldo Rocha. Se é claro que Roberto nunca esqueceu o golpe que significou a perda de *A Noite*, há evidências para se inferir que ele não guardou rancor ou se aferrou a uma simplificação da história, que fazia de Marinho o mocinho traído e de Rocha o vilão traidor. Roberto sabia que Geraldo Rocha sozinho não poderia tomar o jornal de Marinho, Irineu não fora apenas vítima, fora ingênuo, de uma boa-fé suicida ou pouco sagaz.

No olho do furacão do Estado Novo, Roberto Marinho teve acesso aos corredores mais altos do poder, conheceu muita gente, aprendeu que nada substitui o "olho no olho", o contato pessoal. Precisou ganhar jogo de cintura, domar sua vontade forte dentro de um sistema baseado na força. Talvez Roberto nem se desse conta, mas ali, então, ele revelou o talento político, humano, para desenvolver alianças ocasionais – os negócios – e duradouras – as amizades, e também tudo junto ao mesmo tempo, por que não?

O "amigo" Lourival Fontes não tinha pejo em abusar de seu poder, e às vezes o jovem Roberto não conseguia engolir tanta prepotência. O próprio DIP se encarregou de registrar um desabafo de Roberto Marinho ao telefone, depois de uma descortesia do todo-poderoso "ministro da informação" de Vargas. Mais do que revelar a alta temperatura sanguínea de Roberto, a transcrição da escuta telefônica revela a tensão subjacente

48 Roberto Marinho, carta a Chagas Freitas, 4 jan 1967.

a toda sua relação com Herbert Moses, que se comportava com rigor de pai tirânico. Aliás, há algo ainda mais estranho no comportamento de Moses. Comentaremos em seguida. Antes vamos "ouvir" a transcrição da conversa telefônica, monitorada pelo DIP:

"Rio, 28 de junho de 1940

7:07hs.

Dr. Roberto Marinho

Deste, Roberto fala com Moses.

Roberto: O que há de novo?

Moses: Espero que você me conte o que houve lá ontem.

Roberto: Foi muito mal. Imagine você que o Lourival fez a sacanagem de não aparecer lá, não telefonou nem para mim nem para o Cipriano, sabendo perfeitamente da nossa grande aflição em face do caso.

Moses: Eu não acredito que o Lourival fizesse isso intencionalmente contra vocês.

…

Roberto: Ele está muito enganado comigo. Eu não sou empregado dele para ficar à mercê de seus caprichos.

Moses: Não fale bobagem, meu filho; você é criança.

Roberto: Não, senhor. … eu fui convidado para ser membro de um conselho autônomo e não para servir de capacho do DIP.

Moses: … é necessário fechar os olhos numa batalha como esta. Eu não me importo que digam que eu sou um judeu sem vergonha, mas eu quero é vencer na última batalha. … Você precisa ter fibra de lutador.

Roberto: Isso é coisa diferente: … Eu posso servir, uma vez que haja um objetivo honesto, sério e de respeito, mas não de submissão.

Moses: Roberto, eu lhe peço mais um pouco de calma. … Há conselhos, aí, de mais elevada categoria, ou melhor, para não depreciar você, conselhos que têm pessoas tão 'bambas' quanto você e que, no entanto, vêem as suas decisões modificadas por outras, superiores.

Roberto: Mas se eu aceitei foi por questão meramente de boa vontade em servir à imprensa, mas da maneira como está anarquizado, desisto de continuar naquilo.

Moses: Roberto, você precisa compreender as coisas como são. Você precisa aprender a lutar. Eu tenho perdido batalhas, mas não esmoreço. Agora, você está aí, com sentimentalismo bobo que me faz até duvidar do seu sexo.

Roberto: *Não era para menos, pois fiquei deveras sentido com o Lourival, e quando você estiver com ele, poderá dizer-lhe. ... porque não quero me meter mais nisso. Já estou farto e vou me afastar.*

...

Moses: *Roberto, você não deve esmorecer; veja o exemplo da Inglaterra, que já perdeu algumas batalhas, já foi humilhada, mas vai ganhar a última batalha, com certeza. Acho que você deve apanhar o chapéu e ir lá, em casa do Lourival, falar com ele. Digo-lhe que rirá muito de você.*

Roberto: *Eu não farei isso, de maneira alguma...*

Moses: *Alguém que escutar minha conversa há de dizer que eu sou um judeu muito canalha e que estou lhe conduzindo ao mau caminho, mas não é isso; é uma verdade. Você não conhece a minha vida, a minha luta.*

Roberto: *Não quero mais saber daquilo, pois não posso estar confiando num sujeito que não tenha a menor atenção para comigo, e querendo me fazer de lacaio.*

Moses: *Você está enganado, pois o Lourival não é pessoa para fazer uma coisa dessas. Seria melhor que você me telefonasse para falarmos sobre a ocupação da Bessarábia. Em todo o caso, vou lhe dar um conselho: sexta-feira, no Clube Militar.*

Roberto: *Está bem.*

Despedem-se."[49]

Busquemos pertinência em algumas observações, leitor. Logo de saída, no título do documento classificado, reparem que nosso "jovem diretor", aos trinta e cinco anos, já era chamado de doutor: *Doutor Roberto Marinho*, sublinhado no original. Bom. Agora uma ilação que um ouvido mais paranóico nos autorizaria a fazer: há sugestões de que, se não tinha certeza, Herbert Moses desconfiava de que a conversa estava grampeada: "*Alguém que escutar minha conversa, há de dizer que; ... Seria melhor que você me telefonasse para falarmos sobre a ocupação da Bessarábia...*" Outro elemento gritante é o paternalismo autoritário no tom de Moses: "*Não fale bobagem, meu filho; você é criança*", e "*você está aí, com sentimentalismo bobo que me faz até duvidar do seu sexo*"! Por fim, queixo caído para os dois auto-insultos de Herbert Moses, na conversa de cerca de seis minutos: "*Eu não me importo que digam que eu sou um judeu sem vergonha*", "*...eu sou um judeu muito canalha*", e admiração para a sua extemporânea, então descabida previsão para o fim da guerra

---

[49] Transcrição de conversa telefônica entre Roberto Marinho e Herbert Moses, monitorada pelo DIP, Rio de Janeiro, 28 jun 1940.

– naquele momento, os alemães pareciam irresistíveis, as tropas de Hitler tinham marchado através do Arco do Triunfo duas semanas antes!: "*... veja o exemplo da Inglaterra que já perdeu algumas batalhas, já foi humilhada, mas vai ganhar a última batalha, com certeza.*" Além de dar margem a interpretações como essas, a transcrição do grampo de 1940 nos oferece um quadro vívido da época, nos transmite uma intensidade palpável da constituição das pressões, expressões e repressões no embate diário dentro do poder totalitário.

❖

Se parecer ao leitor que nos detivemos por tempo demasiado nos anos 30, na fermentação e ebulição do Estado Novo, isso não é gratuito. É aqui, na fornalha da ditadura Vargas que se tempera o aço do guerreiro Marinho para futuras batalhas e ditaduras. Não esqueçamos que, assim como todos os brasileiros nascidos no século xx, Roberto Marinho passou a maior parte de sua vida sob regimes de força e exceção.

Agora retomemos logo o ritmo da vida de nosso companheiro, que sempre avançou a galope.

Em 1940, ele venceu a sua primeira prova hípica, conduzindo o cavalo Arisco, na prova Icaraí, no Clube Hípico Fluminense. Nas décadas de 40 e 50 o cavaleiro Roberto Marinho alcançaria o apogeu de seu desempenho nas pistas. A coleção de troféus conquistados foi guardada como tesouro pessoal, qual a pinacoteca, com esmero até maior, já que somado a orgulho. Com a diferença significativa de que, se expunha os quadros, escondia as taças no "closet". À cabeceira da cama, uma foto espetacular, tirada em *contra-plongé* – isto é, bem de baixo para cima – de Roberto saltando um obstáculo particularmente alto, o corpanzil do cavalo quase na vertical, tudo ao fundo o Corcovado e o Cristo Redentor espiando lá do alto. Vaidade discreta, íntima, compartilhada com o criado-mudo e a companheira.

Em 12 de outubro de 1941, nos vestiários do Hipódromo Brasileiro, como era chamado na época o Hipódromo da Gávea, Roberto Marinho vestiu a farda colorida de jóquei de corridas. Participaria de uma competição inédita, o primeiro Páreo de Amadores – com regulamento especial e tolerância no peso dos cavaleiros –, páreo que passou a se realizar pelo menos uma vez por ano, até a década de 80. Numa prova com dez

22. Foto de cabeceira

competidores, todos em animais PSI, puro sangue inglês, os mais velozes, o jóquei R. Marinho (para os não-iniciados no turfe, é assim, só com a inicial do primeiro nome, que os programas de corridas apresentam os competidores) montava o cavalo uruguaio Plumazo, treinado por Gonçalino Feijó, avô do futuro campeão Goncinha. Passara a semana – Roberto, não Plumazo – em dieta implacável: só comera alface no café, no almoço, no jantar; alface. R. Marinho não exibia sua melhor forma, estava acima do peso mesmo, o chamado *top-weight*, peso máximo de sua carreira. Mesmo depois de tanto alface, o jóquei chegou ao domingo com setenta e três quilos. Seu principal adversário, Miguel Gabizo de Faria, pesava sessenta e um, às rédeas do favorito Galante. O Páreo de Amadores foi aberto para apostas. A pista de grama, naturalmente mais rápida, estava ainda mais perigosa, escorregadia, pois tinha chovido miúdo. Quem apostou em Plumazo acertou uma bela pule. Mesmo doze quilos mais gordo, R. Marinho fez cantar o chicote, e Plumazo ganhou de Galante por um corpo de vantagem! Em suado estado de graça, o vencedor perguntou à irmã mais nova: " *'Viste? Mas estavas me vendo bem de lá?' Porque ele tinha muito esse costume, ninguém na nossa família diz 'tu'. Só ele. 'Tu viste? Hein, Hildinha? Tu viste bem?'"*[50]

Uma pergunta impertinente, momento *quiz-show* em nossa narrativa, mas não resisto a fazê-la: será que R. Marinho "fez uma fezinha" em Plumazo? Pelo que já conhece de nosso personagem, o que você acha, aí da tribuna, leitor? Apesar de Roberto Marinho evitar ostensivamente jogos de azar, eu aposto que ele apostou. Quer melhor estímulo que fazer render seu dinheiro? Como não confiar na própria sorte?

Nos negócios, os anos de guerra levaram o empresário para o ramo dos empreendimentos imobiliários. Em aliança que mais uma vez tipifica a sua personalidade, indiferente quanto a paixões políticas, dogmas ou crenças ideológicas, Roberto Marinho se juntou ao jornalista Matos Pimenta. Na Revolução de 30, *A Ordem*, jornal situacionista de Matos Pimenta, fora incendiado. Roberto e Matos discordaram em 30, como entrariam tantas outras vezes em desacordo político. Isso não impediu uma grande amizade, afeto e intimidade. Matos Pimenta seria padrinho de casamento de Roberto.

Mas falávamos de negócios, *business*... Já que sua sobrevivência como empresário de comunicação se inviabilizara, Matos Pimenta acabou por

---

[50] Hilda Marinho, 8 jul 2004.

23. Casa-grande de Megaípe

se tornar o decano da corretagem imobiliária no Brasil. Em 1931 virou corretor de imóveis; em 1937 fundou o Sindicato dos Corretores de Imóveis; e em 1939, a Bolsa de Imóveis.

A experiência no mercado de Matos Pimenta e a mobilidade de Roberto Marinho urdiram uma iniciativa simples e magistral. Conseguiram encaminhar ao governo Vargas uma proposta de lei que a rigor parecia não mudar nada, apenas regularizar algo que carecia de ordem; a chamada Lei de Fracionamento. Enquanto, nas ruas, o Brasil já vivia a idade dos arranha-céus, na legislação ainda se arrastava nas regras do tempo em que nada passava do térreo. A nova lei permitiria a venda dos imóveis em frações, quer dizer, antes, se você tinha um prédio, só poderia vender todo o prédio de uma vez; agora, poderia vender andar por andar, sala por sala, apartamento por apartamento.

Imagine a multiplicação de capital que isso significou, a curtíssimo prazo! Em mais de um documento, a gente comprova que Roberto vibrava feito criança, como artilheiro a festejar um gol, a cada lance empresarial bem-sucedido. Não sei do que ele gostava mais, se de conseguir ou desejar, só sei que adorava conseguir o desejado.

A reforma da casa do Cosme Velho – a casa ainda iria passar por várias, pequenas e grandes reformas, através das décadas –, a primeira reforma,

24. Casa do Cosme Velho

praticamente uma construção, chegava perto do término. Difícil saber com precisão de onde Roberto Marinho tirou a idéia, se partiu de alguém a sugestão, se ele ouviu ou leu a história em algum lugar. Pouco provável que o próprio engenheiro, o amigo César de Mello e Cunha, tenha surgido com a inspiração, já que era arquiteto de idéias essencialmente modernistas. Hoje, visto com a perspectiva que o tempo traz, o gesto se reveste de claro e eloqüente simbolismo da criação, muitos anos depois, da Fundação Roberto Marinho, instituição que deu ao Brasil muitos *megabytes* de memória. O fato é que a fachada da mansão do Cosme Velho é uma clara homenagem a uma das mais célebres casas-grandes do Nordeste.

Em 1928, o secretário pessoal de Estácio Coimbra, governador de Pernambuco, lhe fez uma sugestão. O secretário chamava-se Gilberto Freyre e propunha a desapropriação e tombamento daquela que talvez fosse a maior e mais representativa casa-grande que ele já conhecera em suas pesquisas de campo: o solar do engenho Megaípe, paço abandonado, em ruínas. Ao ouvir falar da possibilidade de desapropriação, o proprietário Siqueira Santos mandou a casa pelos ares. Só ficou a fábula:

"Pouco antes de desaparecer, estupidamente dinamitada, a casa-grande de Megaípe, tive ocasião de recolher, entre os moradores dos arredores, histórias de assombrações

ligadas ao velho solar do século XVII. Eram barulhos de louça que se ouviam na sala de jantar; risos alegres e passos de dança na sala de visita; tilintar de espadas; ruge-ruge de sedas de mulher; luzes que se acendiam e se apagavam de repente por toda a casa; gemidos; rumor de correntes se arrastando; choro de menino, fantasmas do tipo cresce-míngua..."[51]

É bem provável que a namorada, futura primeira-dama do Cosme Velho, tenha influenciado na decisão bonita de citar, na cara da casa, um monumento brasileiro de história nobre e trágica. Roberto talvez ainda não tivesse encontrado tempo para ler, mas aquela moça da Hípica, Stella Goulart, na curiosidade esperta de seus vinte anos, possivelmente já tinha lido *Casa-Grande & Senzala*, escrito por Gilberto Freyre no exílio que a Revolução de 30 impôs a seu chefe Estácio Coimbra, e publicado em 1933.

Para não perder a deixa: desde 1977, a Fundação Roberto Marinho faz um trabalho que, além de espantar almas penadas de um Brasil desmemoriado, recuperando e restaurando documentos, obras, monumentos, casas e bairros inteiros em todo o país; dedica-se com saudável obsessão à causa da educação no Brasil.

"O papai tinha uma visão romântica da Fundação. ... com relação a patrimônio, ele sempre foi muito preocupado com isso. ... Quem colocou uma outra organização lá foram meus irmãos, e depois eu completei a história, quer dizer, botar uma coisa mais profissional, com direcionamento estratégico, botar um foco. ... Então, esse início ... todo foi muito bacana, mas foi uma coisa muito romântica. ... Agora, ele tinha muito orgulho da força que aquilo tomou depois. Participou do Telecurso, *que realmente foi um achado, conseguir botar na tela da televisão um trabalho de educação efetivo, ... isso aí foi o exemplo central, o* Telecurso."[52]

Naquela primeira metade dos 40, enquanto a casa do Cosme Velho estava quase pronta a abrigar um casal apaixonado que iria gerar, exalar e exaltar vida durante décadas de valsa e *rock-and-roll*, a fábrica de fantasmas funcionava celeremente no Velho Mundo. Os últimos meses da guerra foram especialmente sangrentos, cidades inteiras devastadas, milhões de civis sacrificados. Americanos e soviéticos, no que era difícil suspeitar tratar-se de uma espetacular *avant-première* da Guerra Fria, se lançavam unidos numa

Roberto Marinho

---

[51] Gilberto Freyre, *Casa-Grande & Senzala*.
[52] José Roberto Marinho, 5 jan 2004.

guerra quente contra o Eixo. Agora, Getúlio Vargas fora obrigado a formar uma aliança que, no fim, condenaria o seu próprio regime. Não haveria de ser nada, pelo menos o Brasil ganhou uma siderúrgica de troco...[53]

E o jornal de Roberto Marinho ganhou prestígio, popularidade e simpatia, lançando um periódico dedicado às tropas brasileiras enviadas ao *front* europeu: *O Globo Expedicionário*. A composição da redação do jornalzinho que ia à guerra revela mais uma vez o estilo de nosso companheiro. Numa aliança administrada pelo irmão Rogério Marinho, trabalhavam, ombro a ombro, o comunista Pedro Motta Lima e o "tira" Alves Pinheiro. Mais tarde, Pinheiro defenderia apaixonadamente o salazarismo, mas por enquanto era o homem a se chamar na redação de *O Globo* sempre que fosse necessário falar com o "homem" – Getúlio. Um dos comunistas de maior projeção na história brasileira, Motta Lima gozava da reputação de ser o "braço direito" de Luís Carlos Prestes. Ali, nas trincheiras da redação, a intenção era fazer um jornal mais que informativo; carinhoso e reconfortante. Foram trinta e sete números de *O Globo Expedicionário*, uma iniciativa despretensiosa, que, ninguém poderia prever, ganharia uma importância subjetiva difícil de calcular, mas que sem dúvida criou laços de afeto entre o jornal e pelo menos uma geração de leitores.

"Para muitos dos nossos pracinhas, a ausência de cartas e notícias do Brasil era talvez tão dura como lutar com o alemão. Por isso quero destacar o papel desempenhado por um jornalzinho modesto que seguia daqui para as mãos dos nossos combatentes: O Globo Expedicionário. Não vinham cartas? Não chegavam jornais? Pois ali sempre encontravam alguma coisa, recado da família, mães, namoradas, simples amigos, informações sobre ocorrências, vitória do Flamengo, até nome de filmes. Um só exemplar do 'Globinho', como o chamavam, percorria centenas, milhares de mãos, pois o transporte de grande número era impraticável. A avidez por notícias do Brasil era tamanha que surgiu na frente uma folha mimeografada, o 'Zé Carioca', feita com devoção, mas que não bastava, obviamente, para cortar a sede sentimental dos pracinhas. O 'Globinho' foi um pequeno herói anônimo na nossa guerra."[54]

---

[53] Em 1941, durante a Segunda Guerra Mundial, o Brasil recebeu dos Estados Unidos somas significativas de recursos que financiaram, entre outros empreendimentos, a implantação da primeira siderúrgica brasileira, a Companhia Siderúrgica Nacional (CSN), em Volta Redonda, estado do Rio de Janeiro. O rompimento definitivo com os países do Eixo, no entanto, só viria em 1942, e apenas em 1944 seriam enviadas tropas da Força Expedicionária Brasileira (FEB) para o conflito europeu.

[54] Egídio Squeff, jornalista que acompanhou a FEB como correspondente de *O Globo*.

Além de coroar *O Globo* com uma aura de simpatia que frutificou na ampliação de seu universo de leitores, o *Expedicionário* representou a aproximação com um certo comandante militar que muito em breve desempenharia dever importantíssimo para o país, missão que transcenderia os muros dos quartéis. Antes de dizer de quem estamos falando – e o leitor pode muito bem já ter sacado –, esta é uma boa chance para apontarmos mais uma característica toda própria do jornalista Roberto Marinho. Na maior naturalidade, ele não queria que o seu jornal tivesse apenas o seu público – ele queria todo o público! E, fique claro, ele nunca escondeu essa perseguição do absoluto, do teoricamente impossível, de não ter apenas os "seus leitores", e sim ter todos os leitores:

"… o jornal precisa ser um conjunto tal que todos os membros de uma família numerosa, inclusive os serviçais, encontrem motivo de interesse na sua leitura, seja qual for o seu gosto, a sua cultura, as suas predileções, o leitor deve encontrar matéria de seu interesse. Está claro que cada um deparará com assuntos aos quais não dará a menor importância. Mas quantos não se dedicarão a esses mesmos assuntos?… Preocupamo-nos, no momento, com esse objetivo: agradar a todos."[55]

O rapaz indomável, máquina de desejar, continuava bem vivo dentro daquele senhor aparentemente serenizado pela maturidade. Já era bastante claro que os aliados iriam vencer e que os tempos de pós-guerra trariam novidades, oportunidades frescas para o Brasil num novo equilíbrio geopolítico em que a América Latina poderia se beneficiar com uma sacudida de prosperidade. Pensar grande, por que não?

Bem, responderia um parente, por exemplo: por que este "pensar grande" representa risco. Por que expor o já conquistado ao imprevisível? Para quê? Já não está bom assim? Mais de uma vez os irmãos Ricardo e Rogério expuseram argumentos semelhantes, apelos, ponderações. Em nossa exploração pelos silêncios, esboços, rabiscos, bilhetes e cartas – pedaços de papel a que a história depois atribui o título de "documentos" –, a impressão que se tem da atuação da mãe, Dona Chica, é a de mediadora tendenciosa, tacitamente a favor do primogênito. A matriarca fazia questão de assegurar a Ricardo e Rogério o direito de serem ouvidos, e de garantir que Roberto tomasse sozinho a sua decisão.

---

[55] Roberto Marinho (*Publicidade e Negócios*, 15 jun 1951), *apud* Ana Paula Goulart Ribeiro, *Imprensa e história no Rio de Janeiro dos anos 50*.

Foi assim com a rádio. Os irmãos eram contrários à idéia, a empresa não tinha dinheiro para comprar uma estação de rádio, onde é que já se ouviu? Pois *touché*! Roberto apareceu com uma de suas idéias mirabolantes e tocou-a à frente:

"Estava eu com muitas dificuldades … de encontrar uma rádio acessível para comprar, até que eu soube que um cidadão morador lá na rua Mariz e Barros estava pretendendo vender uma rádio. Ele tinha uma na sua casa. Depois dos entendimentos, verificamos que se tratava de uma rádio pertencente ao Chile, quer dizer, a rádio original era do Chile, e a rádio que ia ser vendida funcionava aqui na cidade do Rio."[56]

25. Ricardo, Rogério e a decisão do irmão mais velho

Peço licença para interromper e informar que, em 1935, Brasil, Argentina, Chile, Bolívia, Paraguai e Uruguai tinham assinado um tratado de cooperação técnica em radiodifusão – era tanta novidade! Como diria em breve Lauro Borges, num programa de humor imortal lançado no mesmo ano de 1944, o *PRK-30*, "Prossilga, Doutor Roberto, por favor, prossilga!"

"Bem… eu comprei a rádio. Comprei a rádio baratíssimo. Logo que falaram que a emissora pertencia ao Chile, eu lembrei da minha amizade com o presidente do Chile, Gonzalez Videla. Ele tinha sido embaixador no Brasil e era um dos meus amigos. Telefonei para o presidente e ele estava em Viña del Mar, onde passava o verão. … Não lembro quanto custou a estação que viria a ser a Rádio Globo, mas talvez tenha sido a estação mais barata comprada no Brasil. … Fui ao Chile, a Viña del Mar, e conversei com o presidente Videla, contando o que se passava. Ele me disse que estava muito contente, … e julgava que me devia muitas finezas. Não era verdade, era só a atenção e a estima que eu tinha por ele. De qualquer forma, falei do meu problema e que, se eu conseguisse uma autorização mais ampla do Chile, esta seria uma grande rádio para o Rio de Janeiro. Videla mandou estudar o assunto no mesmo dia e no dia seguinte já me dizia: 'Marinho, vou lhe conceder

157

Roberto, filho de Marinho

[56] Roberto Marinho, fita de áudio, arquivo da Rádio Globo, década de 1950.

todas as autorizações. Os meus técnicos me dizem que a barreira dos Andes nos separa completamente do Rio de Janeiro. Você pode fazer o que quiser com a nossa rádio, e já foram assinados os documentos nesse sentido."

Relembremos que a líder absoluta em audiência era a Rádio Nacional, veículo de propriedade do Estado, que encampou em 1940 a emissora, fundada em 1936 por... ele mesmo: Geraldo Rocha, o ex-sócio de Irineu Marinho que ficou com *A Noite*.

E, para adiantar o chumbo quente que vem por aí, vamos dizer apenas que a Rádio Globo acabaria por se converter no primeiro grande exemplo da história do Brasil do alcance das ondas hertzianas, quando usadas como tribuna política. Num estúdio da Rádio Globo, deu-se um encontro que terminaria por precipitar um dos episódios mais dramáticos de nossa história: o encontro de Carlos Lacerda com um microfone.

"Sim", respondeu o noivo, baixinho. "Filho?", sussurrou de volta o sacerdote. "Sim!", repetiu, agora de forma audível, o homem que já se habituara a falar como quem conta um segredo.

Terça-feira, que dia da semana para se casar! Ainda mais no Outeiro da Glória, a igreja iluminada de tanta flor e sorriso da noiva! Mas tinha que ser na terça-feira. Tinha que ser no mesmo dia em que Irineu e Francisca se casaram: a véspera de Natal. Quarenta e três anos depois, o filho de Marinho fizera questão de contrair matrimônio em data idêntica, um pouco excêntrica para nossos olhos contemporâneos, mas que se revestia de grande significado para o nosso solteirão enfim vencido.

Vamos aproveitar, leitor, e atualizar a quantas anda a relação entre o órfão Roberto e a grande sombra paterna. Temos base para dizer que, mesmo quarentão, doutor por mérito próprio e intransferível, em rota ascendente profissional e pessoal, ainda assim o filho Roberto continuava diariamente desafiado a suplantar o que fora seu pai, ou o que ele idealizava que seu pai fora. E não desconsideremos a tensão diária da relação com Herbert Moses, personificação de uma autoridade paterna que, por direito, já era de Roberto – só que este é um terreno muito subjetivo para se invocar conceitos como "por direito"...

26. O solteirão vencido – a única derrota feliz

Tornar-se pai representaria um marco da pacificação na batalha íntima, inconsciente, entre Roberto e a memória de Marinho. Para justificar essa afirmação, que parece conversa de psicanalista metido a interpretar, somos levados a enfatizar um argumento usado na decisão de cortar um artigo de um colunista importante do jornal, amigo pessoal de Roberto e político influente, imortal da Academia Brasileira de Letras. O chefe explica por que cortou toda a primeira metade do artigo do eminente articulista:

"Certa vez cheguei a dizer-lhe que a pessoa que eu mais tinha admirado até hoje no jornalismo era papai. Mas que se papai ressuscitasse, eu, como diretor do jornal, alteraria o que ele escrevesse, se achasse que devia fazê-lo."[57]

---

[57] Carta de Roberto Marinho a Ricardo Marinho, cerca de 1956.

Logo saberemos o nome do figurão da República "editado", com quem Roberto estaria junto num dos momentos mais trágicos da história brasileira – a noite do suicídio de Getúlio Vargas.

Vivemos agora o fim da guerra, quando o caminho do Brasil rumo a um estado de direito não comportava mais freio ou marcha a ré. A vitória dos aliados trazia como conseqüência inevitável a derrota do Estado Novo, mas a redemocratização começaria antes mesmo da queda do ditador. Rápido, o nosso empresário Roberto Marinho descobriria, alegremente, que esse negócio de democracia costuma fazer bem aos negócios. E ouçamos com atenção a máxima americana "amigos, amigos; negócios à parte", que deve sempre ser matizada quando adaptada à cultura brasileira. Naquela época de fim de guerra, alguns exemplos se destacavam, cercados de coincidências por todos os lados. Senão vejamos.

No início de 1944, um fotógrafo que colaborava com os Diários Associados, de Assis Chateaubriand, procura a chefia de redação de O Globo com uma oferta: ele havia produzido uma série de reportagens denunciando os efeitos nefastos do jogo no Brasil, e O Cruzeiro não demonstrara interesse em publicar. Pois bem, Roberto Marinho não só compra a idéia e a transforma em campanha como declara, em nota no Globo de 11 de fevereiro de 1944, não mais aceitar a publicação de anúncios de cassinos e outros estabelecimentos que promovam jogos de azar. Lembre-se que Roberto ainda mora na Urca, é vizinho do Cassino, apreciador de sua cozinha e amigo do dono, Joaquim Rolla.

Agora é hora de revelar o nome do comandante que fazia o "meio-de-campo" entre as Forças Armadas e O Globo Expedicionário e que se tornara dileto amigo de Roberto Marinho: Eurico Gaspar Dutra, que viria a suceder Getúlio Vargas na Presidência da República. A campanha de O Globo contra o jogo causara um impacto tremendo e conquistara a adesão dessa entidade misteriosa chamada "opinião pública" – tomem nota de mais este sinal de sintonia entre Roberto Marinho e a classe média tijucana, não necessariamente residente na Tijuca, que fique claro! O resumo da história você já conhece, amigo: a patroa do marechal Dutra, Dona Santinha, tinha horror a jogatina. No dia 31 de janeiro de 1946, Eurico Gaspar Dutra assumiu, fardado, a Presidência da República, e no dia 30 de abril proibiu o jogo em território brasileiro. Entre uma data e outra, Roberto Marinho procurou o amigo Joaquim Rolla e lhe antecipou a notícia. Com certeza a conversa se desenrolou numa mesa discreta do restaurante do Cassino da Urca, entre sussurros, o que já vimos, tornara-se uma marca registrada de Roberto. Ele descobrira que falar baixo era uma maneira infalível de prender a atenção do interlocutor e ser ouvido. Como quem já esperasse a interdição, quase sem surpresa, Joaquim Rolla, que acabara de construir o Hotel e Cassino Quitandinha, em Petrópolis, recebeu com espírito esportivo a notícia que atingia em cheio seus negócios e interesses. "*O Rolla agradeceu a sinceridade e a honestidade dele, continuaram muito amigos, que não se preocupasse com o futuro, que ele tinha meios de sobrevivência bastante largos.*"[58]

Chegando a meio século de vida, o cavaleiro Roberto Marinho se mantinha em plena forma, ganhando mais concursos que perdendo. Admirava especialmente o estilo de um amigo, companheiro de pistas, que aliava ao rigor estilístico, obrigatório no esporte eqüestre, um certo arrojo de caubói. Era Paulo Goulart, advogado nascido no Rio mas formado em direito em São Paulo, onde teve como primeiro emprego a delegacia de Penápolis – na época, região bem inóspita onde até índios guerreiros teve que enfrentar!

Porém, maior que a admiração pelo jeito de cavalgar do sr. Goulart, Roberto apreciava o estilo de sua filha Stella, a flanar pela Hípica. A afinidade decisiva para o namoro engrenar foi o gosto comum pela aventura. Naqueles primeiros anos da década de 50, Roberto não concluía apenas a edificação de sua mansão no Cosme Velho. Ao mesmo tempo construía uma casa de praia, esta bem mais simples, num lugar longe, São Pedro d'Aldeia. A propriedade chamava-se Cardeiros, uma fazenda à beira-mar. Para chegar à Região dos Lagos naquela época, não tinha muito essa facilidade de estrada, não; em alguns trechos, nem de terra... Para encarar a viagem, só mesmo com espírito desbravador, estepes e malandragem. Especialmente se a jornada fosse empreendida na companhia de amigos como Raymundo de Castro Maya, que já possuía uma casa em Arraial do Cabo. No afã competitivo compartilhado pelos amigos, era muito importante chegar em primeiro lugar. Num fim de semana chuvoso em que, mais uma vez, fora derrotado na disputa e chegara depois de Castro Maya, Roberto não se conformou. Na viagem seguinte, mandou Joffre seguir, sem se fazer notar, o carro de Castro Maya, para desvendar o mistério:

[58] Claudio Mello e Souza, 2 fev 2000.

27. Stella

"...saímos atrás do Castro Maya. ... Pegamos a barca, sempre escondidos. ... Chegou em Niterói e seguiu. ...Aí, lá pelas tantas, tem lá uma subida, ele parou. O chofer dele estava botando correntes nas rodas."[59] — relatou Joffre. No próximo fim de semana, Joffre e Roberto já partiram munidos de correntes e aceleraram sobre as "costelas" da estrada de barro. Chegaram em primeiro lugar. Destruíram um Cadilac, mas venceram o Grand Prix.

Stella não era mocinha de porcelana. A mulher glamorosa que estava se tornando ainda guardava o espírito da criança que gostava de brincadeira de menino. Fazia-se companheira nos auto-impostos desafios de Roberto, fosse na terra, inventando estradas para construir Cardeiros, fosse mais tarde, ao mar, em barcos nem sempre confortáveis para quem não passasse o dia debaixo d'água.

No Rio, namoraram bastante na orla de Copacabana, onde vivia a família Goulart, na rua Leopoldo Miguez. Podemos pintar, sem hesitação, o quadro de uma paixão arrebatadora; não é romantismo exagerado, companheiro! Roberto e Stella eram pessoas de muita intensidade, que viviam seus deveres e prazeres às últimas conseqüências.

Sim, as principais armas de sedução de Roberto — e nessa etapa de nossa viagem por Roberto Marinho já podemos dizer, leitor, que, antes de jornalista, empresário ou político, ele era um Sedutor, com "s" maiúsculo — eram o seu jeito discreto e cuidadoso de se aproximar, um pudor insinuante, uma maneira bem-humorada de respeitar, uma enganosa cerimônia. Porém, não foi por artes de etiqueta que ele conquistou de vez os favores do coração de Stella. A amazona adorava a sua égua Jujuba, alegria de todos os dias. Como

[59] Georges Joffre Delahaye, 12 jan 2004.

você pode supor, Roberto, fundador e assíduo freqüentador da Sociedade Hípica, na Lagoa, recém-fundada em 1938, agora apaixonado por Stella, se não treinava, marcava presença todos os dias no clube.

Pois Jujuba sofreu um acidente, grave. Não havia nada a fazer a não ser tocar um tango argentino e meter-lhe uma bala na cabeça. O sacrifício de um cavalo é um espetáculo que comove até os mais durões. Pois eu digo, com base em algumas evidências e no que já conhecemos da natureza de Roberto, que naquele momento Stella experimentou a manifestação mais profunda de interesse de uma pessoa por outra: a solidariedade. A cena não é de fácil comprovação histórica, mas é verossímil: Jujuba foi sacrificada e, entre lágrimas, Stella encontrou o abraço que a iria amparar ainda por muito tempo.

No dia seguinte à posse do presidente Dutra, começaram os trabalhos da Assembléia Constituinte. Roberto Marinho costumava deixar a redação para assistir aos trabalhos da Assembléia. Além de evidenciar mais uma vez o gosto de Doutor Roberto pelo exercício político, pelo esgrimir de idéias no plenário, permitamo-nos presumir que ali ele pode ter escolhido definitivamente a condição de espectador na galeria. Sim, ele nunca deixaria de fazer política de forma direta – além de gostar, freqüentemente passou a ser convocado a atuar nos bastidores de grandes decisões –, mas nunca chegou a aventar a hipótese de concorrer a cargo legislativo ou mesmo almejar posição executiva. No plenário da Constituinte de 46,[60] mais que

---

[60] Com a crise do Estado Novo – que culminou com a deposição de Getúlio Vargas, em outubro de 1945 –, iniciou-se um processo de redemocratização do país. A promulgação do Ato Adicional nº9, em 28 de fevereiro de 1945, prevendo eleições gerais, abriu espaço para a criação de partidos políticos de âmbito nacional. Entre eles, destacaram-se três que dominaram o cenário político brasileiro até 1964: Partido Social Democrático (PSD), União Democrática Nacional (UDN) e Partido Trabalhista Brasileiro (PTB).

Caracterizada pela oposição acirrada a Getúlio Vargas, a UDN foi fundada em abril de 1945. O partido que se proclamava herdeiro dos movimentos liberais da classe média urbana representava a indústria aliada ao capital estrangeiro e os interesses dos proprietários de terras. Apesar de nunca ter ocupado a Presidência da República, a UDN participou de todas as eleições majoritárias e proporcionais até 1965. Considerado ideologicamente um partido de direita, apoiou a candidatura de Jânio Quadros, em 1960, e o golpe militar em 1964.

Representando setores agrícolas e industriais simpáticos ao nacionalismo, o PSD foi fundado em julho daquele ano. Era um partido de centro-direita, com representação majoritária no Congresso. Elegeu dois presidentes da República – Eurico Gaspar Dutra, em 1946, e Juscelino Kubitschek, dez anos depois – e apoiou e foi determinante na eleição de Vargas em 1950.

O PTB, fundado em maio de 1945, foi criado sob a inspiração do próprio Getúlio Vargas, com o objetivo de aglutinar a massa trabalhadora e todo o aparelho sindical montado durante o Estado Novo. Posicionando-se como um partido de esquerda, ocupou por duas vezes a Presidência da República – com Vargas e João Goulart – e era o maior aliado do PSD, tendo apoiado o governo de Juscelino Kubitschek.

A UDN, o PTB e o PSD, assim como os demais partidos que funcionavam sob o abrigo da Constituição de 1946, foram extintos em outubro de 1965, com a decretação do Ato Institucional nº2.

28. Aliados da hora

os debates memoráveis, uma presença constante nos bastidores chamou a atenção de Roberto Marinho: um jornalista que mantinha no *Correio da Manhã* uma crônica diária da Constituinte chamada Na Tribuna da Imprensa. Roberto já conhecia o brilhantismo brigão de Carlos Lacerda, que agora passara de adversário declarado, comunista que fora, a eventual aliado, nunca se sabe... O homem era um incêndio ambulante, só via o mundo pelas lentes da ênfase. Não vou citar a fonte, por se tratar de alguém obsessivamente discreto, e também porque fica difícil discordar de sua avaliação: "*Carlos Lacerda não conseguia dizer ou escrever nada sem dar um tom de fim de mundo, pelo próprio temperamento dele.*"

Diante daquele vulcão retórico, Roberto Marinho pode não ter sido seduzido por todas as idéias lançadas; mas certamente o dono do *Globo* registrou a descoberta de um fenômeno irresistível de comunicação e persuasão.

Proponho contrapor agora este fascínio de Doutor Roberto pelas sessões espetaculares da Assembléia Constituinte às possibilidades que o seu novo veículo de comunicação oferecia e das quais ele mal tinha se dado conta. Quando inaugurou a Rádio Globo, com um concerto de música clássica da Orquestra Sinfônica Brasileira, regida por José Siqueira e tendo como solista a virtuose do piano Magdalena Tagliaferro, em transmissão direta do palco do Theatro Municipal, Roberto Marinho demonstrava, inadvertidamente, que ignorava o poder de fogo de seu novo veículo: "*Não é propriamente uma estação de rádio que hoje inauguramos. É mais uma modalidade de serviços de* O Globo *à nação.*"[61]

---

[61] Roberto Marinho, discurso de inauguração dos transmissores da Rádio Globo, 2 dez 1944.

29. *O Globo no Ar*

E foi assim até o fim. Mesmo quando a Rede Globo transformou-se na maior potência da história das comunicações no Brasil, o velho Roberto lembrava sempre que o jornal era o mais importante. Quando, bem mais tarde, *O Globo* começou a circular aos domingos, Doutor Roberto recomendou uma ofensiva de anúncios na TV Globo, que o próprio departamento comercial julgou excessiva. Boni tentou defender uma redução na avalanche publicitária. Em vão: " *'Vocês têm que ajudar o* Globo, O Globo *é que fez a TV Globo. Nós devemos ao* Globo.' *Foi irredutível.*"[62]

Tinha orgulho e alguma razão ao proclamar a supremacia do jornal dentro do conglomerado de veículos de comunicação, mas já em seu terceiro dia de transmissões, a Rádio Globo afirmava sua vocação para o popular e o potencial extraordinário de seu alcance. Como se fosse o *Expedicionário* no ar, no dia 3 de dezembro de 1944, a Rádio Globo irradiou para os pracinhas na Europa a partida decisiva do Campeonato Brasileiro de Futebol entre as seleções carioca e paulista. Mas o primeiro golaço da emissora foi fazer radiojornalismo de qualidade:"*A Rádio Globo, pela sua origem, se dedicou muito à reportagem. Foi uma das primeiras rádios a fazer reportagens.*"[63] E é claro que o primeiro programa noticioso da rádio chamou-se *O Globo no Ar*!

[62] Boni, 9 fev 2004.

[63] Roberto Marinho, fita de áudio, arquivo da Rádio Globo, década de 1950.

Heron Domingues, um mito da história do jornalismo brasileiro, observou:*"É interessante notar que a emissora do sr. Roberto Marinho parece ter conseguido pela primeira vez, pelo menos no Rio, uma entrosagem satisfatória com o jornal* O Globo. *A experiência está obtendo êxito. … Mobilizando a esquadra de veteranos do* Globo, *a Rádio Globo teve, dum golpe, boas reportagens movimentadas e algumas sensacionais."*[64]

Na direção de jornalismo, Alves Pinheiro. O primeiro estúdio da Rádio Globo foi o Teatro Rival, depois veio o Carlos Gomes. Em 1950, a Rádio Globo passa a ocupar um andar do edifício Sulriograndense, na avenida Rio Branco, pertinho da Bittencourt da Silva: entre jornal e emissora, nem cinco minutos de caminhada.

◆

A cerimônia foi rápida, simples, discreta.

"Stella Goulart, filha desse gentleman *apreciadíssimo que é Paulo Goulart e da sra. Alba Marcondes Goulart, pertencente a uma das mais antigas e ilustres famílias de São Paulo, é uma jovem em cuja pessoa se admiram os dons mais peculiares e estimáveis da família brasileira. Bela, inteligente e bondosa, ela será uma colaboradora de Roberto Marinho numa obra que já é um patrimônio de honra da nossa imprensa."*

Foi chamando a noiva de "colaboradora", e tendo como título da reportagem o nome dos nubentes em elegante tipo manuscrito, trinta e quatro discretas linhas de texto em três parágrafos e quatro fotos diagramadas em duas páginas – uma delas toda ocupada pelo retrato do casal ao lado de Herbert Moses –, que a revista de amenidades *Rio* noticiou o casamento de seu proprietário.

"A cerimônia civil foi presidida pelo juiz Paulo Faria da Cunha e efetuou-se na casa dos pais da noiva, sendo padrinhos por parte de Roberto Marinho o sr. João Augusto Mattos Pimenta e a sra. Heloísa Marinho Velho da Silva, e por parte da noiva o sr. Ricardo Marinho e a sra. Antônio Augusto de Azevedo Sodré Netto. O ato religioso foi celebrado pelo monsenhor Benedito Marinho [nenhum parentesco] *na igreja de Nossa Senhora da Glória do Outeiro, sendo padrinhos da noiva o sr. César de Mello e Cunha e a viúva Irineu Marinho; do noivo, o sr. Herbert Moses e a sra.*

---

[64] Heron Domingues (*Publicidade e Negócios*, 20 jan 1954), *apud* Ana Paula Goulart Ribeiro, op.cit.

Paulo Goulart. Divulgada pelos jornais somente dois dias depois das cerimônias a notícia do casamento, de todo o país foram dirigidas ao casal mensagens de simpatia."[65]

No *Globo*, a notícia seria praticamente escondida na página quatro, na coluna "O Globo na Sociedade". Texto idêntico, à exceção das cinco primeiras linhas: "*Realizou-se ante-ontem, na maior intimidade, o casamento do nosso querido companheiro e diretor-redator-chefe, sr. Roberto Marinho...*" A ressaltar, o fato do *Globo* ainda chamar Roberto de senhor, mesmo depois de o DIP e Getúlio Vargas o entitularem doutor havia anos...

30. Revista *Rio*: discrição na notícia

A reunião de parentes e poucos convidados no Cosme Velho celebrava o matrimônio, festejava o Natal – era 24 de dezembro de 1946, e por isso a notícia só saiu dois dias depois, porque os jornais não circulavam no Natal – e marcava também a inauguração de fato da casa que ainda serviria de palco para tantas noites de gala! Da Urca, só veio o companheiro motorista Georges Joffre Delahaye, que participou não apenas de toda a movimentação, da cerimônia e dos festejos do casório, como também do enobrecimento do novo endereço. No acabamento da residência, Joffre fez questão de uma coisa: pediu ao paisagista Burle Marx, autor do jardim, para plantar uma determinada muda. A árvore está lá até hoje, um pau-brasil, cujas sementes Joffre cobriu de terra e regou ciosamente.

Quem quiser que atribua significados à decisão de Roberto de casar no mesmo dia de Chica e Irineu. Para mim, tão ou mais significativa foi a sua pressa em tornar-se pai. No dia 13 de outubro de 1947, nascia o pri-

Roberto, filho de Marinho

---

[65] Revista *Rio*, jan 1947.

31. Roberto Irineu

mogênito, batizado Roberto, Roberto Irineu. Em 25 de fevereiro de 50, chegava o segundo filho, Paulo Roberto.

No sábado, 16 de agosto de 1952, *O Globo* festejou pela primeira vez no Brasil o Dia dos Pais:

"... copiando dos Estados Unidos, onde já existia o Father's Day, *instituímos o Dia dos Pais. Esta campanha foi sensacional, porque ninguém queria apostar, achavam que pai não tinha apelo. Eu pesquisei uma data entre o Dia das Mães e o Natal. Pensei em 16 de agosto, dia de são Joaquim, pai de Nossa Senhora. No primeiro ano, foi comemorado no dia 16. Depois, o comércio sugeriu que fosse no segundo domingo de agosto. O interessante é que também se tornou uma data nacional"* – recorda Walter Poyares, o primeiro diretor de marketing de um jornal brasileiro, embora naquela época a função atendesse pelo nome de relações públicas.[66]

Em 16 de setembro de 1953, mais um menino, João Roberto. Em 1955, o nascimento de José Roberto foi o presente de Natal, em 26 de dezembro. Quanto homem! Bem que o casal tentou uma menina, mas os herdeiros varões não deram chance. Tudo certo, os seis ficaram muito bem na foto, trata-se de uma família "hollywoodiana": meninos saudáveis e travessos, uma mãe encantadora e mulher deslumbrante, e o chefe de família, um homem muito importante, muito rico, muito muito ocupado. Inútil aplicarmos o chavão contemporâneo "pai ausente" em tal modelo familiar, é óbvio que Roberto Marinho não

32. Paulo Roberto

---

[66] Walter Poyares, 11 ago 2000.

tinha tempo para criança. Mais interessante aproveitar o tema para uma
ou duas reflexões engraçadas sobre a
relação de Roberto com a "canalha
miúda".Apesar de terem guardado na
memória esta figura pouco presente
e distante, os filhos privaram de algo
precioso com este pai tão mais velho:
momentos de intimidade. Entre os
mais doces, o barulho e as gargalhadas
das corridas destrambelhadas com
carrinhos de rolimã pelas ladeiras do
Cosme Velho. Carrinhos de rolimã

33. José Roberto

iguais àqueles em que os garotos da favela brincavam. Roberto Irineu, o
mais velho dos meninos, lembra-se de brincar na rua e dentro de casa com
as crianças do cortiço em frente.

Outra característica a anotar era a forma como Roberto Marinho buscava
disfarçar a sua falta de paciência, ou disponibilidade, com crianças – através
de carinho! Esforçava-se para, fisicamente, transmitir afeto aos pequenos. E
podemos sorrir também com a idéia nada descabida de que, na relação com

34. João Roberto

os pequenos, o principal problema é
que ninguém podia ser mais criança
do que ele. Roberto parecia topar a
brincadeira, contanto que ele fosse
a criança! Se conseguisse arrumar
algum tempo para isso... Naquela
época de formação da sua família
nuclear, a vida da gente grande no
Brasil andava para lá de animada!Va-
mos a ela já, não sem antes antecipar
um episódio gozado e que diz tudo
sobre Roberto Marinho, crianças, e
Roberto Marinho criança.

Já octogenário veterano, chega
em casa e a tarde está cheia de netos, bisnetos, amiguinhos, aquela

169

35. Festa de cinco anos de Paulinho, 1955

infância toda. Só por formalidade, um adulto vai informá-lo:

— Doutor Roberto, nós emprestamos aquele seu modelo de avião para o menino brincar um pouquinho, aquele miniaeroplano, o senhor não estranhe o vazio na estante.

A comunicação é feita de maneira rotineira, rapidamente, para não gastar o tempo do Doutor Roberto com essas bobagens... Pois!

— Como assim, o *meu* aviãozinho!? Quem deixou pegarem o *meu* aviãozinho!?!

Custou um pouquinho para Doutor Roberto aceitar dividir o seu brinquedo, mas acabou se conformando – na próxima visita infantil, ele mesmo ofereceria o aviãozinho.

"Eu quero para mim" e "é meu" são duas típicas frases infantis que Roberto Marinho diria em qualquer idade, em qualquer momento de sua vida, com a mesma clareza e determinação de criança.

36. Vida Bela

Daquele róseo início de casamento, Roberto carregaria duas marcas para sempre: o bigode, que nunca mais deixaria de cultivar, nem à Flynn nem à Gable, ao melhor estilo do velho Irineu mesmo; e uma cicatriz óssea, lembrança de sua primeira fratura séria em pistas hípicas. O acidente ocorreu em 1949, uma data fácil de precisar pois tamanho susto fez "secar" o leite da irmã Hildinha, que acabara de ganhar a neném Elizabeth. Hilda assistiu à prova em que o seu irmão-herói se quebrou, e sua narrativa daquela tarde explicita a teimosia competitiva de Roberto:

"... *Ele caiu do cavalo e fez uma aposta que iria terminar a prova, os obstáculos todos. E ele terminou... com o braço quebrado! E quando saiu do negócio, Roberto estava desmaia-do no cavalo, os caras seguraram ele. Mas ele foi até o final. Porque apostou com o irmão."*[67]

Roberto e Stella seriam protagonistas – e vítimas – de um modelo de felicidade conjugal hegemônico na época, reproduzido e enaltecido à exaustão nos filmes e seriados americanos, em que papai sempre sabia tudo, nunca estava em casa, e sexo não era coisa para se fazer em família.

37. Recepção no Cosme Velho

Nos anos 50, a capital da República vive ungida por esta mística de "terra em que tudo dá!". E deu mesmo: a primeira parte, a parte feliz do primeiro casamento de Roberto Marinho espelhou os nossos tão idealizados "anos dourados". A imagem da família, principalmente o visual de Stella, transmite com nitidez a elegância envolvida no projeto desenvolvimentista, que vai dar em bossa e cinema novos, em gente que ganha autoconfiança pois joga bola como ninguém, num país que parece perder o ancestral complexo de inferioridade e se determina a cumprir

38. *High life*

171

Roberto, filho de Marinho

---

[67] Hilda Marinho, 8 jul 2004.

a profecia que Stefan Zweig escreveu, por encomenda de Getúlio Vargas: *Brasil, país do futuro*!

O Cosme Velho de Stella fez de cenário para noites sublimes da cultura carioca, brasileira – artes de sedução nos planos do empreendedor Roberto Marinho, que priorizava o valor estratégico das relações com os estrangeiros. Globalizador antes da época e desde sempre, Doutor Roberto tornou os embaixadores baseados no Rio de Janeiro convidados obrigatórios dos eventos em sua casa. Já vimos, no caso da Rádio Globo, quanto lhe valeu a amizade com um ex-embaixador chileno...

Ah, as inesquecíveis recepções na rua Cosme Velho, 303! Quando esteve no Brasil, a companhia de balé da Ópera de Paris fez uma apresentação exclusiva nos jardins de Stella e Roberto. E não eram só os monstros sagrados das artes mundiais que tinham vez. Em dezembro de 1949, dois jovens atores estreantes viveram uma noite de sonho no lar dos Marinho. A peça era *Um deus dormiu lá em casa*, de Guilherme Figueiredo, irmão de um amigo de cocheiras de Roberto, um cavaleiro chamado João Batista, a quem a história destinaria o papel de último presidente da ditadura militar. Guilherme, autor do texto, não só estava presente à encenação, como teve de substituir um ator que não aparecia em cena, mas tinha falas. "*E ele errou na deixa! Ficou*

39. Paulo Autran, Guilherme Figueiredo, Stella e Roberto Marinho, Vera Nunes, Carlos Thiré, Tônia Carrero, Armando Couto e Fernando de Barros: *Um deus dormiu lá em casa*

gritando sozinho dentro do bambuzal: 'Sentinelas de Tebas, alerta! Sentinelas de Tebas, alerta!', até o diretor Silveira Sampaio resgatá-lo: "Cale a boca, rapaz, é intervalo, está todo mundo tomando uísque."[68] – lembra a moça que, novata como o protagonista, atuava profissionalmente pela primeira vez. Era Tônia Carrero, como Alquimina. Paulo Autran só podia mesmo estrear no papel de Zeus: *"Foi um dos espetáculos mais lindos que já fiz na vida"* – lembra Paulo cinqüenta e quatro anos depois –, *"todo o cenário, grandioso, com colunas gregas, foi montado, e assim que o sol se pôs, para que a iluminação surtisse efeito, o espetáculo começou. Depois, foi servido um maravilhoso jantar."*[69] Guilherme Figueiredo escreveria mais tarde: *"Numa noite apoteótica, nos jardins de Roberto Marinho, entre a piscina iluminada e convidados de smoking, nós fomos consagrados!"*[70]

Por essa e por muitas, o Cosme Velho de Stella manteve-se imbatível na antologia de saudosistas inarredáveis dos "bons tempos" – a turma que ouviu um homem vermelho dizer: "a Terra é azul". A frase do cosmonauta Iuri Gagárin é de 1961, mas pode muito bem servir como epitáfio para uma década em que, no Brasil, um presidente se matou, uma capital morreu, outra começou a nascer, e tudo, de repente, tudo parecia mesmo possível.

Voltemos à nossa cronologia pouco ortodoxa para lembrar aquele momento em que o jogo democrático pregaria uma peça dolorosamente irônica em grande parte dos caciques políticos da época e seus desígnios.

Sim, o ditador voltou nos braços do povo, tendo votos aos confetes. Chatô, Samuel Wainer, o povo, a história do Brasil e o diabo a quatro – não necessariamente nessa ordem – trouxeram de volta o retrato do Velho. Outra vez Getúlio Vargas era "o homem". Depois da publicação da entrevista que Wainer fez com Vargas na fazenda de São Borja,[71] a candidatura do caudilho ascendeu, irresistível. E o golpismo crônico, manifesto ou latente, de nossa história republicana ganhou mais fôlego e argumentos.

---

[68] Tônia Carrero, 26 ago 2004.

[69] Paulo Autran, 18 ago 2004.

[70] Depoimento de Guilherme Figueiredo sobre Tônia Carrero, 1992.

[71] Em 1949, cumprindo ordens de seu chefe, Assis Chateaubriand, o jornalista Samuel Wainer seguiu para São Borja, terra natal de Getúlio Vargas. O objetivo era conseguir uma entrevista com o ex-ditador em sua fazenda, onde se "auto-exilara". O jornalista obteve uma declaração que sacudiu o Brasil: "Sim, eu voltarei, não como líder político, mas como líder das massas". A publicação da entrevista nos jornais de propriedade de Chateaubriand trouxe uma reviravolta nas cúpulas partidárias e acabou lançando a candidatura Vargas para a Presidência da República.

Por engenhos do destino e das leis do mercado, Roberto Marinho encontrou-se no centro de uma teia de vetores que puseram à prova de vez a resistência e a elasticidade de sua musculatura política. Apreciem a complexidade do quadro.

De volta ao Palácio do Catete, o ex-tirano Vargas jura se submeter às regras da democracia. Saberá ou conseguirá governar sem poder absoluto?

No panorama internacional, a Guerra Fria[72] divide o mundo em dois blocos e não permite escolha: ou se está de um lado, ou de outro. Na biografia de Roberto Marinho, um grande momento: nosso companheiro é convidado a fazer um discurso na Assembléia Geral das Nações Unidas, sobre "Liberdade de informação": "*Os jornais devem ser considerados agentes e mandatários da consciência internacional e, como tais, protegidos pelas Nações Unidas de quaisquer atentados dos governos contra a sua autonomia e liberdade.*"[73]

O mapa geopolítico mundial está rachado, e a imprensa brasileira também se polariza e se partidariza: num extremo, contra o governo, *A Tribuna da Imprensa* de Carlos Lacerda; no extremo oposto, a favor de Vargas, a *Última Hora* de Samuel Wainer. Dentro de um contexto paroxístico, *O Globo* mantém-se numa posição de neutralidade. Critica o governo, à feição de Roberto Marinho: "*Sempre fui muito positivo em relação à minha orientação no jornal: oposição sem demolição.*"[74]

A campanha O Petróleo é Nosso é exemplar do estilo de combate de Roberto Marinho. Desde o início avesso à idéia do monopólio estatal do petróleo, *O Globo* empreende forte campanha contra a criação da Petrobras. Uma vez vencido, se rende ao fato consumado e, quando a Petrobras é fundada, defende a empresa na primeira página. O problema não se daria na redação do jornal. O cenário do início da trama seria um modesto estúdio de rádio.

Roberto Marinho fazia do seu jeito no *Globo*, e Carlos Lacerda botava para quebrar na sua *Tribuna*. Na concorrência pelo leitor, o adversário do *Globo* era a *Última Hora*, por ser também vespertino. Como todos os que o ouviram falar, Roberto admirava Lacerda, porém apontava-lhe outra

---

[72] Com o fim da Segunda Guerra Mundial (1939-45), o mapa geopolítico mundial foi dividido em dois blocos: o capitalista, liderado pelos Estados Unidos, e o comunista, sob a influência da extinta União Soviética. As duas superpotências produziram vasto arsenal nuclear. Como um conflito atômico significaria o apocalipse, o período ficou conhecido como Guerra Fria.

[73] Roberto Marinho, "Liberdade de informação", Assembléia Geral das Nações Unidas, 2 nov 1952.

[74] Roberto Marinho, carta ao irmão Ricardo, cerca de 1956.

qualidade que raramente é reconhecida. Armando Nogueira reproduz as palavras que ouviu de Doutor Roberto:

"Roberto considerava o Carlos Lacerda o maior conversador que ele já conhecera na vida e me disse: 'Carlos Lacerda tinha uma capacidade de conversar sobre qualquer assunto com grande conhecimento. Você podia ir de literatura a falar sobre rosas. Ele era capaz de conversar. ... Mas não é isso só o que caracteriza um grande conversador. Um grande conversador se caracteriza, sobretudo, pela capacidade de ouvir. O que eu aprendi com Carlos Lacerda: Carlos Lacerda tinha uma capacidade de ouvir. E de ouvir chatos. A capacidade de ouvir chatos de Carlos Lacerda era incomparável.'"[75]

Modéstia de Doutor Roberto: ele também tinha ouvidos para todo mundo. E não podia deixar de escutar e medir o impacto que causavam as palavras de Lacerda, emitidas num vozeirão envolvente e insinuante. Como na programação da Rádio Globo havia um horário tardio, a partir das dez e meia da noite, em que a audiência debandava, se esvaecia, Doutor Roberto teve a idéia. Assim, por circunstâncias políticas e de mercado, Carlos e Roberto tornaram-se aliados. A ruptura viria mais tarde, estrepitosa. Por causa de Carlos Lacerda, por pouco Roberto Marinho não comprometeu toda a sua biografia.

Mas isso é assunto para daqui a uma década. Agora, no primeiro semestre de 1954, o programa *Conversa em Família*, na Rádio Globo, batia todos os recordes de audiência, o país não conseguia dormir e se calava para escutar um demolidor com a palavra, reputado até hoje como o maior tribuno que o Brasil já teve: ao microfone da Rádio Globo, Carlos Lacerda atacava implacavelmente Getúlio Vargas e desmoralizava o governo, noite após noite, varando madrugadas. A pregação alcançava quase todo o país, o público ouvinte não se limitava ao Rio. Há relatos de viajantes que, ao caminhar por cidades do interior, altas horas, acompanhavam a voz de Lacerda num multiestereofônico artesanal:

40. Stella e Roberto Marinho, Letícia e Carlos Lacerda, antes do drama

[75] Armando Nogueira, 10 dez 2003.

em todos os domicílos, a mesma sintonia. Mesmo um transmissor pequeno – e o da Rádio Globo tinha então 50 quilowatts – ganha potência à noite, as ondas médias de rádio, AM, viajam melhor no escuro. Durante o dia, a Globo só pegava no Rio. À noite, cobria o Brasil inteiro, Manaus, Pará e Recife recebiam o sinal da Rádio Globo com clareza.

Na interpretação de Heron Domingues: "*O fenômeno Carlos Lacerda, antes de ser resultado das qualidades de talento e visão política do brilhante jornalista, é a conseqüência lógica de um rádio já evoluído e de um público consciente da importância da radiodifusão.*"[76]

Juntavam-se faísca e gasolina cada vez que Lacerda abria a boca diante do microfone. Durante o ano de 1954, a campanha contra Getúlio foi subindo de tom, saindo do controle de quem quer que fosse. Nem Carlos podia voltar atrás, por seu hábito de incinerar pontes, nem Getúlio tinha como apelar para a censura num regime democrático, e nem mesmo Roberto conseguiria deter o processo que já adquirira dinâmica própria e galopante.

"*O sr. Carlos Lacerda tornou-se, em 1954, uma figura nacional graças ao microfone da Rádio Globo. … Fui chamado ao gabinete militar da Presidência da República, uma das noites que antecederam a deposição do presidente Getúlio Vargas. Lá estavam o general Caiado de Castro, chefe da Casa Militar, o sr. Tancredo Neves, ministro da Justiça, e o então coronel Paulo Torres, chefe da polícia. Pediram-me que não mais permitisse que o sr. Carlos Lacerda falasse ao microfone da Rádio Globo. Neguei-me. O general Caiado disse-me, então, que o governo tinha poderes para fechar a Rádio Globo. … Não hesitei um momento. Levantei-me e disse que, assim, o problema estaria resolvido. O governo que fechasse a nossa emissora. O sr. Tancredo Neves esclareceu que não era intenção do governo fechar a Rádio Globo, mas apenas obter moderação nos pronunciamentos de Lacerda. Prometi agir para esse fim, o que, aliás, estava de acordo com minha maneira de sentir, pois sempre achei que as maiores campanhas podem ser levadas à frente sem insultos e desbordos de linguagem.*"[77]

No jornal, Roberto Marinho passava longe de um apoio incondicional à virulência lacerdista, porém não deixava de publicar os discursos radiofônicos na coluna O Globo no Rádio:

---

[76] Heron Domingues, op.cit.

[77] "Marinho afirma que Lacerda é oportunista e chantagista", *O Globo*, 5 set 1965.

"Ora, essa molecagem, essa explicação amolecada não é nem sequer uma defesa, é realmente uma molecagem, e não é com molecagens desse tipo que essa gente poderá se justificar perante a nação. ... Assim, quando o senhor Lourival Fontes vem a público e diz assim 'Juro pela minha idoneidade', nós temos o direito de perguntar 'qual?'. ... Quem está sob acusação não é Lourival, ...não é Goulart, não é ninguém. É o senhor Getúlio Vargas, presidente da República. É ele que se tem que defender. Boa-noite e até a próxima segunda-feira."[78]

Quando Getúlio Vargas pegou o revólver para tomar a sua última decisão política; na percepção popular, Lacerda, rádio, jornal, fosse *Tribuna* ou *Globo* – era tudo a mesma coisa.

Roberto Marinho passou a noite de 23 para 24 de agosto de 1954, na casa do vice-presidente Café Filho. De lá, partiu para a redação de *O Globo*, rodar a notícia que todos os jornais destacariam na primeira página: a deposição de Getúlio. Depois, insone como o país, seguiu para o apartamento de um colaborador e amigo – aquele que sofrera uma tesourada num artigo e motivara Roberto a dizer que, no *Globo*, cortaria texto até do pai, Irineu, lembram? –, o gaúcho João Neves, chanceler de Vargas até 1953.

"A ida ao apartamento de João Neves, onde ouvi a notícia da morte de Getúlio. 'Vou para O Globo*, que vai ser atacado pelos getulistas'. O ataque a O* Globo. *Como resistimos. Os pedidos infrutíferos de socorro. A minha saída, em meio à multidão."*[79]

O suicídio do presidente operou uma transformação imediata: a mesma massa que horas antes exigia a sua deposição clamava agora, enfurecida, por vingança. E entre os inimigos do "Pai dos Pobres", elevado instantaneamente à condição de mártir, *O Globo* seria um dos principais alvos. Enquanto na sede da rádio resistia-se à invasão eminente, o prédio do jornal era apedrejado:

"Todas as caminhonetes do Globo *foram incendiadas. Nessa época nós tínhamos entradas nas duas extremidades do* Globo*, uma na Bittencourt da Silva, com a porta de madeira, e outra nas oficinas, com uma grade dessas de levar ao chão. Então ficaram os nossos rapazes, o pessoal da oficina, forçando para vencer o populacho que estava querendo levantar, aos trancos, batendo. Dentro da redação,*

---

[78] Carlos Lacerda, programa *Conversa em família*, Rádio Globo, primeiro semestre de 1954.
[79] Roberto Marinho, Roteiro para "Condenado ao êxito".

*estávamos eu, o Roberto e o Ricardo, tentavam entrar no Globo. Se entrassem,
você pode imaginar o que ia acontecer. Quando o pessoal estava fazendo força e a
porta já cedia, porque a turba que estava fora era muito mais numerosa e levantava
a grade, alguém gritou: 'Cuidado que vai explodir!' E como nós tínhamos, dentro da
oficina, uns tambores de gasolina, por um momento eles pensaram que a explosão a
que o camarada estava se referindo fosse do lado de dentro. Então por um instante
largaram, e foi o tempo suficiente para o pessoal passar o cadeado embaixo."*[80]

Simultaneamente, a poucas dezenas de metros dali, a Rádio Globo
também escapou por acaso.

*"Nós estávamos na Rio Branco, já estavam construindo aquele edifício do Jockey
Club atrás, e a laje estava exatamente no terceiro andar. Se aquela gente que quis
invadir a Rádio Globo descobrisse que, se eles subissem por aqueles andaimes, iam
entrar na Rádio Globo facílimamente, eles teriam nos liquidado. Porque vieram para
a frente do edifício, e aí eu vi que todo mundo ficou nervoso. ... ficaram querendo
quebrar a porta, mas não conseguiam, a porta era muito resistente, era de ferro. ...
Aí eles pegaram pedras – tem até hoje uma espécie de museu na Rádio Globo com
essa pedras –, ... e nós nos defendemos, eles não conseguiram chegar, nos atingiram
com pedras, mas ninguém saiu ferido. ... Essa foi terrível."*[81]

De todas as lembranças terríveis dos dias de convulsão popular que
se seguiram ao suicídio do presidente Vargas, nem pedras, tiros ou fogo
traumatizaram tanto Doutor Roberto quanto um pedaço de papel: a carta-testamento de Getúlio. Ele não achava que o tempo tinha abrandado
a força daquelas palavras. Quando Paulo Gil Soares realizou um *Globo
Repórter*, "Os últimos dias de Vargas", em 1980, pensou em fechar um
segmento do documentário com as imagens do funeral, sobre trechos em
off da carta-testamento. Nem pensar! Não houve jeito de dobrar o chefe.
Mesmo vinte e seis anos depois, Roberto Marinho temia as conseqüências
daquela conclamação póstuma nas ondas da TV Globo.

TV Globo. Pouca gente sabe, mas uma das histórias mais espetaculares
da televisão mundial já tinha começado naqueles idos de 1950. Em 9 de
janeiro de 1951, a Rádio Globo encaminhara oficialmente ao governo
Dutra o pedido de concessão de um canal de TV. Não se espante com o

---

[80] Rogério Marinho, 2 mar 2000.
[81] Luiz Mendes, jornalista, 23 fev 2001.

fato de uma estação de rádio pleitear a concessão: quando a TV Tupi de Assis Chateaubriand foi inaugurada, seis meses antes, em São Paulo, a novidade chamada televisão foi anunciada como "a mais nova modalidade de rádio!". No dia 13 de março de 1951, Getúlio já empossado, o requerimento foi aprovado pelo governo. Dois anos depois, em janeiro de 1953, o presidente Vargas voltou atrás e revogou a concessão da TV Globo. Juscelino Kubitschek, em 1957, devolveria o direito de Roberto Marinho fazer sua televisão. A segunda concessão, para um canal em Brasília, foi outorgada por João Goulart. Todos os outros canais, que viriam a formar a Rede Globo, foram comprados mesmo, o Estado não deu mais nada. Esta informação é essencial para começarmos logo a investigar algumas "verdades absolutas" que o senso comum consagrou – entre elas, a de que Roberto Marinho teria se fartado em benesses e facilidades na ditadura militar. Como já vimos durante a tirania de Vargas, as relações entre imprensa, iniciativa privada e poder autoritário são bem mais complexas. Para entendermos os pontos de contato e atrito no relacionamento entre Roberto Marinho e a ditadura que se segue

41. Otimismo

179

Roberto, filho de Marinho

a 1964, é necessário fazer este registro: depois das concessões dadas por JK e Jango, Roberto Marinho não ganhou mais nenhuma emissora do Planalto fardado. Ao contrário, teve pedidos de concessão negados por ministros militares, como canais de TV em João Pessoa e em Curitiba, e emissoras de rádio em Brasília e Salvador.

Entre os pontos de contato, havia, sim, um objetivo comum de fortalecimento da Federação, com uma importante ressalva: o que tinha sido meta ideológica do pai Irineu, uma de suas afinidades com o Tenentismo, agora tornara-se interesse comercial, imperativo empresarial para Roberto. Os governos militares tinham, e cumpriram, o objetivo declarado de unificação nacional. Acontecia que onde chegasse um novo braço da Embratel, lá iam em seguida os executivos da TV Globo, ver se valia a pena adquirir uma nova emissora concessionária na região. Os marechais e generais, como sonharam tenentes, estavam unificando o país; a TV Globo, como sonhara Roberto Marinho, estava construindo a sua rede, a primeira do Brasil. Havia eventual identidade de interesses; moleza, não. Nada é fácil sob a ditadura, e Roberto sabia bem disso — já tinha sobrevivido a uma.

Faltava pouco para Doutor Roberto perder o medo de voar. Ou melhor, trocar o medo pela mania de voar! Ele era assim, quando descobria um brinquedo novo, não queria saber de outra coisa, virava mania. Depois a febre passava. A compulsão mais difícil de abandonar foi o hipismo — os cavalos! Com a caça submarina, vamos nos encontrar logo. Por enquanto, permaneçamos no convés, onde Roberto passava longas horas, nas viagens que fez para os Estados Unidos, durante a década de 50.

As viagens combinavam trabalho e entretenimento, bem de acordo com o temperamento desassossegado de nosso protagonista. Ficamos sabendo, por exemplo, amigo leitor, que num desses passeios pela América do Norte, Roberto descobriu que existia um negócio chamado *TV Network* — rede de TV! Ficou encantado e imediatamente convencido de que aquele era o caminho do novo veículo sobre o qual pairava tanto mistério. Anotem essa consciência de que a TV Globo deveria ser Rede Globo ainda nos anos 50...

Mas estávamos em velocidade cruzeiro, *mister* Marinho enlevado diante do oceano. Nessas horas, ele sempre se lembrava do pai, que tinha o costume de caminhar até a Praça xv e ficar admirando a baía de Guanabara: "*A sua paixão pelo mar, a sua ida diária ao Cais Pharoux, onde ficava longo tempo contemplando o mar. Hoje, … com a mesma paixão pelo mar, que gosto tranqüilo ou revolto, tempestuoso, fico fazendo a comparação, sem poder deixar de ter um pensamento de profunda ternura para com papai.*"[82]

Quem já fez uma longa travessia marítima sabe que, depois de um dia de viagem, o passageiro onipresente a bordo é o tédio. Para contornar a monotonia, promovem-se festas e jogos sob qualquer pretexto. Obviamente, uma das principais diversões consiste em presenciar os convivas "pagarem mico", como não se dizia antigamente. Dessas ocasiões, duas brincadeiras nos servem como bons exemplos do estado de espírito leve de Roberto Marinho naqueles anos jk. Uma delas evidencia o proverbial alto-astral de Stella Marinho: num desafio, seu cunhado Rogério tinha que vestir, ou melhor em se tratando de tal peça do vestuário feminino, instalar o espartilho na mulher de Roberto. É claro que não conseguiu, e todo mundo se esbaldou em gargalhadas.

A outra "pegadinha" teve como astro o próprio Doutor Roberto. Podemos inferir que, mesmo com o resultado desastroso, ali ele realizou um sonho de infância. Elizabeth, a Bebete, mulher de Rogério, não esqueceu da farra: "*O Roberto foi sorteado para reger a orquestra do navio. E ele foi, com a maior cara-de-pau. Ficou uma porcaria! Mas ele não perdeu a classe. Foi lá e regeu a orquestra. E era muita gente, uma orquestra grande.*"[83]

42. À vontade

Roberto andava feliz. *O Globo* tinha finalmente se instalado num edifício próprio, construído sob medida por César de Mello e Cunha e inaugurado no dia 16 de outubro de

82 Roberto Marinho, Roteiro para "Condenado ao êxito".
83 Elizabeth Marinho, 19 dez 2003.

43. A nova sede do jornal – Casa própria na rua Irineu Marinho

1954, na rua Irineu Marinho (aquela outra rua, na Urca, passaria a se chamar Roquete Pinto). Olha o homem de sorte aí: dois meses antes, o prédio novinho em folha teria sido atacado pelos órfãos de Getúlio...

O amigo César também ergueria a sede do próximo empreendimento de Roberto. A tal idéia que ele tinha metido na cabeça, e não havia santo capaz de demovê-lo. Comentava o assunto com o chofer Joffre quase todos os dias! Os irmãos e assessores alegavam que simplesmente não havia dinheiro para brinquedo tão caro. "Vai quebrar o jornal", "a empresa não agüenta", argumentos lógicos, irrefutáveis, nada adiantava! Encasquetara.

Nosso companheiro ainda não sabia, mas neste momento já havia gente se mexendo, uma grande empresa procurando precisamente alguém como ele, Roberto, para oferecer o dinheiro que não tinha. Em fins de 50, o grupo Time-Life, a mais parruda e respeitada editora de revistas dos Estados Unidos, planejava se aventurar no mercado da televisão. Já eram donos de alguns canais locais no país, mas não tinham rede. Em vez de *network*, pensavam em internacionalizar os investimentos e se associar a empresas de comunicação de outros países. Talvez até imaginassem algo remoto como uma CNN, uma rede sim, mas mundial, quem sabe? Pouco provável, e mesmo que isto tenha passado pela cabeça de algum gênio incógnito do Time-Life, o fim da história do envolvimento do grupo com tv seria melancólico. Saíram do ramo, não deram certo em lugar nenhum – nem em casa, nos States...

Naquele momento, sem que Roberto pudesse imaginar, o Time-Life procurava a embaixada do Brasil em Washington, buscando aconselhamento. No posto do embaixador Walter Moreira Salles, os americanos foram informados de que havia alguns impedimentos constitucionais para a participação de capital estrangeiro em empresas de comunicação brasileiras, porém, é mais que razoável supor, é claro que não foram rechaçados. Uma das principais funções de representações diplomáticas é dizer "bem-vindo" a qualquer intenção de injetar dinheiro na economia nacional.

44. Casa nova, rotativa nova

Informados dos eventuais obstáculos, os empresários ianques ganharam uma listinha preciosa de nomes de empresas e famílias brasileiras. O nome de Roberto Marinho figurava nessa seleção.

O próprio parceiro César de Mello e Cunha, que se encarregaria da argamassa do sonho televisivo de Roberto, conheceu numa viagem ao Oriente uma *joint-venture* do Time-Life, no Líbano. Já de olho funcional na arquitetura da tv – a carta é de 1962 –, escreveu para o amigo, no papel do Nile Hilton, do Cairo, onde tinha chegado depois de conhecer Luxor.

"Hontem escrevi a Stella dando impressões do Vale dos Reis – É de maravilhar! Quando estive em Beyrouth, notei que a imagem da televisão local era excelente, a melhor de quantas eu pude ver até hoje. ... (Fiquei impressionado com a nitidez da imagem e qualidade do som.) ... Pensei em você, na TV Globo e ... aproximei-me do diretor da empresa, ... que convidou-me a visitar as recentes instalações. Passei umas duas horas percorrendo todo o prédio e resumo abaixo o que pude anotar."

Mello e Cunha detalhava desde a corrente elétrica de Beirute, 120 volts, até as dimensões exatas do prédio, número, tamanho e função de estúdios e andares, do subsolo à torre de transmissão no próprio terraço.

183

45. Stella e Roberto Marinho com Gina e César de Mello e Cunha

"*1º andar: Snack bar ...*

3º andar: Jornalistas – Telescriptes, direção técnica, serviços de filmes (revelam filmes em 15 minutos) ...

4º andar: Programas ...

5º andar: Publicidade

6º andar: Presidência. ...

O grupo Time-Life está ligado a eles. Começaram ... em 1959 com um faturamento mensal de $3.000 [dólares] *e em janeiro de 1962 faturaram $85.000 ... Para 1962, já foi vendida uma publicidade de $800.000. ... O negócio parece que vai muito bem. Beyrouth é cheia de montanhas tal como o Rio. Que pena que você não tenha podido vir ...*"[84]

No Brasil, toda aquela euforia desenvolvimentista dos anos JK combinava com o espírito indócil de Roberto. De alguns projetos, discordava, principalmente da construção de Brasília no meio do cerrado. Daqui a pouco, vamos saber o conselho que Roberto Marinho deu a Juscelino Kubitschek a respeito de uma nova capital. Roberto tinha sido apresentado a JK pelo poeta Augusto Frederico Schmidt. Excelente poeta,

---

[84] Carta de César de Mello e Cunha, Cairo, 30 abr 1962.

empresário hábil, político de contatos quentes, Schmidt foi um dos grandes encantamentos de Roberto Marinho. O jeito arguto de Augusto Frederico Schmidt pensar o Brasil fascinava Doutor Roberto. Assim como o tornaria uma espécie de ideólogo do desenvolvimentismo de JK. É de Schmidt a paternidade da Operação Pan-Americana, organização fundamentada na idéia de que os Estados Unidos tinham obrigação de financiar o desenvolvimento latino-americano, por necessidades estratégicas de sua luta contra o comunismo. Com certeza, Schmidt contribuiu para que Roberto Marinho amadurecesse a decisão, já que não havia crédito interno, de pensar em investimento externo. Schmidt participou ativamente da conspiração para derrubar Jango, mas quando Juscelino foi cassado, não suportou o que considerou uma

46. Jorge Serpa, um conselheiro

injustiça, se afastou da política e morreu logo depois, cedo demais, aos cinqüenta e seis anos. Pode-se afirmar que um dos herdeiros de Schmidt no rol de interlocutores que Roberto Marinho privilegiava, pelo raciocínio lógico e capacidade de interpretação da realidade, foi Jorge Serpa. Só a inteligência acima da média os assemelha: Schmidt era expansivo, enquanto, se pudesse Serpa, seria só sombra; Schmidt era gordo, Serpa é magro; um era poeta, outro é estudioso de filosofia.

Se Roberto Marinho discordava frontalmente do projeto Brasília, *O Globo* incentivou como pôde, inclusive promovendo reuniões dos governadores regionais, a criação da Sudene e da Sudam. Doutor Roberto também apreciava o entusiasmo geral por uma indústria automobilística nacional, a animação das frentes de trabalho abrindo estradas, cortando o sertão – fez questão de experimentar pessoalmente o alpiste, digo, o asfalto da nova Rio-Bahia.

Há pouco, afirmamos que Roberto era homem de manias – quando encafifava com brincadeira nova, não se fazia outra coisa. Agora, andava na fase do *bridge*. Não queria saber de outro lazer, um baralho era o suficiente para noites e fins de semana de carteado a fio. Para encarar a viagem na rodovia Rio-Bahia, Roberto e seu amigo César de Mello e Cunha alugaram

Roberto, filho de Marinho

47. Na fase do carteado, a bordo do iate *Tamarind*

um ônibus para fazer a viagem. Equipado, adaptado para receber uma trupe de vinte pessoas – *famiglie grosse*, os casais Marinho e Mello e Cunha e filhos, mais amigos –, o ônibus tinha uma mesa de jogo instalada em posição estratégica, de onde Roberto mal se levantava. Adorava jogar. Ou melhor, adorava ganhar!

Enquanto jogava, ficava totalmente absorto, tornava-se alheio ao mundo. Aliás, amigo leitor, enredado comigo nesta reportagem, ainda não prestamos a devida atenção à desatenção de Roberto. Ele era um distraído. Quer dizer, era muito concentrado. Bem, ele era distraído de tão concentrado! Um exemplo: os filhos adolescentes resolveram testar o nível de alheamento do jogador de *bridge*. Na volta da Bahia, haviam trazido passarinhos a bordo, como se a lotação já não estivesse no limite. Pois bem, servia-se à mesa de jogo, de vez em quando, um pratinho com um amendoim qualquer para enganar o estômago de competidores tão empenhados.

Agora, vejam só que maldade fizeram com o ás do *brigde* Roberto Marinho. Os meninos, não vamos citar nomes... os meninos conceberam

Roberto Marinho

uma singela experiência:"Será que... se a gente botar, em vez de amendoim, será... será que se a gente encher uma cumbuca de... alpiste, por exemplo! Será que servido o alpiste... será que ele come?" – perguntaram-se os adoráveis infantes, e passaram de imediato à ação. Em questão de minutos, não ficou alpiste sobre alpiste. Doutor Roberto não só comeu a ração de passarinho, como parecia em atitude de "quero mais"! Gostou e elogiou. Quando ficou sabendo da molecagem, quase se engasga de tanto rir. Devia estar ganhando o jogo...

Em 11 de junho de 1962, Walter Moreira Salles, agora ministro da Fazenda do governo João Goulart, recebeu correspondência do presidente do Conselho do Time-Life, Andrew Heiskell. Pelo teor da carta, os contatos tinham evoluído, as negociações, frutificado:

"Rio, 11 de junho de 1962.

Senhor ministro

Conforme já tivemos ocasião de expor a V. Ex^d., ... expandimos também para o campo da televisão ... em países estrangeiros (Alemanha e Líbano) ... com sucesso.

De acordo com a Constituição brasileira, não podemos fazer o mesmo no Brasil. Entretanto, estamos desejosos de proporcionar a estações brasileiras a experiência e os conhecimentos adquiridos, e de colaborar com parte do custo de instalação das estações mediante suprimentos em conta de participação nos lucros, sem participar, entretanto, da orientação intelectual ou administrativa das estações, como exige a Constituição brasileira."

O texto evidencia que Roberto Marinho encontrara mecanismos legais para se capitalizar no exterior. No parágrafo seguinte, mr. Heiskell já tratava de questões objetivas, técnicas, da transferência cambial:

"... desejamos chegar a um acordo com o Banco do Brasil, para a realização de swaps, pelos quais poríamos dólares à disposição do Banco em Nova York, e ele nos proporcionaria cruzeiros correspondentes no Brasil."

Não é descabido estabelecer um paralelo entre a estratégia empresarial de Roberto de se associar ao capital estrangeiro e a decisão do presidente Juscelino de custear os seus "cinqüenta anos em cinco" fazendo dívida externa. No fim, a parceria conturbada com o Time-Life acabaria convertida em dívida também. Com a fundamental ressalva, mostra exemplar da diferença na condução de negócios nos setores privado e público, de que Roberto Marinho pagou a sua dívida.

48. Com Jânio Quadros, a decepção

Ah! A resistência a Brasília. Como muita gente pensante, Doutor Roberto julgava uma insensatez aquela história de edificar uma cidade no meio do nada. É célebre a resposta de JK a uma repórter francesa, em visita à região onde se iniciariam as obras. A correspondente comentou: "Mas, é um absurdo fazer uma cidade aqui, no meio do deserto." Kubitschek retrucou poeticamente: "*Minha filha, absurdo é o deserto...*"[85] Não faltava poesia visionária naqueles tempos. O que simplesmente não havia mesmo era dinheiro para bancar tal epopéia. Roberto Marinho se afinava com esta linha crítica de alguns opositores da construção de Brasília, empresários, banqueiros, donos de quitanda – gente que tem que fechar as contas no fim do mês. De forma que, quando teve a chance, Doutor Roberto fez uma brilhante exposição de motivos, "você pode até criar prédios lá, mas você não vai levar essa convivência, esse espírito que está criando o Brasil e que criou você", e encaminhou a proposta – em forma de pergunta, o que, já sabemos, fazia

49. JK escuta

[85] Cláudio Bojunga, *JK*.

parte de seu estilo – ao presidente Juscelino: *"Por que o senhor não constrói a nova capital ali na Barra?"*

A história nos ensinou que JK transformou o Brasil, governando em meio a renitentes tentativas de golpe com um inabalável sorriso democrata, e que deixou a conta para o sucessor. Quanto da sandice de Jânio Quadros pode ser atribuída à dívida monstruosa que lhe foi legada, esta "herança maldita", fica difícil avaliar. Na contabilidade política da memória de Roberto Marinho, porém, Juscelino se saiu melhor que Jânio. Numa entrevista que concedeu em 1984, Doutor Roberto fez uma listinha de presidentes, numa escala de grandeza. A propósito, uma das manifestações mais comuns de seu humor irônico era esta: gostava de dar notas para as pessoas, fosse a cozinheira ou o prefeito, o piloto ou a repórter. Eis a opinião de Roberto Marinho acerca de alguns de nossos governantes:

"Uma admiração definitiva pelo marechal Castelo Branco e uma decepção incontida pela renúncia de Jânio Quadros. Nos outros casos, o julgamento é frio, profissional. Getúlio e Geisel estiveram acima da média; Dutra, Juscelino e Médici ficam no meio; Costa e Silva e Jango, abaixo. Mesmo assim sobram boas doses de compreensão para com os piores da classe. Costa e Silva foi uma alternativa antes da indesejável ditadura ostensiva; e Jango, embora não tivesse nenhum preparo, era de convívio pessoal agradável e foi vítima de tudo o que criou"[86]

Quanto à nova capital, Roberto Marinho, assim como o resto da torcida do Flamengo, teve de se curvar a uma evidência de concreto armado em curvas elegantes: Brasília.

Durante os anos JK, Roberto contraiu uma nova mania. Esta séria, definitiva, paixão arrebatadora. A caça submarina, à qual foi apresentado por um homem que se tornaria parceiro literalmente inseparável: Victório Berredo.

50. Isso é que é vida!

[86] Roberto Marinho, "O fazedor de reis", *IstoÉ*, 12 dez 1984.

51. Com Victório Berredo, Carlos Tavares e os troféus

Roberto procurou Victório por causa de uma nova máquina que tinha visto na TV, no seriado *Aventuras Submarinas*, em que o ator Lloyd Brigdes desempenhava o papel do mergulhador Mike Nelson. O artefato era uma espécie de motoca subaquática, um propulsor ao qual o "homem-rã" se agarrava para evoluir velozmente em suas aventuras. Consumista militante, "novidadeiro", Doutor Roberto comprou o troço, mesmo sem saber como usá-lo. Para aprender, procurou Victório Berredo, praticante pioneiro da caça submarina no Brasil. O brinquedo importado perdeu a graça depois do primeiro mergulho. Sem a bendita lambretinha marítima, o mundo da caça submarina era muito mais fascinante!

Victório largou o emprego no Banco Brasão, de seu padrasto Hilton Santos, e passou a dedicar sua vida a Roberto Marinho. Tornaram-se amigos íntimos e queridos. Victório Berredo virou um supersecretário presente em todos os momentos da vida de Doutor Roberto. Num breve testemunho, no livro de depoimentos comemorativo dos noventa anos de Roberto Marinho, Victório descreve suas primeiras impressões do amigo-patrão:

"...fiquei espantado, logo no primeiro dia, ao vê-lo sentado à mesa, cercado de seus diretores, discutindo minúcias sobre O Globo, *como se ainda estivesse para ser lançado o primeiro número do jornal. Também me admirei ao observar que, no meio de vários assuntos importantes, ao receber a visita de um amigo ausente há*

muito tempo, cobrava a missão que lhe fora confiada como se o assunto tivesse sido tratado na véspera; isso depois de perguntar a esse amigo como estava a sua vida e se podia ajudá-lo. Fiquei ainda impressionado com a sua determinação. Quando tinha um assunto importante para tratar, dava a esse assunto prioridade número um e não o largava até que fosse resolvido ... "[87]

No jornal, a mesa de Berredo ficava na própria sala de Roberto, trabalhavam colados. Poliglota – com fluência falada e escrita em inglês, francês, alemão e espanhol –, traduzia notícias, textos, conversas de negócios; homem de confiança incondicional de Doutor Roberto. Em casa também, fosse em recepções mais formais ou informais, fosse na diversão dos fins de semana, Victório, sempre discreto, silencioso, quase imperceptível, mas sempre presente – em todas as ceias de Natal, em todos os réveillons.

Querido por Roberto e por Stella, Victório foi um dos muito poucos a permanecerem próximo a ambos depois da traumática separação que cindiu família e amigos. A Stella gostava de perguntar, antes de mergulhar, quantas pessoas receberia para o almoço, para trazer o número suficiente de lagostas. Victório gostava de cozinhar, e mais ainda de comer.

Doutor Roberto se divertia narrando a ocasião em que saíram os dois à cata de um determinado restaurante parisiense que servia ostras excepcionais, segundo Victório. Não conseguiram encontrar o lugar e comeram num bistrô qualquer mesmo. Pois não é que, no fim da refeição, saíram à rua e deram de cara com o tal restaurante das ostras? O glutão Victório não se avexou: meteu o dedo na garganta, botou tudo para fora e rumou feliz da vida às ostras!

A dedicação de Victório era tamanha, tão despida de segundas intenções ou ambições, que poupava o chefe de conversas sobre temas desagradáveis como salários e aumentos. Até que, por acaso, Doutor Roberto descobriu que o ordenado de Victório andava escandalosamente defasado, há muitos anos sem sequer reajuste. Imediatamente ordenou a correção dos proventos de Victório e ainda providenciou uma polpuda gratificação, como ressarcimento.

Sobretudo, eram parceiros de barco. Antes de Victório, o mar fora apenas a paisagem preferida de Roberto, no Rio ou na fazenda de Cardeiros. Na

191

---

[87] Victório Berredo, em *Roberto Marinho 90: depoimentos*.

região de Cabo Frio, participava de pescarias com os amigos Raymundo de Castro Maya e César de Mello e Cunha. Fisgavam peixes há décadas, mas pescavam de linha, o que se tornou monótono para o gosto de nosso personagem. Ele achava mais divertido, por exemplo, catar camarões quando se aproximavam de Cardeiros, à noite. Parava o carro, arregaçava as calças, tirava os sapatos e – segundo o motorista Joffre – "... *tinha aquela lamparina preparada, apanhava com a mão ali, camarão assim era mato!*"[88]

Nada que se comparasse, de longe, ao mergulho. E que fique claro: não o seduzia apenas a beleza das profundezas, suas luzes, cores – não tinha esse negócio contemplativo de mergulho para apreciar a paisagem. Era caça, caça submarina: arpão, peixe, perseguição, apnéia, fôlego, luta.

Quem poderia prever que, nos próximos anos, Roberto Marinho precisaria de um fôlego extraordinário para superar as piores tormentas de sua vida pessoal e pública. Na esfera social, ele enfrentaria um dos mais temíveis adversários de nossa história política, Carlos Lacerda. No plano íntimo, perderia a confiança da companheira Stella, iniciando a longa e penosa agonia de seu primeiro casamento.

Além de mãe de seus quatro filhos, Stella foi decisiva para a lapidação de Roberto, sempre em busca de uma certa "sofisticação" que as circunstâncias de sua biografia lhe negaram. Com Stella, Roberto sofisticou-se por osmose, por amor.

Algumas das últimas lembranças de uma cumplicidade franca e risonha entre o casal vêm dos cruzeiros no mar Mediterrâneo. Alugavam iates e aproveitavam as férias de porto em porto, numa farra familiar, que já sabemos tradicional dos Marinho. Um porto, em especial, tornou-se parada obrigatória. Portofino, vilarejo charmosamente acomodado num promontório, logo no início do litoral italiano, para quem vem de Mônaco, ali na fronteira leste da Costa Azul francesa.

Acontece que, além da beleza encantadora do antigo povoado de pescadores e da hospitaleira atmosfera mediterrânea, Portofino abrigava a loja da Bruna. Sim, Bruna, dona de um estabelecimento comercial encravado na rocha, especializado em artigos marítimos. Bruna era casada com um mergulhador profissional, dois armários de forte. Podem compor a cena de

RM

---

[88] Georges Joffre Delahaye, 12 jan 2004.

comédia italiana: Bruna arrastando o maridaço pelas orelhas, aplicando-lhe boas vassouradas por causa de um deslize qualquer, e o Maciste lá, obediente até fora d'água. Porém, o pastelão para valer teria como protagonista um certo brasileiro, de quem já nos sentimos íntimos, a esta altura de nossa viagem.

Doutor Roberto adorava a loja de Bruna, e Bruna adorava Doutor Roberto – os dois tinham uma empatia que transcendia as relações entre bom freguês e lojista. Na casa de pedra de Bruna, Doutor Roberto entraria em contato com algo fantástico, um traje revolucionário e que ainda deixava qual-

52. Bons tempos

53. A primeira roupa de borracha do Brasil

quer um com aparência de super-herói: a roupa de mergulho, confeccionada em borracha com neoprene. Espetacular, permitia ao sujeito mergulhar sem se molhar, nem sentir frio.

Antes de conseguir importar os incríveis trajes submarinos, Doutor Roberto tinha desenhado pessoalmente e mandado confeccionar o figurino aqui mesmo, sob medida, com a borracha disponível – o neoprene ainda tardaria a chegar. Assim, Roberto Marinho tornou-se o primeiro brasileiro a despencar profundas abaixo coberto por um estranho modelito, *made in Brazil*, que funcionava direitinho e prestou ótimos serviços durante bom tempo.

Roberto tinha cerca de cinqüenta anos quando se apaixonou pela caça submarina e começou a praticar o esporte obsessivamente, como de seu costume.

Mas a loja de Bruna entra na história por outro motivo. Tratava-se de um lugar meio acanhado, apinhado de mercadorias, que não oferecia exatamente uma cabine para prova de roupas. Ávido por experimentar mais uma novidade, Roberto tentava se espremer no traje elástico e, puxa daqui, estica dali, de repente... o tombo espetacular! Doutor Roberto é arremessado loja adentro e afora, cai por cima das estantes, rolando, derrubando tudo sobre si mesmo, um pandemônio! Com o detalhe de que estava pelado:

"Ao ser catapultado para fora da caverna, ele bate numa estante cheia de porcarias, de coisas náuticas, máscaras, não sei o que lá, cai com a estante no chão, absolutamente em pêlo, nu, com todos os argumentos de fora, e tal. E havia duas americanas dentro da loja que saem aos berros, mulheres milionárias americanas, aquelas com os cabelos armados assim, visitando a Itália. Saem aos berros de dentro da loja, e aí senta a Bruna olhando para ele, ela puxa a cadeira, olha para ele nu em

cima da estante, e diz: "Ma mia corvina, ma mia corvina, ma mia corvina!!!" *Mas a mulher, em vez de estar zangada, estava às gargalhadas."*[89]

Corvina é um belo peixe, conhecido pela elegância majestosa dos movimentos, mesmo em situações de perigo. Ou seja, em tradução livre, Bruna glosava carinhosamente do estabanado cliente: "Ai meu peixão, ai meu peixão!"

No Brasil, havia tubarões à espera, determinados a baixar as calças de nosso peixão. Carlos Lacerda, contrariado em suas ambições, converteria-se de aliado em adversário.

Roberto Marinho, notável negociador e sedutor quase hipnótico, sempre conseguira evitar a via do confronto. Levara adiante sua empresa, ganhando prestígio político apesar de comandar um modesto vespertino, sem desafiar frontalmente os grandes da época. Até esse momento de sua biografia, Roberto demonstrara habilidade excepcional para crescer de forma discreta, sem que os mais poderosos se sentissem ameaçados.

Encontramos um exemplo eloqüente da natureza do poder de Roberto Marinho em sua primeira entrevista à televisão, no programa *Noite de Gala*, com Heron Domingues, na TV Rio, canal 13. Lembremos brevemente quais eram os jornalões da época: *Correio da Manhã, Diário de Notícias, O Jornal, Jornal do Brasil* e, na batalha dos vespertinos, *O Globo* não podia baixar a guarda um só dia contra a *Última Hora*. No entanto, com o seu objetivo declarado de atender e agradar a todos – da empregada ao patrão, passando pelas moças e crianças, seduzidas pelas duas páginas fartas em quadrinhos – *O Globo* transcendera o leitor médio "tijucano" e tornara-se de fato o segundo jornal de todas as famílias, aquele que o papai trazia para casa no fim do dia.

Agora, uma observação intrigante: apesar de marcar sempre sua posição, e vamos rememorar a tradição da imprensa brasileira de medir a independência de um jornal pela sua firmeza ao manifestar opinião, há uma dinâmica peculiar, exclusiva do *Globo*. Sim, o jornal transferia poder político a Roberto Marinho e, ainda sim, era Roberto Marinho quem transferia poder político ao *Globo*. Sem menosprezar a realidade numérica – *O Globo* já tinha alcançado, durante os anos 50, a mais alta circulação entre vespertinos e matutinos

195

---

[89] Roberto Irineu Marinho, 2 dez 2003.

54. A primeira aparição na TV – entrevista a Heron Domingues no programa *Noite de Gala*, 1962

brasileiros, daí o *slogan* "o maior jornal do país" –, sabemos que tiragem não significa necessariamente prestígio ou credibilidade. Se fosse um cheque, os fundos de *O Globo* seriam tão-somente a figura de seu proprietário Roberto Marinho. Essa dinâmica toda própria entre *O Globo* e o seu diretor-redator-chefe pode ser ilustrada pela história que Chico Caruso conta, quando migrou do *Jornal do Brasil* para a primeira página de *O Globo*.

"Eu me lembro quando levei o primeiro desenho colorido no Globo, *o Doutor Roberto falou assim: 'Você vai ver a repercussão que o teu desenho vai ter no meu jornal.' Aí saiu o primeiro dia, e os meus amigos não tinham visto. O pessoal com quem eu andava não lia* O Globo. *Aí, eu estava chegando no meu ateliê, e uma senhora no terceiro andar disse assim: 'Oi, parabéns!' 'Parabéns por quê?' 'Você está no* Globo'. *Aí eu falei: 'A senhora lê* O Globo?', *e ela respondeu: 'Eu vejo tudo que o Roberto Marinho faz.' Aí eu entendi quem era o público do* Globo, *era o pessoal que achava o Roberto Marinho um gato."*[90]

[90] Chico Caruso, 28 jun 2000.

Voltemos à apresentação da entrevista na TV Rio, quando, ao vivo, Heron Domingues, declarou:

"*Heron: ... Aqui está portanto, meus amigos, preparem-se para ver uma personalidade que jamais compareceu aos programas de televisão, o diretor-redator-chefe de* O Globo, *talvez o mais poderoso deste país.*

Na bucha, bom entrevistador que era, Heron mandou a primeira pergunta:

Heron: *Companheiro Roberto Marinho, você é inimigo da televisão?*

Roberto: *De modo algum. Sou de temperamento retraído, e as luzes e as câmaras da* TV *me assustam. Estou aliás montando uma emissora de televisão, a* TV Globo, *que espero dirigir... a uma prudente distância.*"[91]

Sim, Roberto comandaria "*a uma prudente distância*", a maior empreitada de sua vida, um caso de sucesso retumbante, único na história da TV mundial.

Só que, para alcançar essa vitória, o jornalista que sempre lograra atuar devidamente protegido pelo escudo da notícia, esta sim em primeiro plano, se veria lançado no foco central dos holofotes do escândalo.

Agora era a guerra contra o mais feroz inimigo da praça: a "metralhadora giratória", expressão consagrada no vernáculo, criada pelo deputado Vieira de Melo para definir precisamente Carlos Lacerda – um homem adjetivo.

O enfrentamento dos dois ex-amigos bem merece definição melhor que o clichê "duelo de Titãs", mas há momentos em que o lugar-comum não tem melhor tradução. Eram dois gigantes: um na retórica agressiva, outro na coragem obstinada.

Em 2004, vistos sob perspectiva histórica, os detalhes de tal embate – ataques e defesas, avanços e recuos – se revestem muitas vezes de uma pátina de ridículo. Isso nos permite fazer uma simplificação esquemática da luta: há pretensões políticas contrariadas, por um lado, e interesses empresariais sabotados, por outro.

Roberto Marinho pretendia construir um condomínio de luxo no que fora a propriedade de Henrique Lage, uma vasta porção preservada de Mata Atlântica na rua Jardim Botânico. O projeto arquitetônico tinha equilíbrio, preservava a exuberância da floresta, sem deixar de abrir uma trilha milionária de lucros em potencial. Tratava-se de um empreendimento imobiliário à frente de seu tempo.

---

[91] Roberto Marinho, em entrevista a *Noite de Gala*, 17 dez 1962.

Carlos Lacerda, que contara com o apoio de *O Globo* para eleger-se governador do então estado da Guanabara, não escondia seu desejo ardente de chegar ao Palácio do Planalto. Golpista desde sempre, para alcançar a Presidência participaria ativamente da conspiração vitoriosa de 1964.

Diga-se a favor de Lacerda que o golpismo era a regra generalizada, não a exceção. Hoje, os historiadores se dividem entre aqueles que chamam o movimento de abril de 1964 de golpe, contragolpe ou golpe preventivo.[92]

A "direita" queria tomar o poder na marra há décadas, mas o suicídio de Getúlio tinha postergado seus planos. O que não impediu Carlos Lacerda de disparar uma de suas mais famosas rajadas: *"Juscelino Kubitschek não pode ser candidato. Se candidato, não pode ser eleito. Se eleito, não pode tomar posse. Se tomar posse, não pode governar."*

A "esquerda" não diferia em objetivos. Para comunistas e aparentados, a democracia não passava de uma farsa burguesa, destinada a perpetuar a malignidade supostamente exclusiva das "classes dominantes". Eleições eram apenas ópio para o povo, e só a revolução poderia levar os trabalhadores ao poder, tornando "'substantiva" uma democracia que denominavam "adjetiva".

Acrescente-se ao painel o ápice da Guerra Fria. Em 1959, Fidel Castro fizera a revolução em Cuba e tornara a ilha um satélite soviético a cento e quarenta e cinco quilômetros dos Estados Unidos. Na madrugada de 13 agosto de 1961, o Muro de Berlim começara a ser erguido. Em 1962, por

Roberto Marinho

[92] Entre 31 de março e 1º de abril de 1964, militares iniciaram um movimento com o objetivo de depor o presidente João Goulart. Contavam com o apoio do empresariado e de grupos conservadores que estimularam a intervenção militar como forma de conter a "ameaça comunista" e controlar a crise econômica. A vitória do golpe trouxe mudanças profundas na organização política, econômica e social do Brasil. O novo regime mudou as instituições do país através de decretos, os Atos Institucionais. Já no dia 9 de abril, os militares baixaram o primeiro Ato Institucional. A medida reforçava o poder executivo e reduzia o campo de ação do Congresso, autorizando o governo a cassar mandatos de funcionários públicos e a suspender direitos políticos pelo prazo de dez anos. Uma onda de repressão tomou conta do país: centenas de pessoas foram presas e torturadas. Diversos inquéritos policial-militares (IPM) foram abertos para apurar atividades consideradas subversivas. No dia 11 de abril, o general Castelo Branco assumiu a Presidência da República. Era o primeiro dos cinco militares que assumiriam o cargo durante os vinte e um anos que o Brasil viveu sob a ditadura militar. No final de 1965, começaram a se organizar a Aliança Renovadora Nacional (Arena) e o Movimento Democrático Brasileiro (MDB), depois da edição do Ato Institucional nº2 (27 out 1965), que extinguiu o sistema partidário existente, e do Ato Complementar nº4, que instaurou o bipartidarismo. Fundado em março de 1966, o MDB reuniu os parlamentares dos partidos de oposição ao governo militar, que tinham como objetivo restaurar a normalidade democrática no país. Já a Arena, instituída no mês seguinte, absorveu os políticos que apoiavam o regime, funcionando como partido de sustentação do Executivo. O MDB e a Arena foram extintos em novembro de 1979, quando o Congresso restaurou o multipartidarismo.

um triz a Crise dos Mísseis[93] em Cuba não iniciou um conflito nuclear entre americanos e soviéticos.

Como este é um perfil pessoal, e não um tratado histórico, o mais importante agora é recapitular, de forma sucinta, a atuação de Roberto Marinho nos anos imediatamente anteriores ao movimento militar de 1964. Depois da renúncia de Jânio, *O Globo* defende a posse de João Goulart, em nome do respeito à Constituição. Com a radicalização do governo de Jango, cada vez mais próximo aos esquerdistas e receptivo aos partidários de um regime sindicalista, Roberto Marinho alia-se a Manoel Francisco Nascimento Brito, do *JB*, e a João Calmon, dos Diários Associados de Chatô, na Rede da Democracia. A partir de 26 de outubro de 1963, na luta contra a "ameaça vermelha", as rádios Globo, Jornal do Brasil e Tupi passam a transmitir em rede, todas as noites:

"Todos os democratas devem participar da luta pela causa nacional que é a da liberdade, da justiça e do direito. ... Todas as autoridades empenhadas na defesa do regime e das liberdades democráticas terão o apoio irrestrito da Rede da Democracia."[94]

Estas foram algumas das primeiras palavras de Roberto Marinho, na "Rede da Democracia", que não poderia omitir um recado endereçado ao oportunismo de políticos, entre os quais logo se incluiria, como inimigo íntimo, Carlos Lacerda: *"Há certos homens, hoje, no Brasil, dentro e fora do governo, que não desejam outra coisa que ver os seus nomes propagados por esta enorme Rede da Democracia. A meu*

55. Com Jango

---

[93] A Guerra Fria teve seu momento mais crítico em outubro de 1962, quando aviões norte-americanos detectaram bases de mísseis soviéticos em Cuba. Os Estados Unidos ameaçaram iniciar uma ofensiva nuclear, e o mundo ficou paralisado, na expectativa de uma guerra iminente. O embate foi contornado com a retirada dos mísseis soviéticos.

[94] Roberto Marinho, "Levada a todo o país a mensagem da esperança da Rede da Democracia", 26 out 1963.

ver, esses nomes deviam ser completamente omitidos, mesmo porque entendo que este movimento não deve ter caráter polêmico."[95]

Bem, agora o resumo da operística contenda entre Marinho e Lacerda a respeito da pequena reserva florestal no bairro do Jardim Botânico: Roberto não apoiou a candidatura presidencial de Carlos, e este se vingou desapropriando o terreno e criando o Parque Lage. Há pouco mencionei a camada de ridículo depositada pelo passar dos anos em eventos momentaneamente dramáticos. Um bom exemplo deste ridículo ficou registrado na acusação proferida por um dos mais próximos assessores de Lacerda, que "denunciava" o "verdadeiro projeto" de Roberto Marinho. Associado a Arnon de Mello, em realidade Marinho tencionaria construir ali um "cemitério infantil"! Uma acusação que desmoraliza o acusador, convenhamos.

Importante lembrar aqui a atitude do sócio de Roberto quando a polêmica do Parque Lage começou a pegar fogo. Arnon de Mello abandonou a sociedade, e Roberto sentiu o golpe, considerou-se traído. Um quarto de século depois, quando Fernando Collor de Mello, filho de Arnon, despontou como a novidade da campanha nas primeiras eleições livres, depois da ditadura militar, a resistência de Roberto Marinho ao rapaz foi imediata. Não esquecera a traição do pai e *"Não lhe agradaram os olhos vidrados de Collor, o jeito empertigado, não simpatizara com ele e implicara especialmente com os punhos da camisa dobrados..."*[96]

A peleja Carlos *versus* Roberto teria outros *rounds*, mas é impossível continuar acompanhando esta novela sem nos determos num capítulo decisivo: a queda de Jango.

Na sexta-feira, 13 de março de 1964, ao sair do jornal, Roberto Marinho pediu a seu motorista Joffre para dar uma passada na Central do Brasil, onde se realizava naquele momento o "comício das reformas de base", com a presença do presidente da República, João Goulart. Bandeiras vermelhas, foices, martelos, palavras de ordem revolucionárias, e o dono do *Globo* passando devagarinho em seu automóvel para dar uma espiada. Depois seguiu para casa e observou a quantidade de velas acesas nas ja-

---

[95] Idem.
[96] João Roberto Marinho, 27 out 2003.

nelas da cidade. A classe média, silenciosa como quase sempre, respondia com chamas tremelicantes aos discursos tempestuosos na Central. Era o protesto mudo da alma "tijucana", lembram-se?

Uma semana depois, os tocos de parafina seriam substituídos por faixas e cartazes nas ruas de São Paulo, na Marcha da Família com Deus, pela Liberdade.

"A disposição de São Paulo e dos brasileiros de todos os recantos da pátria para defender a Constituição e os princípios democráticos, dentro do mesmo espírito que ditou a Revolução de 32, originou ontem o maior movimento cívico já observado em nosso estado: a Marcha da Família com Deus, pela Liberdade.

Com bandas de música, bandeiras de todos os Estados, centenas de faixas e cartazes, numa cidade com ar festivo de feriado, a 'Marcha' começou na praça da República e terminou na praça da Sé, que viveu um dos seus maiores dias. Meio milhão de homens, mulheres e jovens — sem preconceitos de cor, credo religioso ou posição social — foram mobilizados pelo acontecimento. Com 'vivas' à democracia e à Constituição, mas vaiando os que consideram 'traidores da pátria', concentraram-se defronte da catedral e nas ruas próximas."[97]

Há uma conspiração em curso, envolvendo empresários, militares, políticos, mas no dia 31 de março de 1964 Roberto Marinho revela-se surpreendentemente mal informado a respeito da movimentação nos quartéis. É seu irmão Rogério, bem mais envolvido com os conspiradores, que traz as novas: tropas partiram de Minas em direção à capital da República.

"... eu entrei na sala do Roberto e disse: 'Você sabe o que está ocorrendo?' 'Não.' 'É a revolução, Roberto.' 'Tá louco? Que revolução? Quem foi que te contou?' ... eu disse: 'Roberto, é a revolução. Eu estou te falando. A revolução está estourada.' Ele: 'Quem te contou?' 'Bom, eu não posso dizer.'"[98]

Jorge Bhering, dono da fábrica de chocolates, tinha contado, numa volta de carro pela avenida Presidente Vargas. Roberto liga, ato reflexo, para um amigo querido, sempre ultra bem informado, o banqueiro José Luiz de Magalhães Lins. Almoçavam juntos com freqüência e, em circunstâncias normais, ao atender à chamada, Zé Luiz tomaria, incontinente, o caminho da sala de Roberto:

"O Roberto me ligou: 'Você pode vir até aqui?' 'Hoje não posso. Eu estou envolvido aqui.' A única vez que o Roberto Marinho foi ao meu escritório foi

---

[97] "São Paulo parou ontem para defender o regime", *Folha de S. Paulo*, 20 mar 1964.
[98] Rogério Marinho, 19 jun 2003.

56. Com José Luiz de Magalhães Lins e Walter Clark

nesse dia, 31 de março. Quando ele chegou lá, por acaso me telefonou o Castelo Branco. Eu estava importante pra burro. Atendi, falei o que tinha de falar e voltei para conversar com ele. Até aconselhei ele a se esconder. 'Você se esconda aí porque ninguém sabe.' O Rio estava sitiado. O Carlos Lacerda ficou cercado no Palácio da Guanabara. O Roberto então tomou os cuidados, que não sei quais foram, porque a sede do O Globo *podia ser invadida."*[99]

Ninguém ousa prever o que pode acontecer nas próximas horas, durante a noite. Roberto manda Stella e os filhos deixarem o Cosme Velho. A mulher fica na casa de verão da família, no Alto da Boa Vista, e toma providências para cada filho pernoitar num lugar diferente, com parentes e amigos. Os golpistas esperam resistência, e o nome de Roberto Marinho sempre é citado quando se fala na notória lista dos condenados ao "paredão" de uma revolução comunista. O amigo José Luiz de Magalhães Lins, envolvido até o queixo na conspiração, passa a noite perambulando pelas calçadas da cidade, evitando a luz dos postes. Roberto resiste onde sempre resistiu: na redação de O Globo. Na manhã de 1º de abril de 1964, fuzileiros leais a Jango, comandados pelo almirante Cândido Aragão, ocupam a redação de O Globo e impedem a circulação do jornal. Diante

[99] José Luiz de Magalhães Lins, 16 dez 2003.

do silêncio geral nas oficinas, o militar consegue tornar tudo ainda mais constrangedor, com o chiste infeliz: "O Globo *não vai circular. Bem melhor para vocês, que assim ganharão o dia sem trabalhar.*"[100]

Enquanto isso, Jango voa para Brasília e de lá para Porto Alegre. Este é o golpe letal contra o governo Goulart, desferido pelo próprio presidente. Confirma-se a previsão contida numa conversa, dias antes, entre João Goulart e o amigo de Roberto Marinho, Jorge Serpa. Jango teria dito: "Agora vou assumir as bandeiras da oposição!". "A que governo?", replicou Serpa.

No momento, os conspiradores – convencidos da necessidade de depor Jango, mas sem alternativas a ele no horizonte – descobrem, como dizia o Barão de Itararé, que "as conseqüências vêm depois...". Quando o general Costa e Silva, já nas primeiras horas, fala em "Comando Revolucionário", e naturalmente reivindica sua liderança, os golpistas civis se assustam.

"Veio aquele negócio que ninguém esperava. Eu só conheci o Costa e Silva depois de 31 de março. Eu que estava envolvido totalmente, porque Minas liderava o processo, nunca tinha conhecido de nome! Nem de nome! Eles assumiram e tomaram conta."[101]

Roberto Marinho se torna um dos principais defensores da posse do general Castelo Branco, seu amigo e militar democrata. Posse que afinal se dá no dia 9 de abril. Por falar em datas, depois de ouvir uma longa conferência de Castelo Branco, na Escola Superior de Guerra, referindo-se repetidas vezes à "revolução de 1º de abril", Rogério Marinho procura desabaladamente algum general para transmitir uma orientação urgente:

"Quando o Castelo foi fazer a conferência, ele se referiu o tempo todo à revolução de 1º de abril. Eu fiquei horrorizado com aquilo. Então, o que eu fiz? Cheguei para o Costa e Silva, que eu conhecia muito, e disse: 'General, isso assim, assim.' Ele disse: 'Vou falar com o Castelo agora.' Falou com o Castelo e mandou trocar, antes de dar à imprensa, 1º de abril para 31 de março."[102]

Nem o leitor, nem a grandeza dos personagens "clinchados" na briga, nem o desejo de justiça histórica merecem que este livro reproduza os

[100] Almirante Cândido Aragão, *apud* "A violência contra *O Globo*", 2 abr 1964.

[101] José Luiz de Magalhães Lins, 16 out 2003.

[102] Rogério Marinho, 19 jun 2003.

57. Com o marechal Castelo Branco e o poeta Manoel Bandeira

termos empregados na polêmica Lacerda *versus* Marinho. Esgrima verbal? Quem dera! Quanto mais golpe, mais baixo... Os dois tinham sido amigos, se conheciam muito bem, sabiam onde mirar para inflingir maior dor ao oponente. Só vale a pena pinçar dois exemplos de agressividade, para dar o tom das acusações trocadas, pois o conteúdo perdeu o interesse: o título de um artigo sobre Roberto Marinho escrito por Lacerda, para *O Cruzeiro*, dos Diários Associados – "Al Capone da imprensa"; e as menções à saúde mental do governador da Guanabara, em editoriais no *Globo*. Doutor Roberto muniu-se até de um laudo psiquiátrico que diagnosticava a suposta psicose maníaco-depressiva de Carlos Lacerda. Roberto Marinho leria a análise clínica do psiquiatra em transmissão extraordinária, na TV Globo. Chegou a escrever e reescrever três versões de um "Comunicado aos senhores telespectadores". Não fez o pronunciamento – sabiamente, hoje fica fácil afirmar.

Porém, se Doutor Roberto, conscientemente, decidiu não usar sua tv como arma nesta peleja brutal, ele quase usou arma de fogo mesmo. Por pouco não acontecia uma grande desgraça.

A pendenga jurídica do Parque Lage se arrastaria por anos e terminaria com a "vitória" de Roberto Marinho, bem indenizado pela União, com correção monetária, em 1976.

Para se dimensionar a virulência dos ataques de Lacerda, diante das câmeras e microfones da TV Tupi, basta dizer que Stella proibiu os meninos de assistirem à televisão!

"Foi uma briga política que garoto não entende. Criança não entende o processo político, não compreende como é possível as pessoas se agredirem daquela maneira. Lacerda ia para a televisão e fazia discursos terríveis, falando até da família, algo que, para nós, crianças, era muito duro. Eu me lembro muito bem de meu pai assomado com esse assunto, muito emocionado até. Minha mãe foi muito presente,

uma mulher extraordinária, sempre teve uma preocupação muito grande com a nossa formação cultural e com uma postura ética."[103]

Stella... Não bastassem as tremendas batalhas que enfrentaria nos anos 60, década que terminaria tragicamente, Roberto Marinho estava perdendo a sua mais íntima parceira. O casamento se sustentava em aparências: *"Na nossa adolescência, já existia um problema de relacionamento entre meu pai e minha mãe. Eles continuavam morando juntos, mas já separados. Então, a gente só se reunia na hora do jantar, para ficar aquela mesa de jantar bonitinha, de família, todos ali juntos, mas era uma coisa falsa."*[104]

Seria ingênuo imaginar que o namorador Roberto houvesse se aquietado placidamente na monogamia. Como tantos cônjuges da época, e de todas as épocas, ele também dava as suas "escapulidelas"... Stella ficou sabendo da infidelidade e nunca mais o perdoou. O cristal trincara irremediavelmente. Se havia alguém que rivalizava com Roberto em teimosia, este alguém era Stella. A um amigo, Roberto teria desabafado: "Foram sete anos pedindo perdão. Sete anos! E ela nunca me perdoou." Definitivamente, Roberto só poderia mesmo ter escolhido mulher tão tinhosa quanto ele para constituir prole.

Três dicas para compor melhor a imagem majestática, magnetizante de Stella.

O prédio de *O Globo* sempre teve dois restaurantes. Um do tipo bandejão, bem barato, oferecia farta refeição pelo equivalente a meio dólar para todos os funcionários, gratuita para o pessoal dos salários mais baixos, contínuos ou faxineiros. Foi apelidado de PTB. O outro, freqüentado pela diretoria, mais caro, tinha serviço *à la carte*, exigia o uso de paletó e gravata, e ganhou o nome de UDN.

Quando Stella ia almoçar com o marido no jornal, os jovens repórteres e redatores metiam o terno e faziam uma pequena extravagância orçamentária na UDN, só para ficar apreciando de longe a beleza da mulher do patrão: *"Ela ficava ali com ele na última mesa, a gente ficava olhando. Elegantíssima, bonita. A gente gostava de ver. 'Hoje Dona Stella vem aí.' Entrávamos, pagávamos e almoçávamos juntos. Ficávamos ali a uns dez quilômetros de distância."*[105]

---

[103] João Roberto Marinho, 28 jul 2003.

[104] João Roberto Marinho, 11 nov 2003.

[105] Salomão Schvartzman, 21 nov 2003.

Dois dias antes de morrer, em viagem à França, em companhia do irmão Rodrigo Goulart, ela foi homenageada pelo diretor do Museu Matisse. Rodrigo lembra do jantar típico que foi oferecido e nunca esqueceu o tratamento que o diretor do Museu escolheu para se referir a Stella.

"Esse homem deu um bruto jantar para ela e para um grande amigo, aquele fotógrafo inglês chamado David Hamilton. Então tinha um tablado, foi uma coisa medieval; era uma sala não muito grande, ficou todo mundo esprimido, e tinha um tablado maior, onde ficou Stella, o David Hamilton, não sei mais quem e o dono da casa. E nós todos embaixo, em nossas mesinhas. Foi curiosíssimo, porque no discurso que este homem fez para ela, chamou a Stella de imperatriz, ninguém sabe por quê. Fez um discurso maravilhoso, uma mulher fantástica, a imperatriz."[106]

Outra indicação da nobreza que a presença de Stella irradiava está expressa clara e elegantemente no primeiro parágrafo do artigo de Arthur da Távola, escrito após a morte dela.

"Stella Marinho era hierática sem ser soberba. Algo de severo e guardado a sete chaves emprestava-lhe o ar de quilométrica distância sempre em contradição com a imediatez de seu afeto e inteireza de sua amizade em quem identificasse dignidade, bondade ou talento, virtudes que a tocavam, expressões de si mesma."[107]

Stella morreu de susto, em 20 de outubro de 1995, na França. Assaltada por um motoqueiro – o sujeito passou, todo vestido de preto, e arrancou a bolsa do colo da passageira –, já no hospital demonstrava sintomas de um AVC (acidente vascular cerebral).

"Um dia lindo, ninguém pensava em coisa nenhuma, ainda mais na França. Passou uma motoneta como milhões de motonetas passam, ninguém prestou atenção. Mas esses diabos evidentemente olharam para dentro, verificaram que a bolsa estava no colo dela. Continuamos a viagem. Mais adiante, eles deram a volta, vieram mais junto do carro, eu me lembro que você não via nada, porque era tudo preto, uniforme preto e capacete preto, eram dois, um dirigindo, o outro atrás. O que estava atrás abriu a porta, arrancou a bolsa e fechou a porta. Frações de segundo. E foram embora. ....Aí a Stella falava, ela falava um bom francês, mas ela estava falando um francês complicadíssimo, eu não estava entendendo por que, e piorando cada vez mais. ... Fomos para o hospital ... Meia hora depois ele volta, pela cara do médico eu vi que... Ele disse: 'Olha, eu nunca vi uma coisa igual. Em quinze minutos o cérebro ficou totalmente tomado

---

[106] Rodrigo Goulart, irmão de Stella, 2 dez 2003.

[107] Arthur da Távola, "Stella Marinho", *O Globo*, 2 nov 1995.

58. Stella com os netos

*por sangue.' Ela entrou em coma profundo em quinze minutos. Não sentiu nada. ...
No princípio foi uma revolta violentíssima, um horror total, mas depois eu pensei o
seguinte: ela morreu, como diriam os franceses,* en borde*'. Morreu bonita ... "*[108]

É, companheiro leitor, agarrados a esta narrativa, vamos vendo com
quantas mortes se conta uma vida. Falávamos em paradoxo no início, está
lembrado? Acontece de a condição humana implicar uma certeza cercada de
dúvidas e possibilidades por todos os lados. A certeza, revoltante, é de que vamos morrer; a consciência, inquietante, é de que podemos matar também.

E, um dia, início da tarde, Roberto Marinho saiu, arma em punho,
decidido a matar uma pessoa. Adivinhe quem? Claro, Doutor Roberto
passou a mão no revólver e tocou rumo ao apartamento de Carlos Lacerda. Em meio à barra pesada, aos golpes grosseiros ou inteligentes, sempre
baixos, da luta com o pior inimigo que poderia ter arrumado, daquela feita
Roberto perdeu a cabeça. Carlos Lacerda era mestre em fazer os outros
perderem a cabeça, acabou fazendo o mesmo com a própria.

Foram tantas ofensas pessoais, tantos petardos políticos, tantas agressões
de parte a parte que se torna impossível precisar a data em que Roberto
Marinho quase se desgraçou.

[108] Rodrigo Goulart, 2 dez 2003.

Sabemos que no segundo semestre de 1964, vendo ruir o seu projeto presidencial, Carlos Lacerda inicia o bombardeio. Primeiro, o Parque Lage como mote. Em junho do ano seguinte, denuncia como "escândalo internacional" o acordo celebrado entre TV Globo e Time-Life, e manda prender o cubano Alberto Catá. Apesar de filho de um embaixador do ex-ditador Fulgêncio Batista, deposto por Fidel Castro, Catá, típico cubano de Miami, é recolhido ao DOPS, Departamento de Ordem Política e Social da Guanabara, com base em sua nacionalidade, suspeita *a priori*. Alberto Catá conta apenas a verdade: é representante dos americanos, sócios na TV Globo do Rio. Pronto! Mais que suficiente para a criação de um circo político, inaugurado com acusações de "traição à pátria", culminando com a inevitável criação de uma CPI, Comissão Parlamentar de Inquérito.

Depois de conhecer modalidade tão desagradável da hotelaria nacional, o xadrez da polícia política, Alberto Catá só não pega o primeiro avião porque tem muita bagagem para arrumar. Doutor Roberto não lamenta a perda, Catá era burocrata demais para o seu gosto. Enquanto, o cubano ia para casa impreterivelmente às seis da tarde, Roberto chegava na TV às sete, vindo do jornal. Além disso, Catá não demonstrava o entusiasmo indispensável neste ramo, ainda mais no nascimento de uma nova emissora. A TV de Doutor Roberto precisava dos dólares, mas o material humano que chegava da América o decepcionara. Roberto Marinho não conhecia televisão, mas reconhecia trabalho e um bom trabalhador de longe. Logo receberia uma bênção no meio da guerra em que sua vida vinha se transformando: o substituto de Catá, um judeu nova-iorquino, viria transferido da TV Time-Life de San Diego. Chamava-se Joseph Wallach.

59. Com Joe Wallach

Joe não viajou desinformado para o Brasil. Sabia da prisão de seu antecessor, fora alertado sobre a alta temperatura do combate político, não esperava nem mar nem rosas. Só não tinha como prever que ele e sua família sofreriam ameaças de morte e que encontraria um patrão que mal olhava para a sua cara e andava armado. *"Roberto Marinho sempre andava com um pequeno revólver aqui, no cinto dele, chegava lá sempre comendo as unhas, por causa desse negócio com o Lacerda."*[109]

Pois o dia chegou em que Roberto resolveu usar a arma. Difícil precisar detalhes do episódio, mas podemos traçar a seguinte linha de velozes eventos. Certo fim de manhã, quase hora do almoço, Carlos telefonou para Roberto, não o encontrou. "Deixe-me falar com um dos irmãos! Serve qualquer Marinho..." Rogério não se lembra de ter atendido o tal telefonema com a saraivada de desaforos, e Ricardo morreu em 11 de fevereiro de 1991. O esquecimento de Rogério não se trata de subterfúgio. Chamadas insultuosas ocorriam quase todo dia, e esta pode ter acontecido entre outubro de 1964 e outubro de 1966. Nessa fatídica jornada, no entanto, Doutor Roberto resolveu cometer o ato com que tantos adversários de Carlos Lacerda sonharam...

"Como lhe foi passado o recado pelo seu secretário, Victório Berredo, o Doutor Roberto armou-se, pegou um revólver, pôs na cintura e foi à casa do Carlos para matá-lo. E como era muito conhecido, os guardas da porta — o Carlos ainda era governador — deixaram ele entrar tranquilamente."[110]

"Isso era contado por ele. ... 'Vou matá-lo'. E saiu mesmo armado para matar..."[111] Pode ter sido Roberto, Rogério, Ricardo, Victório Berredo ou o Espírito Santo, mas o fato é que alguém ligou para Armando Falcão. Deputado udenista, Falcão era um dos mais fiéis aliados políticos de Lacerda e um dos melhores amigos de Roberto, o homem perfeito para evitar a consumação da tragédia. Sim, pois não se tratava de um ataque de raiva comum. Naquele dia, Roberto parecia assustadoramente resolvido a cometer homicídio, não dava para relevar, esperar passar. Ao volante, em direção à casa de Carlos Lacerda, Victório deve ter tentado aliviar o pé no acelerador, mas dá para visualizar a cena no interior do automóvel, típica

209

[109] Joe Wallach, 19 dez 2001.
[110] Claudio Mello e Souza, 2 fev 2000.
[111] Antônio Carlos Magalhães, 15 mar 2004.

de Roberto, rotina do chofer Joffre, o passageiro empurrando a perna direita do motorista, repetindo: "Mais rápido, mais rápido, anda, anda, mais rápido!" Enquanto isso, Armando Falcão avisava Carlos Lacerda das intenções e do estado de espírito de Roberto Marinho. Numa conversa com Claudio Mello e Souza, Lacerda confirmou a história: "*Eu perguntei: 'Carlos, como é que foi essa história?' 'Eu sei lá, Roberto é maluco. O Armando Falcão me ligou dizendo que o Roberto ia me dar um tiro.'*"[112]

Roberto Marinho entrou no prédio, pegou o elevador, tocou a campainha do apartamento, revólver engatilhado. Carlos Lacerda tinha acabado de sair: "*Eu ainda perguntei: 'Doutor Roberto, e se o Carlos tivesse atendido?' 'Eu atirava nele.' E pela emoção com que ele falava nisso, passava a impressão, quase certeza, de que atiraria mesmo.*"[113]

Doutor Roberto não costumava lembrar voluntariamente dessa história, e quando, por algum motivo, a lembrança vinha à tona, não trazia orgulho, e sim uma tremenda sensação de alívio.

Tinha mais uma porção de motivos para suspirar aliviado, ao lembrar daquela segunda metade da década de 60.

Depois de prender o cubano Alberto Catá e obter sua "confissão" – de que era funcionário do grupo Time-Life e trabalhava junto à TV Globo –, Carlos Lacerda deixou a liderança da ofensiva para o deputado João Calmon, que acumulava o cargo legislativo com a direção-geral dos Diários Associados. "*Eu nunca mais me esqueço: eu era diretor de Minas, e o Calmon foi lá para fazer uma visita, como era de praxe e tal, e disse: 'Olha, eu vou fechar O Globo.*"[114] Diretor dos Diários Associados em Belo Horizonte, Paulo Cabral de Araújo ficou desacorçoado com a bravata. "*... Eu disse: 'Como é que é, Calmon? Fechar O Globo?' 'É, vou acabar com O Globo.*"[115]

Foi o início de um cerco implacável contra Roberto Marinho. Toda a concorrência aproveitou a oportunidade e se organizou em campanha para eliminar a TV Globo. O Sindicato das Empresas de Jornais e Revistas de São Paulo publicou um Manifesto à Nação para denunciar "a invasão

[112] Claudio Mello e Souza, 4 nov 2003.

[113] Idem, 2 fev 2000.

[114] Paulo Cabral de Araújo, 23 set 2004.

[115] Idem.

estrangeira na imprensa brasileira". Numa carta de 19 de janeiro de 1966, declinando do convite protocolar feito por Chagas Freitas, representante patronal na época, para comparecer a uma reunião em que seria o principal alvo de ataques, Roberto expunha claramente a sua posição:

"... sou absolutamente contrário a qualquer campanha de fundo xenófobo. Acho que nós, jornalistas brasileiros, não devemos eliminar concorrentes, mesmo

60. Com o amigo concorrente Chagas Freitas

estrangeiros. Adolfo Bloch é russo, mas isso não impediu que ele fizesse esplêndidas revistas, bem brasileiras. Outros estrangeiros têm trazido as suas contribuições, editando excelentes publicações. Entre um mau brasileiro, capaz de uma vilania, e um bom estrangeiro, correto e que se afeiçoa ao nosso país, prefiro este, mil vezes."[116]

Ainda estava muito fresca na memória de todos a campanha feroz de Carlos Lacerda contra a *Última Hora*, na década de 50, fundamentada na acusação de que seu dono, Samuel Wainer, teria nascido na Bessarábia.

Crescendo para sobreviver, condicionando a sobrevivência de suas empresas a seu crescimento, Roberto Marinho tinha botado para girar um círculo virtuoso do capitalismo. E transformara-se também, agora sim, numa ameaça a interesses acomodados de poderosos concorrentes.

Como diz o personagem de Alan Alda no filme *Crimes e pecados*, de Woody Allen: "*Comedy is tragedy plus time.*" Em português, "A comédia é a tragédia depois que o tempo passou", ou algo como aquele consolo que a gente se dá nos piores momentos: "Um dia, ainda vamos rir de tudo isso."

Mais uma vez, seria um exercício tedioso esmiuçar argumentos e contra-argumentos amarelados pelo tempo. Não explicam, não esclarecem, nem na época tinham essas intenções. Vamos aos eixos centrais da liça jurídico-política.

---

[116] Carta de Roberto Marinho a Chagas Freitas, 19 jan 1966.

Acusação: a TV Globo seria controlada por estrangeiros. Toda a sua programação, conteúdo e orientação editorial estariam submetidos às ordens dos americanos do grupo Time-Life. Roberto Marinho não passaria de um títere de interesses alienígenas, "testa-de-ferro", e feriria a Constituição ao permitir aos estrangeiros ter o comando numa empresa de comunicação nacional.

Defesa: a TV Globo apenas se beneficiara de um mecanismo, não previsto nem vetado pela Constituição, para captar recursos no exterior e transferir tecnologia internacional para o Brasil, estabelecendo não mais que uma sociedade de assistência técnica e de investimentos com o grupo norte-americano Time-Life.

Como sabemos, havia pelo menos um fato insólito na coisa toda: um dos mais agressivos inquisidores era o deputado João Calmon, justamente o diretor do consórcio dos Diários Associados, o todo-poderoso império de comunicação no Brasil da época, criado por Assis Chateaubriand. Chatô já não atuava tanto, tinha sofrido seu derrame havia mais de cinco anos, mas não deixava de assinar editoriais belicosos, impublicáveis nos padrões atuais.

Tanto Chateaubriand quanto Calmon sempre foram amigos de Roberto. Eram no mínimo semanais as visitas de João Calmon ao dono do *Globo*. Roberto Marinho só o chamava de "Calmão", e assim continuou se referindo ao amigo tornado adversário, mesmo durante os momentos mais duros da contenda. "*O Calmon freqüentou muito o Doutor Roberto antes da briga. Eram amigos. O Calmon ia muito ao escritório do Doutor Roberto, no Globo*" – conta Paulo Cabral de Araújo.[117]

Com Chatô, Roberto tinha ligações antigas: comparecera a algumas inaugurações de novos empreendimentos do "Rei do Brasil" sertão afora e oferecera pelo menos uma recepção de gala, no Cosme Velho, para convidados estrangeiros dos Diários, como o dono do jornal inglês *The Times*.

Agora era a guerra. Mesmo tetraplégico e doente, Chatô participava das batalhas, escrevendo e publicando comentários racistas que outros concorrentes só ousavam cochichar. Chamar Roberto Marinho de "Roberto Africano" e "homem de cor", com sentido de insulto, era uma das

---

[117] Paulo Cabral de Araújo, 23 set 2004.

61. Clemente Mariani, Assis Chateaubriand, Roberto Marinho e Evaldo Lodi

práticas favoritas de Chatô. As ofensas desceram a níveis inacreditáveis: *"... crioulo alugado, ... cafuzo indígena, ... africano de trezentos anos de senzala, ... débil mental sem remédio..."*[118]

Para enxergar mais claramente o patético que reveste todo o drama, o olhar estrangeiro nos serve bem:

"... eu fui chamado à CPI, em maio de 66. Fui. Foram feitas perguntas durante cinco horas, das quais duas horas foram pelo deputado Calmon – o que eu achava meio engraçado, nosso concorrente estar fazendo perguntas esse tempo todo."[119]

Mesmo dentro dos Diários Associados, muitos não concordavam com a pantomima política e defendiam fazer a mesma coisa, buscar financiamento externo. Era a posição de Paulo Cabral de Araújo: *"Eu defendia: nós é que temos que procurar também um sócio lá fora para acertar essa nossa situação financeira que foi sempre muito difícil. Eu achava que a gente devia perseguir um acordo semelhante."*[120]

Ele não sabia que essa tentativa já tinha sido malsucedida.

Enquanto falavam em crime de "lesa-pátria", os concorrentes diretos da TV Globo buscaram acordos idênticos junto aos americanos. O *Washington Post*, que se lixava para a brigalhada da mídia brasileira, publicou,

---

[118] Fernando Morais, *Chatô*.
[119] Joe Wallach, 19 dez 2001.
[120] Paulo Cabral de Araújo, 23 set 2004.

em 3 de abril de 1966 matéria da chefe do burô carioca do Chicago Daily News Service, que tinha como gancho o fato de o antiamericanismo não se tratar de uma exclusividade da esquerda brasileira. Como exemplo das atividades da direita antiamericana, a jornalista relatava uma ida de João Calmon à embaixada dos Estados Unidos, no Rio. Nas palavras da correspondente, o deputado recorrera à representação diplomática americana na condição de:

"… diretor de um império mergulhado em dívidas, a fim de obter dinheiro para livrar os Diários das dificuldades. …Ante a negativa do então embaixador Lincoln Gordon, ele, ao que se informa, jurou vingar-se. Consta que se aborreceu porque seus jornais haviam combatido o ex-presidente João Goulart, a quem também se opunha o presidente dos Estados Unidos. Por este motivo, achava, devia ter o apoio norte-americano."[121]

Perdoe-me, leitor, por informações excessivamente datadas, elas valem para experimentarmos um pouco da amosfera da época.

Nas perguntas e respostas da Comissão Parlamentar, em manifestos e editoriais em jornais, revistas, rádios e TV, uma muralha se fecha em torno de Roberto Marinho – e é a reação dele ao fogo cerrado que nos interessa. Se Joe Wallach foi sabatinado durante cinco horas, o interrogatório de Roberto Marinho na CPI exige todo o seu estoicismo: a sessão começa às duas horas da tarde e só termina de madrugada, quase três da manhã.

A primeira pergunta, de praxe, pede a "qualificação de V.S.":

"— Roberto Marinho, casado, profissão jornalismo, idade sessenta e um anos, resido na Rua Cosme Velho, 1105."[122]

Em seguida, Roberto não procura desmentir nenhuma acusação ou negar sua sociedade com o Time-Life – assim esvazia, num átimo, o sentido de denúncia atribuído aos fatos:

"… em entendimento com o Time-Life, nós inicialmente estudamos as leis brasileiras, não só o artigo 160 da Constituição, que veda a propriedade e direção de estrangeiros nas empresas jornalísticas e de radiodifusão, o que pode estender-se à televisão, e chegamos à conclusão de que podíamos estabelecer dois contratos com o Time-Life: um de assistência técnica e outro de conta de participação, que

---

[121] Georgie Anne Geyer, *Washington Post*, 3 abr 1966.

[122] Roberto Marinho, depoimento à CPI do caso Time-Life, 26 abr 1966, como as demais declarações prestadas a seguir por Roberto Marinho nesta seção sobre o acordo com o grupo Time-Life.

é o contrato aleatório, que não dá nem direito de propriedade, nem de direção ao financiador, mas apenas de participação nos lucros e prejuízos."[123]

Quanto a sua associação com cidadãos e empresas dos Estados Unidos, Roberto Marinho não esconde ninguém, declina nome por nome:

"Andrew Heiskell, que é o chefe do Time-Life, Weston Pullen, Andy Murta, várias pessoas, todas de televisão. Com exceção de Andrew Heiskell, que é o chefe, a principal figura do Time-Life, são pessoas de broadcast *do Time-Life."*[124]

E faz questão de destacar o gringo residente no Rio de Janeiro:

"O sr. Wallach. Esse homem é profundo conhecedor de televisão, ... um homem de extraordinária competência, ... tem sido da maior utilidade os conselhos que ele me dá e quase sempre representa um ponto justo aos problemas para os quais nós temos dificuldade. ... Ele é um homem que fica até altas horas na TV Globo e empresta, como assessor, os mais assinalados serviços."[125]

Diante da pergunta *"O senhor pode dizer se houve aumento do valor da televisão?"*, Roberto diz que não, e explica ao argüidor:

"Eu poderia aproveitar a oportunidade para dizer que a minha especialidade em todas as empresas que eu dirijo não é a parte financeira, e somente agora, por contingências especiais, é que estou com essa parte. Os senhores devem ver a minha dificuldade em falar de cifras. A minha especialidade é a direção jornalística, as iniciativas, as promoções, por isso é que sempre fiz questão de ser redator-chefe de O Globo, e a prosperidade do jornal se deve talvez à minha direção jornalística e em parte à organização administrativa formidável que tem O Globo. Em outras empresas, eu tenho o mesmo papel, o papel de propulsor, de um animador, de um orientador."[126]

Lá pela duas e meia da madrugada, Roberto abre o jogo para fechar a sessão:

"A denúncia do deputado João Calmon, eu atribuo a motivos concorrenciais, pois se trata de uma empresa em péssima situação financeira, querendo criar dificuldade a uma empresa florescente. ... Eu devo dizer que, com as empresas que eu construí antes da TV Globo, eu podia ter uma existência sossegada, pois o senhor sabe que sou um homem de sessenta e um anos e que trabalho há quarenta e um. ... Eu poderia ter uma vida muito mais tranqüila, ... de modo que não me levou absolutamente, ao fazer a TV Globo, um interesse em ganhos maiores, mas sim em alargar meu campo de empresa jornalística. Nós já tínhamos rádio, jornais, e agora televisão. A televisão, estou vendo, é um negócio fabuloso, um campo extraordiná-

Roberto, filho de Marinho

123 Idem. 124 Idem. 125 Idem. 126 Idem.

riamente lucrativo, com Time-Life ou sem Time-Life. Eu apenas quero defender um princípio correto de negociação correta que fiz com uma organização estrangeira, que num momento difícil me financiou. E eu lutarei por Time-Life com toda a lealdade e com todo o esforço que eu puder, mas talvez não seja consultando os meus interesses materiais, apenas por um princípio de fidelidade."[127]

"Que briga maluca aquela... Aquilo foi uma fria do Calmon. Aquilo gerou a primeira grande crise dos Diários Associados."[128]

Há quem classifique o resultado do "caso Time-Life" como vitória ambivalente. Por um lado, um novo decreto-lei impedia qualquer outro empresário de fazer o que Doutor Roberto tinha feito, novas restrições a assistência técnica estrangeira e empréstimos externos foram criadas. Por outro lado, tal decreto não tinha efeito retroativo, portanto não atingia a TV Globo. Roberto Marinho, porém, preferiu se submeter às normas estabelecidas no decreto.

Em 1969, num encontro de reaproximação entre os Diários e o *Globo*, num almoço, no restaurante do MAM, Museu de Arte Moderna, no Rio, Paulo Cabral de Araújo principiou por levar um susto com o veículo de Roberto Marinho:

"No fim, eu disse: 'Vou pegar aqui um táxi...' E o Doutor Roberto: 'Não, não. Não senhor. Eu vou levá-lo nos Diários Associados.' E sabe como ele me levou aos Diários Associados? Num Fusca dirigido por ele. Num Fusca! Sem segurança, sem nada..."[129]

Depois se surpreendeu, na conversa a bordo do Fusca, com o adjetivo usado por Roberto para definir a atitude de João Calmon.

"Nesse trajeto, ele me disse: 'Olha, Cabral: o Calmon fez uma coisa muito antipática para mim: em virtude da campanha dele, eu acabei sendo o único empresário de comunicação a trazer dinheiro dos americanos para aplicar aqui. Foi o Calmon quem fez isso. Para mim foi uma coisa odiosa ficar com esse privilégio."[130]

Tanto que ele abriu mão do privilégio, mas este não foi o único motivo. Há base para interpretar a conclusão do escândalo como uma vitória clara de Roberto Marinho, pois ele encontrou a oportunidade perfeita para se livrar de sócios com quem não tinha se entendido. Além de não querer constituir exceção privilegiada, Doutor Roberto escolheu seguir as no-

---

[127] Idem.

[128] Paulo Cabral de Araújo, 23 set 2004.

[129] Idem.   [130] Idem.

vas regras, pois extinguindo a sociedade transformou a parceria entre TV Globo e Time-Life numa relação apenas de devedor e credor, de dívida simples. Simples, mas bem alta: quase seis milhões de dólares, depois dos juros. Numa entrevista de 1990, Doutor Roberto detalhava com candura tudo o que empenhou para avalizar a dívida.

"Dei tudo o que eu tinha. … Eu tive que dar como penhor a casa da estrada da Pedra Bonita, na Gávea, uma beleza de casa. … Dei mais a casa do Cosme Velho. … Um terreno na rua Joaquim Silva, na rua Itapiru, a Rio Gráfica Editora, dois outros edifícios enormes. A fazenda de Cardeiros, uma beleza. Na rua Piauí, um terreno sem tanta significação. Um apartamento na avenida Rio Branco, uma sobreloja na rua Siqueira Campos, um apartamento na rua Senador Dantas. Toda essa operação foi registrada no Banco Central do Brasil. Todas as promissórias foram pagas no Banco da Guanabara, rigorosamente dentro do prazo e antes da data do vencimento."[131]

Penou para pagar tudo em dia. Continuou andando de Fusca (o carro popular da época, leitor mais jovem), impôs austeridade a si mesmo e a toda a família.

Que espécie de amadurecimento adveio de tal "inferno astral"? Quais as conseqüências emocionais em nosso personagem, durante um dos mais duros períodos de sua biografia? Ele endureceu, isto é visível, é difícil encontrar um sorriso nas fotos de Doutor Roberto daqueles anos. Sentiu muita raiva, sentimento que costumava manifestar, de forma reativa, como braveza, arma na cintura, e esta raiva não tinha como motivação apenas o fato de estar sendo acusado. O que mais o revoltava era o pressuposto dos promotores de que ele estaria a serviço de outros. Essa natureza da acusação, de que ele havia cedido o comando, sido manipulado qual fantoche, essa calúnia o machucava mais que tudo – já sabemos um bocado sobre nosso companheiro e sua conquista de autoridade para avaliarmos o quanto isto o ofendia.

Parecia que a década de 60 não poderia terminar de maneira mais difícil. Terminaria pior, tragicamente.

[131] Roberto Marinho, *O Estado de S. Paulo*, 5 ago 1990.

Vamos adiante, resistindo a simplificações em nossa tentativa de entender Roberto Marinho, nesse momento em que, mais uma vez, o paradoxo se faz presente em todos os aspectos de sua vida.

Seu casamento estava acabado, só restara cenário; ainda assim, a um só tempo, ele arrumava namoradas e mantinha a esperança de reconquistar Stella.

Empenhara todos os seus bens pela bendita televisão, mas esse novo companheiro americano, o Joe, era diferente dos outros. Ousado, tinha sugerido a contratação do profissional de melhor reputação no mercado da televisão brasileira. *"Foi a primeira vez que ele olhou para mim, quando eu falei o nome Walter Clark."*[132] Walter Clark tinha fama de menino prodígio. *"Ele tinha vinte e sete anos de idade, eu, quarenta e dois, mas tinha cara de vinte e sete na época. Walter me chamava de Mickey Rooney. Então, o Doutor Roberto me viu como o homem mais ponderado. E quando nós começamos a conversar, depois que eu achei o Walter, ele ficou muito mais confiante."*[133] Em breve Joe Wallach largaria de vez o Time-Life para trabalhar com Roberto Marinho.

Obrigado a se afastar do dia-a-dia do jornal, Roberto não escondia sua insatisfação com os rumos de O Globo. Dia após dia, demandava que o jornal rodasse mais cedo. De forma quase imperceptível, "para não assustar o leitor", transformava suave e irreversivelmente o *Globo* em matutino.

Na luta pelo poder, seus melhores amigos e aliados tinham perdido várias batalhas. Doutor Roberto se mantinha fiel entusiasta dos ideais revolucionários de 1964, mas os "castelistas", como ele, andavam por baixo. O presidente Costa e Silva sequer o recebia. Já o irmão Rogério Marinho mantinha ótimas relações com o marechal do momento. *"O Costa e Silva era um homem ilustre sob o ponto de vista militar, tinha a erudição militar, foi tríplice coroado, tudo isso. Mas ele estava, quando começou o governo, já no início de uma esclerose."*[134] No dia da posse de Costa e Silva, em carta para o embaixador Sette Câmara, Doutor Roberto professava esperanças que o futuro imediato ameaçaria: "O Globo *vai retomar, no governo próximo, a sua liberdade de movimentos tradicional diante dos governos e dos demais poderes, coisa que foi em parte interrompida pelas contingências da Revolução, que separou demais as águas, que conflitou duas mentalidades, duas filosofias, e acabou*

---

[132] Joe Wallach, 19 dez 2001.

[133] Joe Wallach, 15 jun 2004.

[134] Rogério Marinho, 19 dez 2003.

por colocar o jornal na dura contingência de apoiar, até com sacrifícios, um tanto irrestritamente, o marechal Castello Branco."[135]

Roberto Marinho logo perceberia a diferença fundamental entre a ditadura que se instalava e a que já vivenciara, o Estado Novo. Se Getúlio Vargas concentrava todo poder em sua figura, os militares se digladiavam, rachados em disputas entre grupos que ora detinham uma fatia maior, ora menor, do poder. A ditadura militar não primou pela virtude militar da organização, hoje sabemos.

A postura em defesa de seus profissionais, a despeito de ideologia, ficou célebre pela frase "nos meus comunistas, ninguém mexe". A rigor, Doutor Roberto costurou argumento bem mais sofisticado e belo. Antes de conhecermos os termos de tal argumentação, vamos aproveitar e lembrar outro episódio, aparentemente menor. Além de nos revelar o destemor de Roberto Marinho, já nos primeiros momentos do regime militar, ainda em 1964, a história ilustra sua capacidade de demonstrar gratidão.

Durante o governo João Goulart, toda vez que Doutor Roberto precisava falar com o presidente da República, recorria a um de seus assessores mais próximos, Eugênio Caillard Ferreira: "*Eu vi algumas vezes ele ligar: 'Você pode me arranjar uma audiência com o presidente?' ... Uma meia-hora depois, o Caillard retornava: 'O senhor venha aqui às quatro horas.' Imediatamente conseguia.*"[136] Eugênio figurou na primeira lista de prisões de abril de 1964. Pouco depois, chegava a notícia do suicídio de Eugênio Caillard, no quartel da Polícia do Exército. O que fez Doutor Roberto?

"*Eu abro o Globo e, na primeira página, em baixo, no canto, uma fotografia. 'Sepultado ontem o professor Eugênio Caillard Ferreira.' A fotografia, com a legenda: 'Nosso companheiro Roberto Marinho, na primeira alça à direita, levando o caixão para a sepultura.' ... Depois Roberto me disse: 'Eu não podia faltar. Esse sujeito, você é testemunha, quando eu precisei falar com o João, ele imediatamente. Aquele pessoal, o resto, não me deixava nem entrar no Palácio, e o Eugênio me introduzia lá. Agora que ele morreu nas circunstâncias que nós sabemos, eu fiz questão de ir ao velório, ao sepultamento, levar o caixão e publicar.' Tudo isso ele fez discretamente, mas publicou na primeira página do Globo!*"[137]

---

[135] Carta de Roberto Marinho a Sette Câmara, 15 mar 1967.

[136] José Luiz de Magalhães Lins, 16 dez 2003.

[137] Idem.

Ainda durante o governo Castelo Branco, o ministro da Justiça, Juracy Magalhães, convocou todos os diretores de jornais para uma reunião. Quem conta a história agora é Franklin de Oliveira, que não era comunista mas trabalhava com Leonel Brizola, e teve seus direitos políticos cassados já pelo primeiro Ato Institucional.

"Todos os jornais fecharam-me suas portas. Eis que recebo um chamado para ir a O Globo: Roberto Marinho queria falar-me. Jamais nos tínhamos visto. ... Recebeu-me carinhosamente, como se fôssemos amigos de antiga data. Convidou-me para trabalhar em seu jornal. Não me submeteu a nenhum interrogatório ideológico; não me impôs nenhuma restrição de qualquer natureza. Fez-me sentir como se estivesse em minha própria casa. ... Nessa reunião, ... o ministro Juracy Magalhães exigiu que nenhuma empresa jornalística admitisse cassados políticos em suas redações. Ninguém protestou. Roberto Marinho foi a única voz que se insurgiu contra a exigência do ministro. Disse-lhe que o cassado político perdia seus direitos políticos, mas não o direito ao exercício de sua profissão, que sequer lhe pertencia, mas à sua família que, para sobreviver, dependia da prática daquele direito."[138]

Se Juracy Magalhães sequer esboçou uma resposta, isto não se explica apenas pelo respeito e amizade que devotava ao dono de O Globo – o ministro sabia muito bem que Roberto Marinho fora um dos principais defensores de seu nome para a pasta da Justiça.

Em 13 de dezembro de 1968, o Ato Institucional nº5, o AI-5,[139] instaura a ditadura total no Brasil.

Em 13 de julho de 1969, um atentado terrorista provoca o incêndio total da TV Globo de São Paulo.

No dia 1º de setembro de 1969, pela primeira vez na história da TV brasileira, um programa é transmitido em rede: o *Jornal Nacional*, da Rede

---

[138] Franklin de Oliveira, "Depoimento sobre um liberal", 1992.

[139] O Ato Institucional nº5, de 13 de dezembro de 1968, marcou o recrudescimento do regime militar. Ao contrário dos atos anteriores, o AI-5 não tinha prazo de vigência. O presidente da República passava a ter poderes para fechar o Congresso, intervir nos estados e municípios, nomear interventores, cassar mandatos, suspender direitos políticos, demitir e aposentar servidores públicos, decretar o confisco de bens considerados ilícitos e endurecer a censura à imprensa e diversões públicas. Além disso, ficava suspensa a garantia de *habeas corpus* aos acusados de crimes contra a segurança nacional e a ordem econômica e social. No mesmo dia da decretação do AI-5, o Congresso Nacional foi fechado, só voltando a funcionar em outubro de 1969. Nos meses seguintes, centenas de deputados federais, estaduais, vereadores, prefeitos e juízes tiveram seus direitos políticos cassados e milhares de pessoas foram presas em todo o país. O AI-5 só foi revogado em 31 de dezembro de 1978, pela Emenda Constitucional nº11, promulgada pelo presidente Ernesto Geisel.

Globo. No mesmo dia o presidente Costa e Silva é afastado, por motivos de saúde, e uma Junta Militar toma o poder.

Roberto Marinho passa o dia 31 de dezembro de 1969 debaixo d'água. Levara a namorada a bordo do seu novo iate, o *Tamarind*, que, reza a lenda, teria pertencido a Elisabeth Taylor. Doutor Roberto manda o comandante, Manuel Abelleira Carman, Manolo, desligar o rádio e os sistemas de comunicação – definitivamente, o jornalista não quer notícia do mundo.

Na manhã seguinte, enquanto Roberto caça suas presas a dez metros de profundidade, um veleiro se aproxima lentamente do *Tamarind*, e o marinheiro avisa: *"Manolo, a Rádio Globo, a Mundial, a Eldorado, todo mundo está procurando você. Estão chamando o* Tamarind!*"*[140] O comandante chama o Doutor Roberto e estabelece contato com o Iate Clube: *"O Doutor Roberto chegou, e eu disse: 'Olhe, vamos lá na sala de comando porque eles querem falar com o senhor. O dr. Graell* [Francisco Graell, diretor-superintendente de O Globo]. *Vamos lá rápido.' Aí o dr. Graell falou: 'Olha, aconteceu um acidente com o Paulinho, estamos fazendo tudo para salvar a vida dele.' Aí, ele largou o fone: 'Morreu.' ... Ficou prostrado. Só falou 'morreu' e suspirou. Aí eu segurei ele e levei até um sofá assim ao lado: 'Senta aqui um pouquinho.' Ele ainda estava com a roupa de mergulho."*[141]

Doutor Roberto temia que seu filho tivesse morrido no carro esporte, um Puma que tanto desejara comprar, idéia à qual o pai tanto resistira. Não, Paulo Roberto Marinho morreu, com dezenove anos de idade, ao volante de uma Kombi, voltando de uma festa de réveillon na região de Cabo Frio. Roberto Irineu lembra que *"... ele não quis ir com o Puma para a estrada de terra e resolveu ir com a Kombi da casa. ... no caminho de Cabo Frio para a nossa fazenda, que é ali em São Pedro da Aldeia, ele dormiu no carro e entrou no poste. Eu fui acordado às sete da manhã, oito da manhã, por aí, com a notícia de que ele estava mal, e não de que tinha morrido. Eu fui para o hospital, quando cheguei na porta do hospital, não tinha mais nada..."*[142]

---

[140] Manuel Abelleira Carman (Manolo), 27 jul 2004.

[141] Idem.

[142] Roberto Irineu, 2 dez 2003.

Por um desses caprichos irônicos do destino, quem chegou antes ao hospital para tentar prestar os primeiros socorros tinha sido ninguém menos que Carlos Lacerda. Não havia mais socorro possível.

Enquanto Roberto Marinho fazia o caminho de volta do litoral sul fluminense, sua mulher Stella trazia o corpo do filho para o Rio. "*Uma viagem das mais dolorosas. … De avião. Um avião veio do Rio. E nós com os pés em cima do caixão. Por causa do perigo de o caixão correr e pegar as nossas pernas …*"[143]

No Cemitério São João Batista, no Rio, uma pequena multidão representativa da melhor sociedade carioca aguardava ansiosamente a oportunidade de presenciar o encontro de Roberto e Stella diante do caixão do filho. Todos sabiam que o casamento não passava de ficção, e mal conseguiam disfarçar a excitação em pleno velório. Uma sobrinha de Roberto ouviu uma senhora responder ao marido, que queria ir embora: "De jeito nenhum! E você acha que eu vou perder essa cena?"

Roberto demorou a chegar. Desembarcou em Itacuruçá, a namorada seguiu com Manolo para o Iate Clube. Gente da família o esperava: o diretor de distribuição de *O Globo*, Luís Paulo Vasconcelos, o "Capitão", casado com Lenita, sobrinha de Roberto, foi o primeiro a ampará-lo. Capitão atuara desde cedo na frente de buscas e estava a postos com um carro para as duas horas de viagem até o Cosme Velho.

Em casa, Roberto Marinho vestiu um terno e partiu para o cemitério. Quando chegou à capela, alvoroço dissimulado, Roberto foi cercado pelos presentes, que o acompanharam passo a passo, em direção ao caixão, em direção a Stella.

Não conseguiram nem consolar um ao outro: "*… estava cheio de gente lá no cemitério. Ele chegou e, em vez de abraçar a Stella, encostou assim, uma coisa instantânea. Ela estava transtornada…*"[144] À dor somava-se o constrangimento. Stella entrou em profunda depressão:

"*Foi um horror. Stella ficou doida um ano. Tomava remédio o tempo todo, foi terrível. Stella tinha prometido uma viagem aos filhos. Morre Paulinho, e ela não quis ir. Seis meses depois que ele morreu, ela fez a viagem. Resultado, ela quebrou,*

[143] Elizabeth Marinho, 19 dez 2003.
[144] José Luiz de Magalhães Lins, 16 dez 2003.

desmanchou literalmente. Nós estávamos almoçando num restaurante em Roma, Stella foi ao banheiro e não voltava, não voltava, Sílvia foi ver o que era. Ela estava em prantos no banheiro. Seis meses depois da morte do filho."[145]

Roberto refugiou-se na trincheira habitual, passou a trabalhar mais do que nunca. O casamento acabara ali, diante do filho morto, mas só no ano seguinte a separação se consumou oficialmente.

No dia 15 de maio de 1971, saindo de viagem, Roberto deixou uma carta manuscrita para a mãe de seus filhos.

"Stella:

Embarco para a Europa praticamente desquitado da mulher que amei imensamente, da mãe dos meus filhos.

Nesta altura da nossa vida, e diante de tudo o que nos aconteceu, infelizmente irremediável, não teria o menor sentido rememorar fatos, reviver episódios, em suma, exumar o passado.

Quero somente deixar-lhe uma palavra de agradecimento por tudo quanto V. me proporcionou.

Deixo o Rio com a esperança de voltar a ser feliz.

Desejo que V. seja muito feliz. Os nossos filhos são maravilhosos e têm verdadeira fascinação por você. Passada esta fase natural de perplexidade, V. verificará que a nossa separação, tão repudiada durante anos, ora por um, ora por outro, terá sido benéfica a todos nós, principalmente aos nossos filhos.

Se no passado nos desentendemos a ponto de sermos levados a uma separação, de agora em diante vamos nos unir no objetivo comum da felicidade e do futuro desses meninos que nos darão – com a ajuda de Deus – cada vez mais orgulho.

Muito afetuosamente despede-se

Roberto"

Roberto, filho de Marinho

[145] Rodrigo Goulart, 2 dez 2003.

1. Imperial

Doutor Roberto Marinho

5

"A vida é curta para ser pequena"
Chacal

APOGEU

De tão bem realizada, a manobra radical transmitia a nítida sensação aos passageiros de que o helicóptero pousara sentadinho no cocoruto do Cristo Redentor. Enquanto a nave flutuava como colibri, o namorado vibrava, apertava a mão da namorada, apontando detalhes e ângulos da paisagem. Vôo romanticamente planejado, só não contara com uma informação: a namorada não achava a menor graça em helicóptero, voar só lhe trazia medo e desconforto, não estava nada à vontade... Ele percebeu, ele era um grande conhecedor da natureza humana em geral, e da feminina em particular. Arrancou os cintos de segurança, fones e microfones de comunicação, levantou-se, deu dois passos na cabine traseira do helicóptero, ficou de frente para ela e... beijou-lhe a boca, mansa e longamente.

Ele tinha quase noventa anos de idade, ela rondava os setenta. Como acontece nas histórias de ficção, os dois se reencontraram, cinqüenta anos depois da paixão, a juventude em si retornara, ganharam outra chance para começar tudo de novo. Aquele passeio aéreo fora surpresa tramada pelo namorado, para dizer à bem-amada o que outro Roberto tão bonito cantara: "Eu te darei o céu, meu bem!" Sim, tomado pela deliciosa excitação romântica, Roberto Marinho queria dizer a sua nova

2. Pombinhos

eleita que, assim como podia rodopiar o Corcovado, ele podia muito mais, podia tudo, levá-la à Lua, ou encomendar um fio de estrelas para enfeitar o seu colo.

Isso mesmo, amigo leitor, chegamos a um momento desta viagem em que o autor pede licença para fazer algumas observações importantes, a fim de seguirmos adiante, sem mal-entendidos desnecessários. A ver.

Desde o início dessa nossa arriscada exploração, viemos procurando humanizar uma figura que se tornou, no imaginário nacional, algo "maior que a vida", uma espécie de divindade, entidade ou instituição. Pois agora, que sabemos muito bem quão humano foi Roberto, podemos apreciar melhor este outro vetor, o vetor do extraordinário. Não se trata de, simplisticamente, encher a boca de sílabas para dizer: "o homem mais poderoso do país!" Mesmo porque já aprendemos, acompanhando a vida de Roberto Marinho e a história do Brasil do século XX, algumas características e peculiaridades do poder e de seu exercício – entre elas, a de que todo poder que se conquista ou do qual se é investido torna-se também uma lâmina afiadíssima espetada, alojada permanentemente contra o próprio pescoço.

Platitude? Talvez, mas como agora nos movemos pelos últimos trinta anos de vida de nosso personagem, até mesmo os mais jovens leitores têm sua própria lembrança de vários lances desta história recente. E a memória prega muitas peças, não há duas pessoas que lembrem a mesma história da mesma maneira. Portanto, vamos combinar: respeitemos todas as versões como peças de um quebra-cabeça sem fim, busquemos teses e antíteses, e deixemos este negócio de sínteses para lá... Não há por que pesar a mão no belo e inatingível compromisso com a verdade consumada. Outra coisa: de novo fiquemos de olho nas armadilhas do senso comum e suas explicações tão fáceis quanto enganosas. Mais que explicar, nos interessa aprender um pouquinho acerca da natureza humana com nosso sábio personagem.

Dito isso, avante: no fim da vida, nosso companheiro, jornalista Roberto Marinho, foi revestido de aura sobre-humana. Não se trata de negar a definição rasa de "homem mais poderoso", mas reconhecer que lhe foram atribuídos superpoderes, fantasias de herói de gibi. Lenda em vida, taí o clichê inescapável.

Em vez de poderoso, proponho outro adjetivo: importante. Sem jamais ter sido político profissional, prefeito, governador, presidente, cantor ou jogador de futebol, Roberto Marinho tornara-se o "homem mais importante" do Brasil. Prefiro esta formulação, que inclui o poder naturalmente dentro dessa importância. E aí deparamos com uma chance para mencionar logo um equívoco repetido insistentemente pela voz do senso comum: a afirmação de que o ápice desta importância, deste poder de Doutor Roberto, teria se consumado durante e graças à ditadura militar. Logo vamos ver que é justamente na democratização que Doutor Roberto exerceu maior poder político.

Apesar da prática política sempre o ter fascinado, Roberto Marinho resistiu calmamente e nunca sucumbiu à tentação de ingressar no Legislativo ou Executivo. Jornalista, ponto. Empreendedor, dois pontos: João Roberto verbaliza hoje, e creio que Roberto Irineu e José Roberto concordam, que Doutor Roberto se envolvia demais, de maneira direta, com política e políticos – para além da influência inerente a um jornal. José Luiz de Magalhães Lins defende a atuação de Roberto Marinho, afirmando que não era ele que procurava os políticos, era procurado, e afinal, como concessionário de um serviço público, não poderia se negar ao dever do que chama "troca de idéias". Fernando Henrique Cardoso concilia, dialeticamente, essas duas linhas de interpretação:

"Ele se aproximava da política. Sabia fazer o que se chama em espanhol a munheca, o joguinho político, mas tinha interesse na visão política. Sempre que estava conversando com alguém, no fundo ele queria saber qual era o horizonte daquela pessoa. Uma das coisas que mais o irritava é que esse horizonte não fosse também estético. A coisa que ele mais se irritou com o Brizola é que o Brizola não achou bonita aquela vista lá da Globo."[1]

Vamos aproveitar a oportunidade para revelar a resposta de Leonel Brizola, depois de ter sido interpelado por um contrariado Roberto Marinho:

"Ele botou o Brizola sentado de frente para o Jardim Botânico e para a Lagoa. O Roberto ficou de costas. Conversaram e tal, acertaram os ponteiros deles. Quando

---

[1] Fernando Henrique Cardoso, 13 abr 2004.

3. Roberto Marinho e Leonel Brizola, inimigos sinceros

acabou o almoço, ele virou e disse: 'Governador, eu sempre ouvi dizer que o senhor não gostava do Rio de Janeiro. E não tinha nenhum elemento para provar isso. Eu fiz esse almoço para o senhor sentar de frente para o Jardim Botânico, de frente para a Lagoa. Em nenhum momento o senhor contemplou essa beleza de lugar'. 'Também, com o senhor na minha frente! O senhor me hipnotizou.'" [2]

O que sobrava de presença de espírito e retórica em Brizola faltava em afinidade política e estética entre os dois. Foram adversários até o fim. O "engenheiro" venceu algumas batalhas – a mais curiosa delas, talvez, o "direito de resposta" que ganhou na Justiça, para que Cid Moreira falasse na primeira pessoa, "*Eu, Leonel Brizola*", durante três minutos e quinze segundos do Jornal Nacional de 15 de março de 1994, e afirmasse que "*Tudo na Globo é tendencioso e manipulado*". Roberto tinha pesado a mão num editorial de 1991, chamando Leonel de "senil, bajulador e paranóico".

A relação entre Brizola e Roberto jamais se apaziguaria. Só o tempo, a decadência política do gaúcho e o cansaço do carioca fariam soar o gongo final numa briga que acabou sendo decidida pela história. Entre as duas visões de mundo antagônicas, prevaleceu, ou pelo menos vem prevalecendo aquela do Doutor Roberto. Personagens icônicos, protagonistas e

[2] Armando Nogueira, 10 dez 2003.

vítimas a um só tempo, do século XX, cada um defendeu até o fim o que considerava o melhor para a construção da nação. Antes do fim do livro, ainda vamos ter chance de falar sobre Estado e iniciativa privada, suas relações e nós no meio disso tudo.

O beijo teve valor de bálsamo e, apesar de ainda trêmula com a aventura, a namorada de Roberto soube se deixar embevecer pela paisagem da janela do helicóptero. Por artes da sensibilidade feminina, ela sabia que seu embevecimento trazia enorme prazer a Roberto. O casal se encontrava com facilidade na fruição estética. Cantarolavam árias de ópera, sussurravam antigas canções, o culto à beleza fazia parte do namoro.

A nova paixão de Roberto chamava-se Lily. Lily de Carvalho, nascida na Alemanha e criada na França, viúva do dono do jornal *Diário Carioca*, Horácio de Carvalho. Horacinho trouxera Lily da França, em fins da década de 30.

Quem estava lá, nunca esqueceu: na primeira vez em que Lily entrou no hotel Copacabana Palace, baixou o maior e mais súbito silêncio da história do Golden Room. Se a beleza deslumbrante da recém-chegada emudeceu a nata da *high-society* carioca, imaginem a reação do então ativo solteiro Roberto...

No fim da célebre entrevista coletiva a correspondentes estrangeiros, em 1990, a última pergunta foi feita pela repórter brasileira Marisa Borges. Cheia de dedos e anéis, a senhorita perguntou se o vigor e a saúde fora do comum do Doutor Roberto poderiam ser atribuídos a um novo amor. Vale a pena reproduzir o diálogo entre o incorrigível *charmant* e a jornalista. É Roberto Marinho em grande estilo. Primeiro, a repórter se apresenta:

"Marisa Borges: *Marisa Borges, brasileira, solteira, ainda, jornalista, realizando um sonho como o do senhor, pequenininho. Eu tenho uma micro, uma pequena empresa, uma agência de notícias que atende à imprensa portuguesa. Longe de mim querer ser pessoal, porque há pelo menos um mundo que nos separa. Eu sei o quanto um grande amor é capaz de fazer na vida de uma pessoa. Mas sei também que não é só esse grande amor o responsável pela sua excelente forma física, pelo seu rejuvenescimento, pela invejável maneira de estar. Qual é o seu segredo?*

Roberto Marinho: *Esse almoço tão agradável precisava terminar com essa pergunta agradável que me fez a Marisa.*

Voz masculina não identificada: *Solteira!*

Roberto Marinho: *Solteira, apesar de todos os seus atrativos. Me fez a pergunta mais difícil de responder, porque não existem ensinamentos científicos para explicar o amor, que nos atinge em qualquer idade, principalmente quando nós tínhamos nos incompatibilizado com uma criatura extraordinária, que foi minha mulher, mas havia sido criado um clima entre nós dois, e não nos entendíamos mais. Eu era um homem carente de um afeto, de uma companhia, de uma conversa que não existia no meu lar. Eu encontrei, reencontrei uma pessoa que eu tinha conhecido quando jovem. Viúva, livre, e realmente nos interessamos um pelo outro. Eu creio que a minha idade, que é muito conhecida, eu tenho oitenta e cinco anos, não perturbou essa aproximação."* [3]

"Você pode imaginar o que foi para mim. Primeiro porque já foi numa idade que me surpreendeu, porque ele tinha oitenta e quatro anos. Um homem se separar aos oitenta e quatro anos não é uma coisa normal. E eu também já era uma senhora de idade. Aquilo me chocou, de perdê-lo, por um lado, por eu gostar da companhia dele, por eu perder o amor dele, e por outro lado, do mundo que se esvaziava ao meu redor." [4]

Casados havia quase vinte anos, Ruth fora a companheira dos anos de ascensão máxima de Roberto, amiga e conselheira, mulher de traços e vontade fortes, bem ao gosto dele. Ruth também vivera uma separação, o fim do casamento de oito anos com o tenente da Marinha Luís Fernando Burlamaqui.

"Ele era um rapaz lindo, fardado da Marinha ficava um espetáculo. No meu tempo era moda. Tinha acabado a guerra, e os militares eram endeusados, aquela coisa toda, muitas colegas casadas com militares, especialmente no Sion. Eu fui educada no Sion." [5]

Não cabe presumir malícia ou premeditação por parte de Roberto – não precisava disso, ele sempre teve bons contatos castrenses –, mas Ruth era a mulher da hora, talhada para os anos de chumbo.

[3] Roberto Marinho, entrevista a correspondentes estrangeiros no Brasil, 17 jan 1990.

[4] Ruth Albuquerque, 16 jan 2004.

[5] Idem.

4. Iate *Tamarind*

"*Eu me dava muito bem com os militares, porque sou um pouquinho da direita, digamos... ... Eu gosto de ordem, gosto de obediência, de respeito, eu sempre obedeci aos meus superiores e eu gosto que me obedeçam. ... Acho que tem que existir hierarquia porque senão vira bagunça e isso existe nos militares.*"[6]

Com dedicação e disciplina, a moça do Sion acompanharia o nosso personagem durante os anos de apogeu.

No início do casamento, Roberto e Ruth procuraram toda discrição possível. Mais que a separação de Stella, apenas a consumação pública de uma longa agonia conjugal, a morte do filho Paulinho marcara a família. Faltava pouco tempo para a Lei do Divórcio ser aprovada no Brasil, e Roberto não poderia ter sacramentado a nova união de maneira mais sua: com um cruzeiro no iate *Tamarind*, pelas águas tranqüilas do mar Mediterrâneo. Mais uma vez a família do amigo César de Mello e Cunha o acompanhava.

Roberto andava na fase do jogo de gamão. Depois de derrotas consecutivas para Maria-Alice, a neta pré-adolescente de Mello e Cunha, durante a viagem Doutor Roberto se desinteressou de vez pelo gamão. Naquele início de década de 70, altas pelejas o aguardavam no Brasil.

---

[6] Idem.

Joe, Evandro, Walter, Armando, Caban, Boni: é melhor irmos nos familiarizando com estes nomes, companheiros de Roberto Marinho em alguns de seus mais espetaculares, ousados e bem-sucedidos empreendimentos.

Joe Wallach já conhecemos, o americano que veio como *controller* do Time-Life e mudou de time, passou a trabalhar ao lado do Doutor Roberto, chegando a se naturalizar brasileiro. Quais teriam sido os motivos para tão radical vira-casaca?

"Eu conheci um rapaz na televisão americana que era armênio. Era um cine-grafista, e os diretores falavam para mim: 'Você não deve mexer com esse cara, ele é meio assim'. Ele era muito aberto, e eu gostava dele. Da maneira dele, do jeito dele. Quando eu cheguei ao Brasil, vi que todo mundo era como ele! Aí eu fiquei feliz! Eu disse: 'Eu estou tão feliz neste país.' E a maneira das pessoas, lógico que eu me envolvi, envolvi minha vida. E também tive o privilégio e a luta de criar a televisão em um país. Era uma luta. Isso seduz a pessoa, e eu reconheci logo que éramos pioneiros, como eu imaginava. Então foi isso que me seduziu."[7]

Joe começou a se entender com o Doutor Roberto quando atinou para o motivo pelo qual ele sempre lhe dava as costas. Os dois sofriam de má audição no ouvido do mesmo lado, o esquerdo. Por isso, Roberto sempre acomodava o interlocutor a seu lado direito, por isso transmitia a impressão de esnobar Joe. Tornaram-se amigos queridos. Como sabemos, Joe viabilizou – como um tradutor de gerações – a relação entre um gigante de quase setenta anos e gigantes que ainda não tinham chegado aos trinta, Walter Clark e um certo José Bonifácio de Oliveira Sobrinho, o Boni. Fama justificada de gênio irascível, Boni já constava dos planos de Doutor Roberto havia anos. Mas o flerte – a paquera, como se dizia na época – foi demorado. O primeiro encontro, promovido pelo então chefe de redação de *O Globo*, Mauro Salles, foi em 1964 e não deu em nada. O segundo, em 1966, também não resultou em contratação, mas despertou a fascinação de Boni por Roberto Marinho. Boni articulara a reunião de seu patrão na época, João Saad, da TV Bandeirantes, com Roberto Marinho, na casa do Cosme Velho. Queria associar os dois empresários para implantar a primeira rede de TV do Brasil:

"Eu propus isso. O Doutor Roberto Marinho aceitou fazer uma rede com a Bandeirantes. A Bandeirantes ficaria com uma parte do Brasil e a Globo ficaria

---

[7] Joe Wallach, 15 jun 2004.

com outra parte e fundiriam os esforços. Quem não aceitou foi o João Saad. E aí, quando nós saímos da casa do Doutor Roberto, eu disse para o João: 'Olha, João, eu não vejo condições de a Bandeirantes prosseguir sozinha. Então eu vou fazer outra coisa qualquer.' Pedi demissão. Eu já fiquei fascinado com o Doutor Roberto. O que me impressionou foi a clarividência dele de que a televisão era um veículo que ia consumir dinheiro. Quando eu mostrava os orçamentos para o João da TV Bandeirantes, que era uma pessoa extraordinária, um patrão amigo e tal, ele olhava assim: 'Você não vai me deixar dormir. Isso é muito dinheiro. Eu acho que você está errado, não precisa de tudo isso.' E o Doutor Roberto, quando a gente falava de investimentos, ele dizia: 'Mas isso é pouco, a gente vai precisar de mais.'"[8]

Boni ainda tentou fazer a sonhada rede na TV Tupi, antes de finalmente se acertar com a Globo.

"Em 67 eu voltei a ter outro encontro com Doutor Roberto, e ele me disse: 'Mas que parto difícil! Essa coisa se resolve em no máximo nove meses, tu estás me resolvendo em três anos.' Doutor Roberto comprou a parte do Time-Life e não teve que colocar mais nenhum centavo do bolso dele na empresa. Também não quis tirar, porque ele era um acionista que pensava assim, dentro daquela linha de que aquilo era uma coisa de investimento contínuo: 'Da TV Globo eu não quero tirar nada, eu só quero que ela cresça. O dinheiro que vocês fizerem fica aí mesmo.'"[9]

Não botou mais dinheiro, porém tinha uma dívida astronômica a saldar.

"A última remessa que o Time-Life fez foi em junho de 66, aí nós levamos mais seis anos até começar a empatar. Então, houve prejuízo sempre, nós pegamos dinheiro em banco, com juros altos, o próprio Sílvio Santos, que ganhava muito dinheiro no programa dele, nos emprestava dinheiro. … Era nosso funcionário e cobrava 8% ao mês de nós. Foi uma loucura."[10]

Naquele tempo, juros de 8% eram altíssimos...

Com todo esse sufoco, Roberto Marinho nunca deixou de pagar todo o pessoal da TV rigorosamente em dia, já conhecemos este ponto de honra. Porém, na hora de pagar algumas parcelas devidas aos americanos, Boni e Walter, que ainda não tinham salário, usaram e cotizaram seus ótimos

---

[8] Boni, 9 fev 2004.

[9] Idem.

[10] Joe Wallach, 19 dez 2001.

contatos no mercado publicitário para ajudar a empresa de Doutor Roberto. Todos apostavam tudo no futuro da Globo. O nome disso é ousadia, o apelido, coragem.

E Roberto tinha amigos. Quando uma parcela particularmente alta da dívida com o Time-Life estava para vencer, um banqueiro, que havia lhe garantido apoio, "roeu a corda" na véspera, disse que não tinha o dinheiro.

"Um dia, eu estou no banco e, por volta das cinco da tarde, me liga o Roberto. 'Eu preciso te ver hoje de qualquer maneira.' 'Então, eu dou uma passada aí quando eu sair daqui.' 'Não, eu vou na sua casa. Prefiro ir na sua casa.' 'Não, eu vou na sua casa.' 'Não, eu vou na sua casa.' Seis e pouco, sete horas, ele chegou. Ele, o Wallach — que está vivo — e o Walter Clark. Sentaram os três ali e o Roberto disse: 'Olha aqui, eu estou numa situação em que corro o risco de perder a TV e o Cosme Velho' — para você ver como o Cosme Velho era para ele. — 'Mas o quê?' 'Amanhã, eu tenho o pagamento do Time-Life. Da prestação que eu tinha comprado. E se eu não pagar, eu perco as ações e a casa que está penhorada...'" [11]

"Nós estávamos perdendo dinheiro. Aí não pagamos INPS, não pagamos um monte de coisas, fornecedores, ficamos muito atrasados. Faturamos antes do fim do mês, descontamos nos bancos faturamento no fim do mês, descontamos antes no dia 15. A única coisa que conseguimos pagar foi a folha. Aí chegou um momento muito ruim para nós. José Luiz de Magalhães Lins nos ajudou numa hora decisiva. Deu o dinheiro que realmente nos deu o maior alívio na época. E ele nunca pediu o repagamento até muitos anos depois. Foi Zé Luiz que nos salvou." [12]

Em menos de doze horas, o amigo Zé Luiz de Magalhães Lins conseguiu levantar a dinheirama. Além de parceiro redentor numa das horas mais incertas, Zé Luiz foi o responsável pela indicação do nome que iria mudar a história do jornal O Globo.

Não devemos, no entanto, começar a falar sobre a contratação de Evandro Carlos de Andrade para a direção de O Globo sem antes lembrar ao jovem ou velho leitor que o Brasil estava em guerra. Guerra suja entre militares e militantes de esquerda engajados na luta armada, guerra surda dentro dos próprios quartéis, e muitas pequenas guerras em repartições, camarins e redações, batalhas feitas de delações e vilanias. Algumas das conseqüências do AI-5.

[11] José Luiz de Magalhães Lins, 16 dez 2003.
[12] Joe Wallach, 15 jun 2004.

234

Como sabemos, na redação de *O Globo* nunca se discriminou profissional por conta de suas posições ideológicas. O jornal sempre abrigara uma curiosa mistura de comunistas e salazaristas, esquerdistas e direitistas. Segundo Walter Clark, o tradicional pluralismo das equipes de Roberto Marinho possuía caráter estratégico: *"Uma das formas que ele sempre usou para demonstrar sua independência foi manter em torno de si homens de esquerda, em cargos importantes. ... os duros do regime, os caras da repressão, odiavam essa altivez imperial do Roberto."* [13]

Poucos meses antes da chegada do "Júpiter Tronante" Evandro Carlos de Andrade, um jovem jornalista, filiado ao Partido Comunista havia sido sondado por Rogério Marinho para trabalhar no *Globo*: Henrique Caban conversou com o editor Luís Lobo, que ficou de lhe confirmar a contratação. Doutor Roberto estava viajando, em lua-de-mel com Ruth.

"Durante um mês eu não consegui falar com mais ninguém no Globo. *Achei que o negócio estava perdido. Desconfiei que eu estava sendo vetado, que tinha um veto do Exército. Tinha. O dr. Rogério Marinho depois acabou me dizendo que tinha, mostrou minha ficha. Ele esperou o Doutor Roberto voltar para expor a situação, e o Doutor Roberto mandou admitir. Simplesmente me contratou. Ele não fazia nenhum tipo de 'tratativa'. ... As decisões dele com relação à empresa eram tomadas por ele. Nunca fazia alguma coisa em que ele precisasse ter a anuência de alguém para fazer ou deixar de fazer. Era a forma que ele tinha de manter a independência das empresas."* [14]

Caban, que se tornaria o principal executivo de Evandro, descreve um panorama desolador da redação de *O Globo* naquele início de anos 70:

"O Globo *que nós encontramos era um* Globo *conservador, retrógrado, um* Globo *que o Roberto Marinho não queria mais. O Doutor Roberto estava preocupado porque o* Globo *não estava mais representando o pensamento dele. O* Globo *estava muito mais à direita do que ele, em função de gente que dominava a redação. Aquilo era uma coisa morta. Ele estava procurando uma pessoa que fizesse essa reforma no* Globo.*"* [15]

Ele estava procurando Evandro.

---

[13] Walter Clark, *O campeão de audiência*.

[14] Henrique Caban, 2 jul 2004.

[15] Idem.

5. Evandro Carlos de Andrade, o "Júpiter Tronante"

José Luiz de Magalhães Lins fez a indicação, e de cara Roberto gostou de Evandro, carioca nascido e criado no Maracanã, na Grande Tijuca...

Doutor Roberto não tinha como lembrar, mas conhecera Evandro num momento dramático da história do Brasil. Evandro Carlos de Andrade havia sido assessor do governo Jânio Quadros.

"No dia da renúncia do Jânio, nós estávamos no térreo do Palácio do Planalto esperando o elevador. E eu nunca tinha visto ele, ele nunca tinha me visto, não sabia quem eu era, nem se interessou. Mas só olhou para mim, lívido, e disse assim: 'Que coisa, hein?' Só. Inteiramente aturdido."[16]

Evandro também presenciara outro momento importante da história de Roberto Marinho: *"Foi no inquérito do Time-Life, na Câmara, em que eu assisti ao depoimento dele. Em que, aliás, se saiu muitíssimo bem."*[17]

Logo nos primeiros encontros, Evandro Carlos de Andrade conquistou Roberto Marinho com duas afirmações para lá de sedutoras: que era flamenguista e papista.

"Ele me recebeu sozinho, na sala da casa dele, e fez algumas perguntas a meu respeito. E eu fui falando: 'Eu sou Flamengo', essas coisas. E ele ficava assim, um olho assim, sabe, quando só se quer ouvir bem, para não confundir imagem com o que se está ouvindo..."[18]

"O Evandro foi danado. Fez uma frase definitiva: 'Doutor Roberto, eu sou papista. Papista. O que o papa fala, acabou'. Aquilo, para o Roberto, foi o que ele queria."[19]

Roberto sentiu tanta confiança em Evandro que confessou o seu pior pesadelo: *"Um jornal começa a morrer dez anos antes. O meu está morrendo."* *"...Ele disse: 'Já estou cansado de levar furo. Eu não agüento mais. Esse jornal, é furo todo o dia.' A queixa dele era essa."*[20]

---

[16] Evandro Carlos de Andrade, 3 fev 2000.
[17] Idem. [18] Idem.
[19] José Luiz de Magalhães Lins, 16 dez 2003.
[20] Evandro Carlos de Andrade, 3 fev 2000.

Havia porém uma questão de extrema delicadeza, que Doutor Roberto conduzia com os maiores cuidados. O diretor de jornalismo de *O Globo*, Moacyr Padilha, estava sofrendo de graves problemas de saúde, internado, preso a um leito de hospital. Padilha – ao contrário de Alves Pinheiro – não conhecia a gravidade do diagnóstico. Não sabia, mas os médicos já tinham perdido as esperanças, a morte era, como foi, uma questão de poucos meses. Portanto, Roberto deveria promover a efetivação de Evandro, com plenos poderes para reformar a redação, demitindo e contratando para valer, sem que isso pudesse ser interpretado como uma destituição de Moacyr Padilha. Para tal, manteve trancada a sala de Padilha e instalou Evandro no gabinete cedido pelo irmão Ricardo, que, segundo testemunhas, não desejava outra coisa. Ricardo Marinho preferia a Cultura Inglesa ao jornalismo, e o motivo de seu afastamento progressivo do jornal exemplifica bem esta falta de gosto pelo negócio: brigou com o irmão mais velho porque este ousara "conspurcar" a primeira página do *Segundo Caderno* com... um anúncio!

Pois então. Foi num Brasil coalhado de delatores e delatados que Evandro Carlos de Andrade assumiu *O Globo* para transformá-lo. Inevitável que contrariasse interesses e ganhasse inimigos. Depois de cada nova demissão, chegavam invariavelmente sinistros "informes confidenciais", listando as atividades comunistas de Evandro e seus "comparsas". Há o aspecto cômico desses relatórios de alcagüetagem, evidente nas respostas que Doutor Roberto se dava ao trabalho de confeccionar, rebatendo item a item. Logo vamos sorrir à sua leitura. E há o lado trágico.

Este livro procura pensar o seu personagem central e a história de maneira dialética, apresentando e analisando os vetores que movem indivíduo e sociedade. Por isso, você já deve ter reparado, leitor, aqui não há apreço ou menosprezo por vilões.

É bem possível que o vilão, autor das perfídias que vamos acompanhar agora, já tenha morrido. Mesmo assim, ele não merece ter seu nome aqui reproduzido, pequeno demais para história de tal grandeza. Vamos usar um codinome, algo tão de acordo com a época: Marmota. Severiano Marmota.

Repórter setorista nas Forças Armadas, *"teoricamente, o setorista militar de* O Globo*, mas que, na realidade, era setorista dos militares no* Globo *..."*,[21]

---

[21] Henrique Caban, 2 jul 2004.

como se recusava a cumprir ordens de Evandro, Marmota foi uma das primeiras demissões. Antes de despedir o antigo colaborador, Roberto tentou uma conversa de advertência. Marmota insistia no seu principal argumento em defesa do emprego: *"... dizia-se informante do* SNI (Serviço Nacional de Informações).*"* [22]

Em carta ao então amigo e ministro da Justiça Armando Falcão, Roberto Marinho narra em detalhes o episódio da demissão de Marmota e reproduz o primeiro "informe confidencial" enviado pelo SNI.

"Dez dias depois [da demissão de Marmota], *sem surpresa de minha parte, chegou-me às mãos o seguinte* INFORME *do* SNI:

"CONFIDENCIAL

INFORME

Data: 6 fev 72.

Assunto: INFILTRAÇÃO ESQUERDISTA NO GLOBO

1 – EVANDRO CARLOS DE ANDRADE, *jornalista ligado aos meios esquerdistas do país...* ."[23]

E blablablá, seguia-se a lista de acusações a Evandro e aos "elementos" que com ele colaboravam no *Globo*. As acusações não se sustentavam, em primeiro lugar pela ausência de qualquer critério na elaboração da lista dos acusados. No mesmo texto, Franco Montoro, político de centro-esquerda, emparelhava-se a Henrique Caban, comunista desde criancinha.

Além de delatar, Marmota cometeria perversidade maior, ainda antes de ser demitido: o "setorista" foi ao quarto de hospital onde Moacyr Padilha agonizava para contar que um novo diretor fora nomeado. Quando Roberto Marinho chegou para visitar Padilha, como fazia habitualmente, encontrou o companheiro aos prantos. Talvez a maldade perpetrada por Marmota tenha servido a pelo menos um bom fim: abreviar a agonia de Moacyr Padilha.

Para encerrar esse trecho de filme de terror *trash*, vamos para 22 de setembro de 1976, o dia em que o *Jornal Nacional* teve um segmento inteiro censurado. O bloco do telejornal seria dedicado à cobertura de duas notícias: o seqüestro do bispo de Nova Iguaçu, dom Adriano Hipólito, e o atentado à bomba contra a residência de Roberto Marinho. Ambos os crimes ocorreram na mesma madrugada e teriam sido parte de um con-

---

[22] Roberto Marinho, carta ao ministro da Justiça Armando Falcão, 28 fev 1975.
[23] Idem.

6. Com o Presidente Geisel, arquiteto da Abertura

junto de ações do aparato repressivo, conhecido como Operação Grande
Rio. O petardo lançado contra a casa do Cosme Velho tinha como alvo
a janela do quarto do dono. Pousou no telhado, estilhaçou os vidros da
janela, mas as cortinas grossas protegeram Roberto. Porém, um copeiro,
no térreo, feriu-se gravemente. No mesmo dia Doutor Roberto fez uma
declaração à imprensa:

*"A bomba explodiu sobre o beiral do telhado da minha casa aos primeiros
minutos de hoje, destruindo pequena parte do telhado e vidraças da casa. Não
imagino qual tenha sido a motivação nem a autoria desse atentado. ... O que acima de tudo lamento é que esse ato brutal feriu um de meus empregados, que está
inclusive ameaçado de perder a visão de um olho, atingido pelos estilhaços de vidro.
Seu estado de saúde é, neste momento, o fator de nossa maior preocupação."* [24]

Enquanto Bechara Jalk, um dos mais conceituados investigadores do
Brasil, trabalha, contratado por Roberto Marinho, para identificar os terroristas, outro relatório secreto chega à mesa de nosso diretor. Trata-se de um
documento especialmente confuso e mal escrito. Nele, sob o pretexto de
analisar as motivações dos dois atos de terror, procura-se a conclusão de que
foram ações da esquerda armada, a esta altura mais do que derrotada em sua

239

Doutor Roberto Marinho

---

[24] "Repúdio de todos à volta do terror", *Correio Braziliense*, 22 set 1976.

inglória luta. Os autores do texto acusavam os terroristas de terem armado a madrugada de atentados para incriminar os agentes do governo.

Hoje sabemos que tudo foi urdido pelo aparelho de repressão insubordinado, em processo de desmantelamento: o pessoal dos porões da tortura, determinado a sabotar o processo de abertura democrática do governo Ernesto Geisel.[25] De tão patético texto vale resgatar poucos trechos, representativos de uma linguagem grosseira, repleta do que seriam insinuações, se não faltasse um mínimo de sutileza:

"SECRETO

2. CAMPO PSICOSSOCIAL

– *Opinião Pública*

Os atos em questão … alcançaram maior repercussão e provocaram maiores apreensões que os praticados contra a ABI *e a* OAB *anteriormente. …* D. ADRIANO MANDARINO HIPÓLITO, *que usa em seu braço uma foice e uma cruz, … obteve extraordinária projeção no país e fora dele, graças à cobertura da imprensa e às manifestações de apoio de elementos interessados em mobilizar o povo brasileiro, avesso ao terrorismo, em favor das causas esquerdistas que defendem.*

A bomba atirada na residência do Diretor-Redator-Chefe de O Globo *causou perplexidade. …Admite-se que a causa principal seja a presença de comunistas em diversos setores das empresas que dirige.* "[26]

Doutor Roberto Marinho não deve ter se surpreendido quando recebeu o relatório da investigação particular que encomendara: Severiano Marmota fora um dos principais articuladores dos atentados. O "setorista" virara terrorista.

---

[25] Quando assumiu a Presidência da República, em março de 1974, Ernesto Geisel iniciou um processo de abertura política definida por ele mesmo como "lenta, gradual e segura". Dentro de sua política de distensão, diminuiu a ação da censura sobre os meios de comunicação, garantiu a realização de eleições livres para senadores e deputados em novembro daquele mesmo ano e revogou os atos institucionais decretados por seus antecessores, inclusive o AI-5, maior instrumento de repressão da ditadura militar.

O sucessor de Geisel, o general João Batista Figueiredo, tomou posse em março de 1979, dando continuidade ao processo de abertura política. Já em agosto, o presidente sancionou a lei n°6.683, anistiando todos os que haviam praticado crimes políticos a partir de setembro de 1961. A lei beneficiou cerca de 4650 pessoas, que ganharam liberdade, saíram da clandestinidade ou puderam retornar ao país depois de longo exílio.

Ainda em dezembro daquele ano, foram extintos o MDB e a Arena, marcando o retorno do país ao sistema multipartidário. No início da década de 1980, cinco novos partidos estabeleceram-se no cenário político brasileiro: Partido Democrático Social (PDS), Partido do Movimento Democrático Brasileiro (PMDB), Partido Trabalhista Brasileiro (PTB), Partido Democrático Trabalhista (PDT) e Partido dos Trabalhadores (PT). Mesmo assim, as eleições presidenciais de 1985 ainda foram realizadas, de forma indireta, pelo Colégio Eleitoral. O povo só voltaria às urnas para eleger seu presidente em novembro de 1989.

[26] Documento apócrifo e sem data.

Ainda voltaremos a encontrar bombas de outra natureza arremessadas contra Roberto Marinho. Na flor dos seus setenta anos, Doutor Roberto era aço temperado, não tinha medo de militar e desprezava delator. Homem velho, sábio que a amargura não contaminara, nunca se contentara em diagnosticar o desastre ou lamentar a tragédia. Por trás de uma venerabilidade cada vez mais oriental, habitava o mesmo moço travesso, de senso de humor invencível.

Na longa carta, de fevereiro de 1975, a Armando Falcão, Doutor Roberto destaca algumas listas de delações e acusações e as disseca, de forma tão implacável quanto impagável. Na página 13, por exemplo, Roberto Marinho reproduz as denúncias mais recentes de um informe do SNI e as rebate lacônica e ironicamente. Entre as insistentes afirmações de que Evandro "... *vinha possibilitando a admissão de comunistas na empresa, editorialistas, chefes de redação e reportagem ...*" repete-se também a acusação de que há "... *entre eles um pederasta passivo, cujo nome está sendo apurado para chefiar a seção de esportes...*" Roberto já havia rebatido o estrilo homofóbico anteriormente. Dá para visualizar, leitor, os discretos sorrisos de Roberto, escrevendo a resposta:

"Lamentando o despropósito e o ridículo dessa simples citação, deciframos o mistério de tão laboriosa apuração: trata-se de Celso Itiberê, ótimo profissional, chefe de família. É de crer que o tenham tomado afoitamente por 'pederasta passivo' pela vasta cabeleira que ele usava, seguindo a moda."[27]

Naquele tempo, até os apresentadores do *Jornal Nacional* eram cabeludos...

Como as acusações apresentavam-se numeradas, para não perder mais tempo com bobagens, vamos conhecer o teor dos itens 6 e 7, para em seguida acompanharmos a lista de "respostas".

"6 – Consta, ainda, que: [Evandro] *isolou o diretor-substituto, senhor Rogério Marinho, por considerá-lo 'dedo-duro';*

7 – passou a sonegar informações ao sr. Roberto Marinho;"

Respostas do Doutor Roberto:

1) Já explicados os motivos dessa acusação.

2) Já esclarecido.

3) Idem.

---

[27] Carta de Roberto Marinho ao ministro da Justiça Armando Falcão, 28 fev 1975.

4) *Idem.*
5) *Idem.*
6) *Ridículo.*
7) *Mais ridículo ainda.*[28]

Farto de tanto ler e ouvir a expressão "infiltração" – esquerdista, comunista, marxista ou maoísta –, Roberto Marinho cunhou uma de suas frases lapidares: "Eles se infiltram, e eu os filtro..."

"O Doutor Roberto fazia malabarismos em cima das reclamações. Um cara que reclamava muito do doutor Roberto era o Armando Falcão."[29]

Armando Falcão era amigo de Roberto Marinho e, talvez para demonstrar a sua independência como ministro, cercava implacavelmente cada passo das empresas Globo. Em meados da década de 70, a TV Globo consolidara a sua liderança e, por isso mesmo, sofria uma marcação ainda mais cerrada. Essa "implicância" acabou por produzir um marco no processo de redemocratização.

Trinta e seis capítulos da primeira novela em cores da televisão brasileira já tinham sido gravados. Como de costume, antes de autorizar o "gravando!", Boni tinha enviado o roteiro dos primeiros vinte episódios para a Censura Federal, em Brasília, que haviam sido aprovados, com cortes. Mais tarde, as próprias fitas com vinte capítulos já gravados da novela ficaram vinte dias em Brasília. Mas a liberação oficial, estranhamente, não chegava. Boni começou a ficar mais nervoso que de costume:

"Não emitiam certificado, não diziam o que tinha que cortar, nada disso acontecia. Fui ficando preocupado. Mas fiz uma avaliação de que eles iam liberar no último dia, que eles estavam nos assustando, porque não tinha nada. Eu achava que aquilo era uma postura para nos deixar angustiados."[30]

A novela, escrita por Dias Gomes, chamava-se *Roque Santeiro.*

Segundo Armando Falcão, *"... quase todos os autores de novelas são marxistas disfarçados ou assumidos, que utilizam indevidamente a novela para infiltrar a propaganda de suas idéias, de modo ostensivo ou subliminar."*[31]

A liberação nunca chegou.

[28] Idem.
[29] Henrique Caban, 2 jul 2004.
[30] Boni, 9 fev 2004.
[31] Armando Falcão, *Tudo a declarar.*

"*Quando chegou a proibição do* Roque Santeiro, *eu fui ao Doutor Roberto e primeiro levei uma bronca – bronca no estilo do Doutor Roberto, calminha: 'Você devia ter trazido esse programa para mim.' 'Doutor Roberto, eu achei que não haveria hipótese de censurar, porque não havia nada a ser censurado.' Ele me disse: 'Então me traga aqui o primeiro capítulo que eu quero ver.' Eu levei o capítulo, assisti com ele, e quando terminou, ele falou assim: 'Chame o Armando que eu quero fazer um editorial no* Jornal Nacional.' *'Doutor Roberto, não é melhor negociar essa coisa?' 'Não, eu vou fazer um editorial contra a censura porque isso é um absurdo. Chegou a um ponto que isso é inaceitável. Chame aqui o Armando Nogueira que eu quero que ele redija o editorial junto comigo.' Ele fez, na realidade, não um protesto contra a censura de* Roque Santeiro, *naquele momento ele denunciou que realmente tinha uma censura lá dentro. Eu até ponderei com ele: 'O senhor está dizendo que realmente tem censura dentro da televisão. O senhor está assumindo publicamente.' 'É isso mesmo.'"*[32]

Naquela noite, o *Jornal Nacional*, noticiário mais importante do país, afirmou claramente que o Brasil vivia em estado de exceção, sem liberdade de expressão, e que a TV Globo transmitia sua programação sob censura.

Daniel Filho não se esquece: "*Eu e o Boni estávamos sozinho na sala dele enquanto o editorial estava sendo lido. E nós dois caímos num pranto forte, a gente se abraçou chorando.*"[33]

Dias Gomes conta a reação dos militares:

"*... além da interdição do meu trabalho, a Censura exigia a minha cabeça, isto é, a minha demissão da TV Globo. Roberto Marinho não somente se recusou a satisfazer a essa exigência, como determinou que, entre os argumentos propostos à Censura para substituir o texto proibido, constasse um de minha autoria ...*"[34]

Doutor Roberto queria atestar se o veto era à obra ou ao autor. "*... (os outros dois eram, um de Érico Veríssimo e outro de José Lins do Rego). Os três foram vetados...*"[35]

Dez anos depois, Doutor Roberto chamou Boni em sua sala:

"'*Vá a Brasília almoçar com o presidente que ele tem uma boa notícia pra ti.' 'Mas qual é?' 'Não, não, vá lá que ele vai dizer pra ti.' E aí eu fui lá, e estava*

[32] Boni, 9 fev 2004.

[33] Daniel Filho, 19 jul 2000.

[34] Dias Gomes em *Roberto Marinho 90: depoimentos*.

[35] Idem.

o *Marco Maciel... 'Olhe, a partir de hoje, ... está saindo amanhã publicado no* Diário Oficial, *está abolida a censura.'*"[36]

Roberto Marinho fez questão de que Boni recebesse a notícia em seu lugar. *Roque Santeiro* estreou em 24 de junho daquele mesmo ano de 1985, para tornar-se o maior fenômeno de audiência na história da telenovela brasileira. Como diz Boni, *"Eu acho que nós saímos ganhando, porque a segunda versão do* Roque Santeiro *ficou melhor do que a primeira. ..."*[37]

A proibição da primeira versão de *Roque Santeiro* representou um prejuízo de meio milhão de dólares. Não obstante, o golpe no orçamento e o desgaste político não afetaram a amizade entre Roberto Marinho e Armando Falcão. Os dois se tornariam desafetos a partir de 1988, por conta de um imbróglio pessoal, que misturou, num coquetel explosivo, ingredientes familiares e profissionais.

◆

"Um dia ele telefonou da TV Globo: 'Eu quero falar contigo'. Nunca tinha acontecido aquilo. Aí ele chegou e disse: 'Olha, eu vim te comunicar que eu quero me separar de ti'"[38]

Quando Roberto Marinho manifestou seu desejo de terminar o casamento, Ruth escolheu um filho advogado de Armando Falcão para lhe representar. E o primeiro conselho dele foi fatal: não sair em hipótese alguma da casa do Cosme Velho. Nada, nenhum golpe ou manobra, representaria maior contrariedade que aquela.

A casa do Cosme Velho tinha para Roberto Marinho um significado que transcendia muito portas, paredes, janelas, obras de arte, jardins e flamingos – e um homem de oitenta e cinco anos chamado Roberto Marinho não pode simplesmente ir para um *apart-hotel*, seria inviável. Atingido no seu ponto fraco, prisioneiro em sua própria casa, com uma mulher que não queria mais, Roberto respondeu como pôde: demitiu outro filho de Falcão, que trabalhava na Globo. A briga foi violenta e culminou numa carta aberta de Armando Falcão para Roberto Marinho, escrita em termos

---

[36] Boni, 9 fev 2004.

[37] Idem.

[38] Ruth Albuquerque, 16 jan 2004.

extremamente agressivos e publicada no *Jornal do Brasil*, que, em suma, dizia que o poder subira à cabeça de nosso companheiro.

Não há indicação de que o poder tenha subido à cabeça de Roberto. É uma simplificação tão grosseira quanto dizer que, ao contrário, Roberto subira à cabeça do poder.

Entre sentimentos de raiva e impotência, o "homem mais importante do Brasil" não teve poder para evitar a coabitação forçada com Ruth durante um ano inteiro, até que chegassem a um acordo, e ela partisse.

O fim da amizade com Armando Falcão foi feio. O fim do casamento com Ruth Albuquerque foi melancólico.

Os primeiros anos de convivência do casal tinham sido felizes. Até hoje Ruth lembra com ternura dos presentes, galanteios e surpresas de Roberto.

"Um dia, logo no começo, quando fui morar no Cosme Velho, eu chego num jantar, na varanda, e em cima do meu guardanapo tem uma caixinha. Abro a caixinha e tem um anel lindo. 'Roberto, você se enganou, não é meu aniversário.' Ele disse assim: 'Eu preciso de uma data fixa para mostrar que eu me lembro de ti mesmo quando estou no meu trabalho?'"[39]

E aquela vez, a bordo do *Tamarind*?

"Ele disse: 'Eu vou te ensinar a mergulhar.' 'Vem. Hoje eu faço questão.' Pegou a minha mão. Eu estava com o oxigênio, com aquela coisa para respirar, tudo direito. Eu falei para ele ir com calma que eu estava com medo. Aí, quando estávamos lá, paramos um pouco, e eu olhei a paz que tem lá em baixo. É uma coisa impressionante, um silêncio, os peixes se movimentam devagar, parece que estão hipnotizando a gente. E eu entendi que ali ele relaxava daquela tensão permanente que ele vivia."[40]

Relaxava, Dona Ruth... Sem falar da adrenalina da caça, do arpão, da luta com peixe grande.

Num domingo, na hora do almoço:

"Nós estávamos almoçando, e ele me disse 'Tu hoje vais ter uma visita especial.' 'Me diz quem é, Roberto.' 'Não, é surpresa.' Eu almocei toda apressada, curiosíssima. Aí, quando eram três horas mais ou menos, tocam. O segurança lá: 'Dona Ruth, chegou aqui um rapaz com uns tigrezinhos.' 'Roberto, que história de tigres é essa?'

---

[39] Idem. [40] Idem.

7. Surpresa, Ruth!

'É a surpresa que eu te fiz.' Eu adoro felinos, todos. Ele sabia que havia um circo que tinha uns filhotes de tigre, então mandou buscar para eu brincar. Existe esse homem?"[41]

Existiu este homem, e se teve vida longa também a deveu à companheira Ruth.

Até por ter sido abençoado com uma saúde excepcional, Roberto Marinho não se conformava com a menção à idéia de velhice. Com quase setenta anos resolveu voltar a montar, ou melhor, a saltar, participar de provas de obstáculos. Depois de vinte anos dedicados à caça submarina, Roberto sentiu saudades dos cavalos.

Quando leu o livro de Marguerite Yourcenar, *Memórias de Adriano*, o caçula Zé Roberto reconheceu o pai logo nas primeiras páginas. Nelas, o imperador romano se lamenta amargamente das limitações impostas pela idade, a começar pela impossibilidade de caçar e montar.

"A renúncia à equitação é sacrifício mais penoso ainda; uma fera não era senão um adversário; o cavalo era um amigo. ... O cavalo obedecia-me como a seu próprio cérebro e não como a seu dono. Terei algum dia conseguido tanto de um homem? Uma autoridade tão absoluta comporta, como qualquer outra, riscos de erro por parte do homem que a exerce, mas o prazer de tentar o impossível em matéria de saltos de obstáculos era intenso demais para que eu lamentasse um ombro deslocado ou uma costela partida."[42]

Roberto Marinho assinaria em baixo dessas linhas com o próprio sangue.

"Tá com medo, Francisco?", provocava Roberto quando seu treinador desconversava um obstáculo mais alto. E nós já conhecemos a predileção de Roberto Marinho pelo salto em altura, uma modalidade antiquada, hipismo clássico, hoje em desuso.

"Ele não gostava de pular baixo. Gostava de altura. Se inscrevesse Doutor Roberto numa prova com obstáculos baixos ele não pulava: 'Não tem outra não?'

---

[41] Idem.

[42] Marguerite Yourcenar, *Memórias de Adriano*.

Era danado! Só de 1,30m para cima, e com aquela idade. Vou contar uma história para você: eu estou montando aqui, tinham uns picos armados aqui, e ele falou: 'Começa a pular esses baixinhos.' Aí, quando estou pulando, ele: 'Vai nos triplos.' 'Doutor Roberto, está alto!' 'Tá com medo, Francisco?!' Tive que ir, né? 'Não, não tô não!' Pô, tudo 1,40, 1,50m! Mas os cavalos dele eram bons, né? Eram fora de série.''[43]

Tupã, Biônico, Mistério, Sagitário, Laborioso... Cavalos extraordinários, enormes, fortíssimos. E tombos, muitos, alguns bobos, sustos, outros sérios.

8. Cavalos, a paixão difícil de largar

"Ele caía muito, muito mesmo. Nunca culpou o cavalo, sempre ele. Caía, levantava e: 'Tá tudo bem, tá tudo bem. Me bota em cima.' Só que era eu que botava ele em cima do cavalo. E o leão pesava... Em vez de levantar, ele arriava e botava força.''[44]

Assim que voltou a saltar, Doutor Roberto teve um acidente sério, no início de 1974. Quebrou três costelas, foi parar no hospital. Notícia ou fotografia das quedas, graves ou leves, do cavaleiro Roberto Marinho não saíam no *Globo*, nem no *JB*, nem no *Dia*, em nenhum jornal. Mais que contundido, ferido em sua vaidade, Roberto conquistava o silêncio dos concorrentes. Com a exceção, é claro, da *Tribuna da Imprensa*, do eterno e implacável adversário Hélio Fernandes, que ultrapassava as raias da deselegância, fazendo zombaria com a idade do competidor. Deixa para lá... O Doutor Roberto deixava pra lá.

Quatro meses depois do acidente, Roberto Marinho voltou a competir e ganhou na primeira prova.

"A primeira prova, General Lindolpho Ferraz, foi percurso normal, com cronômetro e obstáculos de 1,20m. Nosso companheiro Roberto Marinho disputou com dois animais: Rutinha e Tupã. Com o primeiro, não conseguiu fazer boa pista, pois a égua não correspondia ao seu comando.

Com Tupã, fez a melhor pista da tarde. Comandando com firmeza o cavalo, conseguiu o melhor tempo, sem cometer falta, o que lhe valeu o primeiro lugar.''[45]

[43] José Francisco Alves Nascimento (Tamborete), 21 set 2004.

[44] Idem.

[45] *O Globo*, "Roberto Marinho vence prova General Lindolfo Ferraz", 5 jul 1974.

"Nunca me esqueço, com o Tupã. Com vários concorrentes, uns cinqüenta e poucos concorrentes, ... com sessenta e nove anos, rapaz! Contra os garotos! Mas ele só tinha cavalo bom, né."[46]

O sergipano José Francisco Alves Nascimento começou a trabalhar com Roberto Marinho no dia 10 de dezembro de 1973. Doutor Roberto sempre foi a única pessoa a chamá-lo de Francisco. Até hoje Tamborete cuida dos cavalos da família, que mantém a tradição de cavaleiros e agora amazonas, as netas de Roberto.

"Era educado, muito amável, mas não gostava de mentira. A pessoa tinha que olhar dentro do olho dele. Se ficasse de cabeça baixa ele não gostava não. Falava baixo, muito baixo."[47]

Doutor Roberto exigia que os treinadores trabalhassem os cavalos todas as manhãs. E não se enganava, reconhecia na hora se o animal não tinha trabalhado. Tamborete tentou avisar um colega:

"Eu trabalhei a minha parte, deixei os quatro dele e falei: 'Olha, Doutor Roberto conhece...' 'Não conhece.' Doutor Roberto pediu logo os dele: 'Oh, Francisco, esses cavalos não trabalharam não.' Mandou o cara embora na hora, porque o cara mentiu para ele."[48]

Alguns dos melhores cavalos do mundo eram preparados para saltar na direção em que seu velho cavaleiro apontasse. Aprontou. Biônico partiu em disparada, rumo à cerca da pista, pulou, passou pelo meio da arquibancada cheia, não esbarrou em ninguém, pousou na pista vizinha, deu três voltas a galope solto e parou. Sobre o animal, Roberto Marinho, às gargalhadas.

"Ele parou e ficou rindo, rindo."[49]

Também deu muita risada daquela vez, na cocheira de Mistério. Tamborete, o Francisco, tentou avisar, o que só fez Roberto se aproximar mais do Mistério:

"'Doutor Roberto, esse cavalo morde.' O cavalo o arrastou pela camisa para dentro da cocheira. Mistério pegou com os dentes a roupa dele, e ele ficou na trave, pendurado! Eu comecei a rir. E ele ria também! Começou a dar açúcar para o cavalo. Ele andava com uma bolsa de açúcar aqui do lado, de couro. Ele era muito engraçado."[50]

Torrões de açúcar à cintura, saltos de cinco centímetros nas botas e provas com obstáculos altos.

---

[46] José Francisco Alves Nascimento (Tamborete), 21 set 2004.

[47] Idem. [48] Idem. [49] Idem. [50] Idem.

9. Cavaleiro septuagenário

"Em Brasília, quando houve a 'Cinco Tríplices', ele chegou em terceiro, passou por 1,70m."[51]

O obstáculo chamado "tríplice" combina extensão e altura, e é tão difícil que, no hipismo atual, só pode figurar um vez num percurso. De tão perigosa, a "prova em cinco tríplices" foi banida da equitação internacional. Os cinco obstáculos eram colocados em linha, e, numa disparada reta, o cavaleiro deveria superar um a um, sem cometer faltas, num crescendo de altura, barragens mais elevadas a cada fase. Os melhores cavaleiros e amazonas são unânimes em afirmar que esse tipo de prova exige uma força descomunal das pernas.

O que tornava mais impressionante ainda a cena daquele senhor de setenta e três anos, às rédeas de Laborioso, cavalo bravo, entrando na pista principal da Sociedade Hípica Brasileira, a pista Roberto Marinho. A pista tem o nome do maior benemérito do clube desde a sua inauguração, em 1938.

A Hípica parava quando Roberto Marinho competia, e não foi diferente naquele dia fatídico de 1978. Todos os sócios e convidados se

Doutor Roberto Marinho

---

[51] Idem.

quedaram mudos, fascinados com a firmeza daquele senhor, às rédeas de um cavalo de meter medo. Laborioso dava mesmo trabalho.

"Pior é que o Doutor Roberto só gostava dele. O cavalo que ele mais gostava da cocheira era o Laborioso. Era o primeiro pelo qual ele perguntava. Era brabo, e gostava porque o cavalo levava ele para outro lado. Só gostava de montar nele. Não tinha esse negócio de botar algodão no ouvido, porque ele não gostava não. 'Deixa natural.'" [52]

Para tentar acalmar cavalos muito ariscos, como Laborioso, é comum o uso de algodão nos ouvidos. "Deixa natural...", frase clássica de um homem que usou sempre a arma da naturalidade para desarmar artifícios de cara. Nem que, às vezes, arrebentasse a própria...

E, você já deve imaginar, a prova daquele dia era uma das favoritas de Roberto, e das menos recomendadas a um homem de sua idade: a "prova em cinco tríplices".

O conjunto Roberto Marinho-Laborioso ultrapassou facilmente a primeira marca, 1,10m. As barreiras foram aumentando, 1,20, 1,40, 1,50, 1,65m... Estupefata, a platéia acompanhava: o homem velho continuava na disputa, não tinha cometido nenhuma falta, e partia para superar a marca dos 1,75m. Passou. Em seguida, mandou que erguessem os obstáculos até 1,90m. Partiu. Passou pelo primeiro obstáculo, pelo segundo, terceiro, quarto, e quando se aproximava da última barragem, Laborioso refugou bruscamente, lançando o cavaleiro para a frente. Roberto agarrou-se ao pescoço do animal, não queria cair. O cavalo galopou, atordoado, por quase cinqüenta metros, e o homem de setenta e três anos ali, pendurado. Desorientado, quando se aproximou de uma vala que havia na pista, Laborioso se assustou e lançou seu cavaleiro contra a cerca da pista, em frente à casa principal da sede.

"Quando cheguei para socorrê-lo, ele estava mudando de cor. Corri e afrouxei a gravata dele. Eu disse: 'Fique calmo, Doutor Roberto.' E ele: 'Está tudo bem, está tudo bem, Francisco.' Ele foi retirado da pista num paraflanco, como se fosse uma maca. Foi levado para uma caminhonete ali e depois para a ambulância." [53] Paraflancos são os suportes laterais dos obstáculos.

52 Idem. 53 Idem.

No hospital, a fratura de oito costelas foi constatada e o pior: o pulmão direito de Roberto fora perfurado. À noite, a mulher Ruth ficou de vigília, à beira do leito do hexacampeão dos anos 40 e 50, dono de noventa e nove primeiros lugares em competições nacionais e internacionais, o cavaleiro das grandes alturas, o guerreiro que já completara um percurso de braço quebrado. Desta vez, a teimosia tinha feito um estrago sério.

"Eu fiquei olhando para ele, cheio de aparelhos. E de repente a cara dele começou a se modificar, e eu comecei a achar que ele estava ficando parecido com a mãe, que não era nada parecida com ele. Aí eu levei um susto e pensei que alguma coisa séria estava acontecendo. Fui no corredor e disse para a enfermeira chamar o médico urgente, que alguma coisa grave estava acontecendo. A fisionomia dele tinha começado a se modificar, ele estava começando a morrer. O plantonista apareceu, olhou para ele, pegou o telefone e falou com o médico que tratara dele. O médico deu uma ordem, tiraram todos os aparelhos, e em vinte minutos o médico estava lá no hospital. Depois o médico disse para mim: 'Dona Ruth, se a senhora tivesse esperado mais meia hora, não tinha mais jeito…'" [54]

Aí sim, foi largando os cavalos aos poucos, turrão, rebelde. *"Depois que ele ficou bom, a família proibiu que montasse. E assim mesmo ele ainda vinha trotar e galopar aqui."* [55]

Podia continuar mergulhando, ainda que com menos fôlego, por causa do pulmão lesionado.

A partir daí, o seu amor pela equitação se manifesta das arquibancadas. Compra grandes animais e patrocina alguns dos melhores cavaleiros do Brasil, como Luís Felipe Azevedo, o Felipinho, que compôs um conjunto vitorioso e inesquecível com a égua Miss Globo. Uma paixão de Roberto.

"Ela era mansa, uma das melhores éguas de que já cuidei. Tinha um poder de força, salto, técnica. Um dos melhores animais que já vi. Foi ela que ganhou mais grandes prêmios, no Brasil e lá fora, Copa das Nações também." [56]

Tratava-se mesmo de um animal extra-série, que Felipinho conduziu, com sucesso por pistas de todo o mundo, sempre com cobertura total do jornal, da rádio e da TV Globo. O *Jornal Nacional* noticiava religiosamente cada nova conquista de Miss Globo pelo mundo. Entrou para a história do *JN*, e para a antologia das encasquetadas de Doutor Roberto, a edição

[54] Ruth Albuquerque, 16 jan 2004.
[55] José Francisco Alves Nascimento (Tamborete), 21 set 2004.
[56] Idem.

que exibiu um percurso completo de Miss Globo numa grande vitória, em Roma. Francisco conta: "*Lá em Roma, 1985, Doutor Roberto ainda subiu nela e deu umas voltas. Com 80 anos, ele montando.*"[57]

Desta vez, Doutor Roberto não se contentou com o registro de vinte, trinta segundos habituais que o *JN* compunha. A ordem era exibir o percurso vitorioso completo, na íntegra. Como durante uma prova hípica reina um silêncio monástico, aquele minuto e muito de saltos, para os editores nervosos do *Jornal Nacional*, equivaleu a uma eternidade de aflição. Mas não houve jeito: Roberto Marinho julgava que a notícia merecia tal destaque e não comportava cortes. Na redação, a exibição do vídeo deixou redatores atarantados, mas não consta que o público tenha reclamado – pesquisas publicitárias não indicaram que a visão de um cavalo é uma das imagens que mais prazer estético transmitem ao ser humano? Beleza segura audiência, prende atenção e, principalmente, o Doutor Roberto queria, e pronto.

Geriatras, especialistas da chamada terceira-idade e psicanalistas hoje afirmam, com base na observação científica, algo que filhos, netos e parentes de idosos conhecem bem: "a velhice escancara". Em termos mais técnicos, "há um enfraquecimento do superego": o que já era elástico no temperamento do indivíduo se torna mais elástico, o que era rígido, mais rígido. Todos os vetores, as características da personalidade, se magnificam.

A coisa chega a ser física. Com a idade, por exemplo, as extremidades dos homens crescem, menos a mais importante – isso antes dos viagras ou das próteses de silicone. Cresce o nariz, crescem as orelhas...

A orelha de Doutor Roberto, por exemplo. Nunca foi pequena, mas talvez de tanto escutar, ficou ainda maior. Sempre falou baixo e para dentro, a rouquidão só fez aumentar com o tempo. Em dezembro de 1988, a fonoaudióloga Gloria Beutenmüller atendeu ao Doutor Roberto e elaborou uma lista de conselhos e exercícios. Involuntariamente, Glorinha se repete, escrevendo no segundo e no décimo segundo item, a mesma orientação: "*não falar para dentro*". Entre recomendações como "*projetar a sua voz*" e "*não falar baixo*" – algo quase impossível para nosso personagem –, uma referência ao acidente: "*não inibir seu pulmão direito*". Há nitidamente o

---

[57] Idem.

aconselhamento da profissional a um ansioso *"bocejar várias vezes ao dia"*, *"espreguiçar-se com o máximo de expansão"*, *"soltar o pescoço"*, *"não cruzar as pernas"*. E uma frase que nos traz de volta às particularidades que se ampliam na velhice: *"transformar sua vaidade em orgulho"*, este é o primeiro conselho da lista da fonoaudióloga.

Doutor Roberto não via com simpatia o sentimento do orgulho. Cultivava a humildade e procurava se manter longe de qualquer conversa do gênero "homem realizado" ou "missão cumprida". Qual! Foi, sim, exercendo cada vez mais naturalmente a sua vaidade, assim como foi ficando mais mandão, ansioso, insatisfeito. Sempre quis mais, a idade só fez com que ele quisesse mais ainda.

Se, por um lado, foi ficando cada vez mais duro com os poderosos, a sua doçura e amabilidade com os pequenos só aumentou.

Nos últimos trinta anos de vida de nosso personagem, um novo paradoxo se manifesta. Na sua ação ininterrupta a despeito da idade, Roberto antecipa a velhice que hoje se anuncia generalizada, cada vez mais longa e ativa. Ao mesmo tempo, é inevitável, torna-se um homem "de época", com modos, expressões e hábitos de outrora. O uso de pó-de-arroz, por exemplo. Pode perfeitamente ser reflexo de alguma questão mal resolvida quanto ao sangue negro que os brasileiros carregam, e pelo qual fora ofendido. Ou simplesmente, como crê Lily Marinho, é um hábito trazido de outros tempos. *"Isso era da época. Meu pai também usava, porque depois da barba passava um talco assim."*[58]

Lily, paixão crepuscular, acolhimento, amor e dignidade no fim.

"... eu fazia praticamente todas as vontades para ele, como eu acho que toda mulher tem que fazer para o marido. Ela pode pensar o que ela quiser, mas acho que ela tem que fazer. Eu estou vivendo numa época que não é bem assim. Minha mentalidade é mesmo da idade que eu tenho, de antigamente..."[59]

Mas ainda não chegamos ao crepúsculo.

Proponho agora, leitor, a construção de um dia que represente trinta anos, com manhã, tarde e noite de Roberto Marinho. A saber:

253

---

[58] Lily Marinho, 5 mar 2004.

[59] Idem.

Dormia mal, acordava cedo. Nas décadas de 70 e 80, às seis e meia da manhã. Tomava café lendo os jornais, verificando se *O Globo* tinha levado algum furo. Saía antes das dez horas. As manhãs pertenciam ao jornal.

Entre as características de personalidade que se exacerbaram com a idade, figura em destaque a passionalidade. Uma das melhores ilustrações dessa tendência é a relação cada vez mais passional de Roberto Marinho com Evandro Carlos de Andrade.

No início de sua gestão no *Globo*, Evandro, nas cartas que remete ao chefe, chama Doutor Roberto de "Senhor": assim, com "S", maiúsculo, e não abreviado, como um crente se dirige a Deus. Doutor Roberto, que adorava uma esgrima verbal, deve ter sido conquistado por elaborações como esta, numa carta em que Evandro roga pela extinção de uma velha e obsoleta coluna.

"Às vezes, o Senhor me dá impressão de que acolhe como verdadeira a modesta declaração do colunista de que a coluna dele é a mais lida do jornal. Se isto não fosse uma graçola dele, estaríamos na pior das situações, pois não conheço ninguém que a leia, e isso inclui o Senhor e a mim, embora fosse meu dever fazê-lo, mas não consigo. Não reclamo, apenas; apelo. Peço ao Senhor um favor: não faça o favor de permitir no Globo *uma seção de favor."*[60]

Sabe como Doutor Roberto vai minguando aos poucos a referida coluna? Lastimando-se com o referido colunista pela *"... gravíssima crise de papel. Ou tomamos medidas heróicas, ou talvez nem possamos imprimir o nosso* Globo. *... o espaço que lhe destinaram foi de vinte linhas, em duas colunas. Aumentei para trinta."*[61]

Como já sabemos, a primeira década de Evandro no comando é marcada pelas manifestações da extrema-direita que, depois de ganhar a guerra contra uma esquerda "guevarista" e frágil, começa a perder a luta pelo poder.

Alguns episódios demonstram a sagacidade alcançada por Roberto Marinho, aos setenta anos.

Dois jornalistas são presos e, sob tortura, denunciam colegas, entre eles Henrique Caban, apontado como chefe de uma célula do Partido Co-

---

[60] Carta de Evandro Carlos de Andrade a Roberto Marinho, 8 out 1972.
[61] Carta de Roberto Marinho, 13 nov 1973.

munista Brasileiro. Contra Caban, a repressão tem uma prova de que ele contribuía para um fundo de auxílio a militantes presos ou clandestinos:

"O Doutor Roberto me chamou quando chegaram lá as denúncias, e eu disse: 'Olha, eu dou dinheiro pra família de preso político, eu fui sustentado por isso, eu não vou deixar de dar.' Aí ele disse: 'Mas precisava ser em cheque, Caban?'"[62]

O cheque fora encontrado com um dos presos, um fotógrafo, que não o descontara imediatamente como combinado.

Os militares insistiam quase diariamente para que Roberto Marinho entregasse a lista dos comunistas do *Globo*. Até que Doutor Roberto aquiesceu: "Olha, vem aqui que eu vou te dar.". Mais uma vez, deixemos Henrique Caban terminar a história:

"Doutor Roberto deu um envelope fechado — foi lá um capitão, ou coisa assim —, e depois ligou o general, que era o comandante aqui do Exército, indignado, que disse: 'O senhor me mandou a folha de pagamento!'" Nosso companheiro respondeu, na maior tranquilidade: *"'Ué, mas quem tem que descobrir os comunistas são vocês. Você tem aí todos os funcionários.'"*[63]

E quando, depois da prisão e tortura dos jornalistas, os oficiais ainda exigiram que *O Globo* mantivesse um deles no *Globo*, justamente o fotógrafo do cheque, forçando a inviável convivência entre delator e delatado, Doutor Roberto saiu-se assim:

"O Doutor Roberto chamou esse fotógrafo na sala e disse: 'Sofreste muito...' Aí o cara contou horrores, que tinha pisado no piche fervendo e tal... Acabada a entrevista, Doutor Roberto mandou demiti-lo, ligou para o general e disse: 'Olha, general, eu não posso manter aqui um sujeito que mente tanto contra o Exército. Então, eu resolvi mandá-lo embora, porque seria uma coisa incômoda pra mim mantê-lo aqui.' Aí disse tudo o que o fotógrafo tinha contado. O general engoliu em seco."[64]

Diariamente, ao chegar no prédio da rua Irineu Marinho, Doutor Roberto encontrava uma pilha de exemplares de *O Globo*. Nunca escolhia o que estava em cima. Depois, em sua sala, punha o jornal sobre a mesa, ajoelhava-se e ficava olhando, examinando, para ver se a edição já tinha sido manuseada. Não dava chances para que o ludibriassem com um exemplar

---

[62] Henrique Caban, 2 jul 2004.

[63] Henrique Caban, 30 jun 2000.

[64] Henrique Caban, 2 jul 2004.

10. De olho na qualidade

especialmente bem impresso. Queria ler *O Globo* como chegava às ruas, às mãos do leitor.

Sabia tudo de jornal.

"Tem gente que dizia assim: 'Mas ele não escreve?' Eu cansei de ver o Doutor Roberto sentar na máquina para escrever o editorial. A única coisa de que ele tinha vergonha é que era lento na máquina, mas escrevia bem, não é escrever razoável, escrevia bem."[65]

Mauro Salles, que foi chefe de redação de *O Globo*, antes dessa função ganhar novo título, o de diretor de redação, conta outra habilidade de Doutor Roberto, atributo exclusivo de um menino nascido e criado entre as oficinas e a redação:

"O jornal naquela época, a montagem final era feita na oficina. Você ficava diante de uma bancada metálica, a página na sua frente, que se chamava a rama, era toda amarrada, e o gráfico que está do lado de lá mexia com aquelas peças, e do outro lado estava o secretário de redação, o chefe da página, dizendo: 'Tira isso daqui e coloca ali, põe o título maior' — quer dizer, a paginação final era feita nessa arrumação. E o Doutor Roberto gostava muito de descer para fazer a primeira página. E tinha uma coisa muito curiosa, você fica defronte de uma página que está escrita de cabeça para baixo e às avessas, e tem que ler quase que com a mesma velocidade que você lê de frente, porque você tem que saber se tem um erro, se esse pedaço casa com aquele, se esse título corresponde a essa matéria, você não pode ver aquilo como um metal. O Doutor Roberto Marinho era uma das poucas pessoas que lia com absoluta tranqüilidade de cabeça pra baixo e às avessas."[66]

11. Mais uma obra – o parque gráfico pronto

Antes de concluirmos a história de companheirismo entre Mauro Salles e Doutor Roberto, vale aproveitar a deixa para contrapor o profundo conhecimento do fazer jornalístico

[65] Mauro Salles, 30 mar 2000.
[66] Idem.

12. Mauro Salles, João Roberto, Evandro Carlos de Andrade, Roberto Irineu e o olho do dono

sob condições quase artesanais, exposto pela narrativa de Mauro Salles, à sapiência essencial da natureza do ofício: transmitir informação com clareza e senso estético, algo que a revolução informática não transforma.

Aos noventa e quatro anos de idade, Doutor Roberto foi levado para conhecer as novíssimas conquistas informáticas de *O Globo*. Investido do papel de cicerone, Ali Kamel vai mostrando as maravilhas contemporâneas para aquele senhor já bastante alquebrado pela velhice.

"Eu ficava repetindo a frase: 'Doutor Roberto, esse sistema editorial é maravilhoso. Coisa de primeiro mundo.' Essa frase horrorosa... Mas eu ficava repetindo: 'Coisa de primeiro mundo. Isso aqui é coisa de primeiro mundo, coisa de primeiro mundo.' E ele muito atento a tudo. Eu disse: 'O senhor quer ir na fotografia?' 'Ah, gostaria muito.' Aí descemos, eu achando que Doutor Roberto não estava entendendo nada. 'Olha, Doutor Roberto, isso aqui é uma coisa de primeiro mundo. O senhor pega o filme, fotografa, põe nessa maquininha aqui, ela revela automaticamente, depois entra aqui, amplia, em quatro minutos está a foto. Faz um teste aqui para o Doutor Roberto'. Pegaram um filme lá do fotógrafo. Fizeram. Aí a foto saiu. Doutor Roberto pega os óculos de aros bem grossos, põe, pega a foto e fala assim: 'Meu filho, tudo aqui pode ser de primeiro mundo, mas o mais importante é a qualidade do fotógrafo que é de terceiro mundo. Cortaram os pés do delegado e o flash espocou nos óculos dele. Isso é impublicável.'"[67]

257

Doutor Roberto Marinho

---

[67] Ali Kamel, 23 fev 2000.

Ali Kamel acabou migrando do jornal para a TV. O primeiro a fazer esta transição foi Mauro Salles, transferido por Doutor Roberto para a direção de jornalismo da emissora, meses antes da inauguração da TV Globo.

Numa manhã de agosto de 1965, Mauro entrou na sala de Doutor Roberto e teve a audácia de pedir demissão. Sim, porque nós já sabemos, leitor, que o nosso personagem não podia conceber tal idéia, considerava abandono de navio, fim de romance. Negou-se a aceitar a demissão, ameaçou reter a carteira profissional de Mauro Salles, mas acabou cedendo a um argumento certeiro.

"Ele não acreditou: 'Eu vou sair da sua televisão porque eu vou fazer a minha empresa'. 'Um jornal?' Eu digo: 'Não!' 'Ah, então está bom.' Podia fundar qualquer coisa que não incomodava ele, se fundasse um jornal, ele ia ficar chateado. Fundei uma agência de publicidade."[68]

Em carta de 1º de julho de 1991 a Roberto Marinho, um dos maiores publicitários do Brasil relembra a seu antigo chefe:

"O senhor, Doutor Roberto, sorriu da minha idéia, deu-me um abraço, fez votos de êxito para a minha aventura, mas antes de liberar-me deu mais duas ordens: primeiro, que não tivesse pressa em acertar essas coisas de carteira profissional, para que ficasse mais fácil a minha volta. … Segundo, agir com competência e velocidade para que … a anunciada agência Salles crescesse e se expandisse com rapidez, com o compromisso de aparecer logo entre as maiores parceiras de O Globo, da Rádio Globo e da TV Globo na veiculação da publicidade de grandes anunciantes."[69]

Quando, anos depois, a agência Salles chegou ao topo da lista de faturamentos de *O Globo*, Mauro foi ao gabinete do antigo patrão, todo prosa. Na carta de 91 ele narra a reação típica de Roberto Marinho.

"Pensei em chegar e dizer: 'Pronto, Doutor Roberto, cumpri sua ordem…' E contava com seu abraço de parabéns… Nada disso. Como era previsível, o senhor comentou: 'Olha, Mauro, você e seus irmãos poderiam ter conseguido isso mais cedo! E tem muito espaço ainda para crescer…'"[70]

Quantas vezes Evandro Carlos de Andrade pediu demissão! Doutor Roberto reagia a esses pedidos de duas maneiras. Ou ignorava pensamento tão descabido, ou dizia não. Simplesmente não considerava a possibilidade. Evandro rivalizava em passionalidade com seu chefe, e a idade exacerbava

[68] Mauro Salles, 30 mar 2000.

[69] Mauro Salles, carta a Roberto Marinho, 1º jul 1991.

[70] Idem.

a cada dia os traços da personalidade de Roberto. Entre eles, o perfeccionismo. *O Globo* havia se transformado na gestão de Evandro, se renovara, tornara-se mais independente, conquistara novos leitores – e Doutor Roberto não parava de reclamar. *"Era um grande reclamador. Reclamava muito. Mas isso afinava muito comigo, porque eu também sou muito reclamador."*[71] Mas às vezes até o papista Evandro não agüentava o rigor cada vez maior do "papa": *"O senhor exige de mim, agora, que obtenha uma edição diariamente perfeita do jornal…"*[72]

Até o fim, mesmo quando a TV Globo já tinha se transformado no mais poderoso veículo de comunicação do país, Doutor Roberto priorizava o jornal. Não apenas por ter total intimidade com cada um de seus segredos, mas essencialmente porque julgava que era o jornal que formava opinião e tinha o real peso político. Não se trata aqui de discordar ou concordar com este ponto de vista, mas de acrescentar elementos à nossa tentativa de compreensão do fenômeno Roberto Marinho.

Não interprete no sentido figurado: no jornal, Doutor Roberto estava em casa mesmo. Dividia sua sala com secretários cuja dedicação beirava a idolatria. A fidelidade de Victório Berredo já conhecemos, homem capaz de dar a própria vida por Doutor Roberto, sem exagero – quase o fez em algumas aventuras submarinas.

Dona Lygia era a outra secretária que tinha mesa na sala de Roberto Marinho. Para apresentar Lygia de Souza Mello, que trabalhou desde janeiro de 1957 com Doutor Roberto, vamos usar a definição que ela aplica a Victório Berredo: *"Doutor Roberto dizia que ele era a pessoa mais leal, 'Victório é o homem mais leal que eu já conheci.'"*[73]

Dona Lygia aliava lealdade a uma discrição obsessiva. Até hoje, é muito difícil arrancar uma inconfidência sequer da secretária que testemunhou, registrou e arquivou quarenta anos de vida e trabalho do Doutor Roberto. Ela lembra

13. Lygia, anjo da guarda no jornal

[71] Evandro Carlos de Andrade, 3 fev 2000.

[72] Carta de Evandro a Roberto Marinho, 29 abr 1983.

[73] Lygia de Souza Mello, 1º out 2001.

da primeira vez que o encontrou. Já era funcionária de Roberto Marinho, trabalhava na Rio Gráfica Editora, mas foi na velha sede do *Globo* que o conheceu. Tinha ido pedir dinheiro...

"Cheguei lá para falar com o Doutor Roberto, a redação era enorme, tinha aquela rotunda assim, e todo mundo junto, Doutor Roberto trabalhava junto com todo mundo. Eu expliquei para ele: 'Eu vim aqui porque a revista Querida *vai fazer um ano, e a gente precisa de um bolo. E não temos dinheiro para o bolo.' Eu era muito saliente. Então ele disse: 'Quanto é que custa o bolo?' Era um bolo grande da Confeitaria Colombo. Ele meteu a mão no bolso e me deu o dinheiro. Saí de lá feliz, inclusive porque ele foi simpático comigo. Em plena redação, me dar o dinheiro para comprar o bolo. Essa foi a primeira vez que eu vi, em carne e osso, o Doutor Roberto Marinho. Que mal podia imaginar que ia ser o meu chefe."*[74]

Como acontecia com todos que se tornavam próximos a ele, Dona Lygia passou a ser cuidada por Doutor Roberto. E dizer "passou a ser cuidada" é a mesma coisa que afirmar "passou a ser mandada". Mesmo para manifestar seu carinho e preocupação, Roberto Marinho era mandão.

"Ele era muito sóbrio na maneira de comer. Ele não comia gordura de jeito nenhum, ele comia sempre bifes grelhados, um cremezinho de espinafre horrível, tudo que não tivesse gordura. Era muito cuidadoso com a comida dele. E de bombom eu sei que ele gostava. Adorava bombom. Me criticava muito quando eu chegava assim, que não estava muito animada, que estava com dor de cabeça: 'O que a senhora comeu ontem?' Era sempre o que ele perguntava para a gente."[75]

Doutor Roberto confiava em Dona Lygia, e tinha motivos para isso. A secretária só não podia se atrever a fazer uma coisa.

"Doutor Roberto tomava conta de tudo realmente. Muito desarrumado na mesa dele. Então, quando eu arrumava a mesa dele, em geral eu levava um pito. Quer dizer: 'Cadê aquele papel que eu pus aqui?' Ele sabia exatamente em que pontinho ele punha cada papel."[76]

Durante alguns anos, Doutor Roberto manteve um apartamento no quinto andar do *Globo*. Tirava suas sonecas ali, depois do almoço.

"Ele descansava lá, aquilo era matemático. Com o tempo ele foi deixando aquilo, e depois nunca mais voltou. Levava amigos para almoçar. Iam almoçar lá no quinto andar também. Então, subia o carrinho com a refeição, eles almoçavam lá."[77]

---

[74] Idem. [75] Idem. [76] Idem. [77] Idem.

14. Henrique Caban, Evandro Carlos de Andrade, José Roberto, João Roberto e Roberto Irineu

Doutor Roberto só passou a almoçar na TV Globo a partir de 1977, quando assumiu pessoalmente a vaga de Walter Clark. Mas isso é conversa para daqui a pouco. Ainda não chegamos à hora do almoço.

No momento, assistimos à batalha diária de Roberto por um *Globo* renovado, ágil, agressivo. Agressividade voltada contra o *Jornal do Brasil*.

Vamos metaforizar assim: Doutor Roberto era o imperador, Evandro, o comandante do estado-maior. Entre os generais, Henrique Caban era craque em logística. Logo no início da convivência dos três, um episódio revelou a vocação de Caban, que Evandro desconhecia.

"Um dia, saiu uma matéria horrorosa, mal escrita para burro. E eu chamei: 'Oh, Caban, isso daqui não é possível, um jornal desse não pode ter uma matéria tão mal escrita assim. E a matéria passou por você.' Ele disse assim: 'Não, nisso eu não sou bom, não.' Eu disse: 'Mas no que você é bom?' 'Eu sou bom em organização. Sou o melhor do Brasil.' Eu disse: 'Bom, se você é o melhor do Brasil, então você vai organizar a redação de O Globo *para mim.'"*[78]

261

[78] Evandro Carlos de Andrade, 3 fev 2000.

Depois de dedicar os anos 60 quase exclusivamente a pôr a TV Globo no ar, Roberto Marinho precisava dar atenção urgente ao jornal amado, que, como ele mesmo verbalizara, "tinha começado a morrer". Uma das primeiras medidas, além das demissões nos setores feudalizados e viciados – "Doutor Roberto nunca disse assim: 'Demita fulano'. Nunca. Ele dizia assim: 'Acho que vamos perder um companheiro.'"[79] – foi a de subir os salários, extremamente defasados, abaixo da média do mercado. Cinco repórteres de talento, entre eles um jovem de nome Merval Pereira, tiveram seus salários aumentados em dez vezes!

Caban teve algumas oportunidades de testemunhar a intimidade que se desenvolveu entre Roberto e Evandro. Suas reuniões não eram interrompidas nem por necessidades fisiológicas do imperador. Doutor Roberto não tinha o menor constrangimento – olha o "enfraquecimento do superego" aí – em chamá-los para ir ao banheiro com ele.

"No vaso. A gente estava conversando, ele ficava com vontade de ir ao banheiro, ele dizia: 'Vem aqui, vem aqui.' E a gente entrava. Tinha um banheiro dentro do gabinete dele. Ele entrava lá, tirava as calças e continuava conversando."[80]

A cúpula do Globo afinara-se e afiara-se, mas o comando, a palavra final, sempre foi de Roberto Marinho. Sabia ouvir, ouvir e ouvir antes de tomar uma decisão. Decisão tomada, fim de assunto.

Numa questão Evandro insistia e perdia a discussão sistematicamente. Transmitia e defendia uma reivindicação recorrente dos repórteres: assinar suas matérias. Doutor Roberto não cedia neste ponto. Querem saber o porquê? É puro Roberto Marinho...

"Havia uma resistência muito grande por parte do Doutor Roberto. A paixão da vida do Doutor Roberto era o Globo, ele era literalmente apaixonado pelo jornal e procurava se defender de qualquer ataque de concorrência. Então ele entendia que quando você começava a assinar matéria, você estava entregando o ouro... O JB podia dizer: 'Oh! essa matéria é boa, então vamos contratar esse camarada.' Na cabeça dele era isso. Não gostava que se assinassem matérias por causa disso."[81]

Uma antiga meta seria finalmente alcançada: transformar o vespertino em matutino. A operação apresentava riscos, pois apesar da primeira edição

---

[79] Henrique Caban, 2 jul 2004.

[80] Idem.

[81] Evandro Carlos de Andrade, 3 fev 2000.

do vespertino sair às onze da manhã, o pico de vendagem nas bancas ocorria às seis horas da tarde. Dia a dia, semana a semana, mês a mês, o jornal foi rodando cada vez mais cedo, até culminar no slogan "Antes do sol nascer" – usado no lançamento da edição dominical.

Sim, porque depois de ter reorganizado a redação, criado novos cadernos, modernizado o jornal – cumprindo à risca as orientações de Doutor Roberto –, um dia Evandro Carlos de Andrade tomou um susto com a ordem imprevisível: "Vamos

15. Concorrência bem-humorada: com a condessa Pereira Carneiro, dona do *Jornal do Brasil*

circular aos domingos!" E quando Doutor Roberto queria alguma coisa, nós já conhecemos a peça, não era para daqui a dois meses, era para já!

"Era o seguinte: 'Ah, eu quero que faça.' 'Pois não, Doutor Roberto, vou fazer um projeto.' 'Não, eu quero que faça domingo!' Aí, a gente saía feito doido para fazer um negócio, para botar... E era feito!"[82]

Segundo o amigo José Luiz de Magalhães Lins, a decisão de rodar aos domingos foi uma reação ao anúncio feito pelo dono do *Jornal do Brasil*, Manoel Francisco do Nascimento Brito, de que o jornal ia sair às segundas-feiras. Estamos falando de uma tradição: os domingos eram do JB, as segundas, do *Globo*.

"De repente, veio a notícia que o Jornal do Brasil *ia sair às segundas-feiras. O Roberto me chamou. 'Você é muito amigo do Brito.' Ele até não chamava de Brito. Chamava de 'Nascimento'. 'Você é muito amigo do Nascimento. Precisa evitar isso, porque é mau negócio para ele e mau negócio para mim.' Eu e o Brito fomos à casa do Roberto, no Cosme Velho. Chegamos lá, com muita habilidade, com jeito, agradando muito ao Brito: 'Nascimento, que idéia é essa de você sair às segundas-feiras? Você está tão bem dono do domingo, e eu estou bem dono da segunda-feira. Você entra na minha área, e eu vou ser obrigado a sair também. Eu não tenho como. E vou te atrapalhar. Vou fazer uma força muito grande, como você vai fazer.' E o Brito não atendeu."*[83]

---

[82] Idem.

[83] José Luiz de Magalhães Lins, 16 dez 2003.

Aos domingos *O Globo* bateu todos os seus recordes de tiragem, e até hoje é o dia que concentra maior faturamento publicitário.

Adorava competição, mas quando a concorrência marcava um tento, reagia com fúria. Quando o *Jornal do Brasil* lança a sua revista de domingo, em abril de 1976, com grande repercussão, Doutor Roberto reúne toda a alta direção do jornal. De seu lugar cativo no sofá, Roberto Marinho não apenas reclama providências, e rebate os argumentos de que uma iniciativa semelhante seria deficitária, como dá uma bronca geral, tenebrosa, sempre naquele tom de voz bem baixo. A reunião começa às dez da manhã e avança, sem interrupções, até às três da tarde. Durante a longa e dura reprimenda, o diretor-superintendente do *Globo*, Francisco Graell, topo do organograma do jornal, começa a ficar pálido. Quando finalmente volta a sua sala, Graell passa mal e vai parar no hospital, enfartado.

Ao contrário de muita gente jovem que não concebia jornal em cores, Doutor Roberto sempre foi um entusiasta da idéia. Este foi um dos motivos que o levaram a tomar a decisão de implantar o sistema de impressão *off-set*, contra o parecer de todos, todos os seus diretores. *"Ele, sem conhecer nada de técnica, de engenharia, de coisa nenhuma, disse: 'O negócio é off-set. Tem que ser, tem que mudar o sistema de impressão.' E todos os diretores especializados ficaram contra."*[84]

Muitos jornais, no Brasil e no mundo, quebraram ou perderam muito por escolher o sistema de impressão errado naquele momento de transição na corrida tecnológica da indústria gráfica, segunda metade da década de 70.

A decisão solitária e acertada de Doutor Roberto, contrariando a diretoria inteira, foi fruto de sua intuição e seu sonho de velho moderno em ver um dia o *Globo* colorido.

"Meu pai tinha obsessão pela qualidade gráfica e pela cor como o futuro dos jornais. Quando foi feita a decisão de comprar a rotativa off-set, *já havia o objetivo de se ter cor um dia. Dentro da empresa, havia pessoas que achavam que cor era uma bobagem, que não tinha o menor sentido, que o jornal perdia a seriedade, uma discussão rica! Então* O Globo *começou a ser impresso em* off-set, *em preto-e-branco; depois, pouco a pouco, começou a cor nos suplementos e, devagar, foi*

---

[84] Evandro Carlos de Andrade, 3 fev 2000.

*aumentando, até que se tomou a decisão de ter cor na primeira página. Uma decisão
de meu pai, assim muito convicto do que estava fazendo. Tão simples quanto isso:
numa mesma fotografia você está dando mais informação."* [85]

Outra decisão súbita de Doutor Roberto que entrou para a história foi
a sua determinação de rodar O *Globo* no primeiro dia do ano. Nenhum
jornal circulava em 1º de janeiro. No início daquele dezembro de 1988, a
lógica da argumentação do sábio de oitenta e quatro anos era irretocável:
"Se o leitor pode prescindir do jornal um dia do ano, isto quer dizer que
o jornal não é imprescindível."

Naquele mês, O *Globo* já saiu no dia de Natal. E, como só poderia
acontecer na vida de nosso personagem, foi no plantão inaugural de réveillon do *Globo* que ocorreu a tragédia do *Bateau Mouche*.[86] No primeiro
dia de 1989, os cariocas e brasileiros tiveram toda a cobertura do trágico
naufrágio no *Globo*, e só no *Globo*. E na TV Globo também, é claro...

Em 1989, O *Globo* se tornaria o primeiro jornal brasileiro a circular todos os
dias do ano, com a primeira edição a sair numa segunda-feira de Carnaval.

Entre as dezenas de duelos verbais que Evandro Carlos de Andrade e
Roberto Marinho travaram, vamos destacar um como exemplo. Evandro
reclamava do excesso de editoriais. Roberto formou-se na tradição jornalística que media a independência de um jornal pela sua firmeza na emissão de
opiniões. Possuímos dados para desconfiar que a irritação de Evandro não se
devia apenas aos editoriais na primeira página, mas também era conseqüência
de seu desagrado com Jorge Serpa, que ocupava horas preciosas das manhãs
do chefe e inspirava grande parte do conteúdo dos artigos.

"Diariamente. Eu, antes de ir para o escritório, passava no Globo *para de-
batermos. ...ficávamos analisando algumas coisas e nos dávamos muito bem. Ele
queria fazer balanços dos acontecimentos, do que estava ocorrendo."* [87]

[85] João Roberto Marinho, 29 mar 2000.

[86] O barco *Bateau Mouche* IV afundou, às 23h50m do dia 31 de dezembro de 1988, quando levava passageiros para assistir
à queima de fogos do réveillon de Copacabana, no Rio de Janeiro. No naufrágio, que aconteceu próximo à Pedra da Urca,
na Praia Vermelha, morreram cinqüenta e cinco pessoas, entre elas a atriz Yara Amaral e Maria José Andrade Teixeira de
Souza, mulher do ex-ministro do Planejamento Aníbal Teixeira. A embarcação, que estava superlotada e adernava no
mar agitado, tinha sido detida duas vezes pela Polícia Marítima, mas liberada logo a seguir. Na ocasião, foi aberto um
inquérito militar para averiguar as causas do acidente e apurar responsabilidades. Em novembro de 1991, os sócios da
empresa proprietária da embarcação, a Bateau Mouche Rio e Turismo Ltda, foram condenados a quatro anos de prisão
em regime semi-aberto.

[87] Jorge Serpa, 19 fev 2004.

Depois de apreciarmos um pouquinho do embate entre Roberto e Evandro, dois "durões", vamos ler, com todas as letras, a motivação afetiva por trás das desavenças.

"De uns tempos para cá, o senhor tem determinado, com freqüência ascendente, a publicação de editoriais não apenas na primeira página, mas necessariamente no alto da primeira página. O editorial é, em si, matéria que desperta interesse muito limitado na massa dos leitores, nunca superior a 10% do total. Esta a razão por que NENHUM *jornal importante do mundo costuma publicar editoriais na primeira página nem sequer em página ímpar. Espero não aborrecê-lo com estes comentários, mas entendo que estaria faltando ao cumprimento da minha responsabilidade se não me dirigisse ao senhor, como sempre, com toda a sinceridade."*

A carta é datilografada, mas a despedida é escrita a mão: *"Abraço afetuoso do Evandro."*[88]

Cinco dias depois, Doutor Roberto responde, com palavras duras, mas, fiel a seu estilo, revestidas de veludo.

"Evandro:

Foi com o prazer de sempre que recebi a sua carta. V. sabe as demonstrações de apreço e de amizade que eu tenho por você. Mas sabe também que existe um fosso entre algumas das suas concepções jornalísticas e as minhas. A compreensão mútua dessa divergência e a boa-fé têm-nos permitido viver juntos. ... Existem, no entanto, riscos ... que poderão colocar o jornal que oriento com veemente convicção num caminho de confronto interno e público talvez sem solução. ...

Quando V. afirmou taxativamente que "nenhum jornal importante do mundo costuma publicar editoriais na primeira página", ... V. me colocou numa posição incômoda, atribuindo-me uma prática jornalística caprichosa ou inexperiente."

Roberto Marinho cita a imprensa francesa, admiração que herdou do pai Irineu, e os jornais *Le Monde* e *Figaro*, *"... ambos com matéria opinativa não apenas na primeira página, mas no alto da primeira página, para usar as suas expressões. ... Evandro, você considera que os nossos editoriais só interessam a uns 10% dos leitores. ... mas foi com esses artigos que não perdemos uma luta em mais de meio século."* Doutor Roberto encerra a carta de forma devastadora: *"Conto com os meus filhos e os nossos companheiros para seguirem essa tradição."* E, manuscrito, se despede com a assinatura que, com uma voluta de arremate,

---

[88] Carta de Evandro para Roberto Marinho, 2 jul 1987.

curiosamente risca o próprio nome: *"Do Roberto"*.[89] Como se tornara costume, Roberto escrevera a mão e Dona Lygia datilografara.

Dois dias depois, Evandro responde, magoado, em carta manuscrita. Começa por elogiar a qualidade do texto:

"Dr. Roberto

Sua carta, primorosamente escrita, está muito acima, mas por outro lado um pouco abaixo do que eu julgo merecer. ...

Carta política. Claríssima no que diz e no que espera que eu entenda. Admirável, sinceramente. ...

Não posso aceitar, porém, a acusação de que lhe atribuo prática jornalística caprichosa ou inexperiente. Não o fiz e não o faço.

Pior ainda é a sua alusão à possibilidade de um confronto interno e público talvez sem solução. Impossibilidade, digo eu. Absoluta impossibilidade."

Depois de afirmar que seu emprego pertencia a Doutor Roberto, Evandro assume um tom quase filial.

"Ao retornar das minhas férias, o senhor – que antes me saudava em ocasiões semelhantes com expressões de cordial acolhida – só teve agora lembrança de frisar que eu sou o responsável pelos erros que se cometam no jornal. ...

Há muito tempo não recolho um gesto de afeto da sua parte. Ao distanciamento físico que o senhor impôs, soma-se um tratamento ora gélido ora rígido ..."[90]

O "Júpiter Tronante" estava carente.

Assim como os "artigos de fundo" foram minados por jornais como *A Noite* de Irineu Marinho, os editoriais foram se transformando com o tempo. Rogério Marinho teve a idéia dos pequenos artigos opinativos que comentam a notícia estampada ao lado, e, com a renovação contínua liderada pelo herdeiro João Roberto Marinho, *O Globo* hoje, em sua página editorial, quando apresenta a sua opinião, costuma dar idêntico espaço para a manifestação de opinião oposta. Difícil encontrar melhor exemplo do aperfeiçoamento da democracia refletido num jornal.

É quase impossível mudar as convicções de um craque com oitenta anos de jornal, mas um exemplo do peso da notícia frente ao editorial vem de

---

[89] Carta de Roberto Marinho a Evandro Carlos de Andrade, 7 jul 1987.

[90] Carta de Evandro a Roberto Marinho, 9 jul 1987.

16. Amigos de cocheira que a política separou

1984, nos estertores do ciclo militar – que se iniciara em 1930, tomara o poder em 1964 e se instalara como tirania em 1968 – e é demonstrado na prática do próprio Roberto Marinho, editorialista e repórter. Em editorial histórico, intitulado "Julgamento da Revolução", o velho "tenente-interventor" defende o movimento de 64 e explica as origens dessa defesa:

"O Globo, desde a Aliança Liberal, quando lutou contra os vícios políticos da Primeira República, vem pugnando por uma autêntica democracia e progresso econômico e social do país. Em 1964, teria de unir-se aos companheiros de jornadas anteriores, aos 'tenentes e bacharéis' que se mantinham coerentes com as tradições e os ideais de 1930."[91]

No penúltimo parágrafo, Doutor Roberto salienta o paradoxo de um "regime de força" que usa do arbítrio para extinguir o arbítrio.

"Não há memória de que um regime de força ... se tenha utilizado de seu próprio arbítrio para se autolimitar, extinguindo os poderes de exceção. ... É esse, indubitavelmente, o maior feito da Revolução de 1964."[92]

Sem dúvida uma formulação mais elegante que a notória declaração do presidente João Batista Figueiredo, ao anunciar a continuidade do processo

[91] Roberto Marinho, "Julgamento da Revolução", *O Globo*, 7 out 1984.
[92] Idem.

de "abertura política, lenta, gradual e segura", iniciado pelo seu antecessor no cargo, Ernesto Geisel. Quando repórteres lhe perguntaram se o presidente iria dar seguimento à abertura, João Figueiredo deu um coice de resposta: "É para abrir mesmo. Quem quiser que não abra, eu prendo e arrebento."[93]

João Figueiredo era um temperamental que rompeu com o velho amigo de cocheiras Roberto Marinho após poucos meses na Presidência, irritado com o tremendo poder e influência do dono da TV Globo. Figueiredo era um militar sem paciência para o xadrez político. Ainda durante seu mandato, foi se omitindo e se ausentando do processo de devolução do poder aos civis. Chegou ao deboche, quando respondeu quem indicaria como seu sucessor: "A minha mãe..."

E aí voltamos ao ponto de comparação entre o "poder de fogo" de um editorial e de uma notícia.

Em 1984, a eleição do novo presidente ainda seria indireta, através de um Colégio Eleitoral[94] composto pelos parlamentares da Câmara e do Senado. Paulo Maluf era o favorito. Numa visita a Roberto Marinho, o ex-governador de São Paulo exultava com seu virtual triunfo:

"Maluf dizia: 'Doutor Roberto, eu já estou matematicamente eleito presidente do Brasil. É matemático, uma questão de contar os votos do Colégio Eleitoral. Não há possibilidade de eu não me tornar presidente.' E aí eu assisti papai dizendo claramente a ele: 'Maluf, política não funciona assim, muita coisa ainda vai acontecer, e você não vai ganhar.' E o Maluf dizia: 'Mas Doutor Roberto, todas as pesquisas, as projeções matemáticas, indicam que eu vou vencer.' E papai dizia na maior calma: 'Não vai não, você não vai vencer. Alguma coisa vai acontecer aí no meio. Em política as coisas não são assim...'"[95]

Paulo Maluf contava com a obrigatoriedade de fidelidade partidária – o que se chamava na época de um casuísmo –, substituindo o voto de consciência individual de cada parlamentar por votações em bloco dos partidos. Como o PDS, o partido situacionista, tinha maioria, Paulo Maluf estava certo da vitória.

[93] João Batista Figueiredo, 1979.
[94] O Colégio Eleitoral foi uma das conseqüências do Ato Institucional nº 2, que substituiu o voto direto pelo indireto, exercido pelos membros do Congresso Nacional. Com a nova Constituição, promulgada em janeiro de 1967, o Colégio Eleitoral passou a incluir, além de senadores e deputados federais, delegados indicados pelas assembléias legislativas dos estados. O número de representantes de cada assembléia legislativa era definido de acordo e em proporção ao número de eleitores inscritos em cada estado. Isso só mudou em 1982, quando o governo decidiu uniformizar essa representação, atribuindo seis representantes indistintamente a cada estado. O objetivo era diminuir a presença da oposição no Colégio Eleitoral.
[95] João Roberto Marinho, 27 nov 2003.

Eis que um repórter chamado Roberto Marinho entrevista o ministro do Exército, Walter Pires, e arranca uma declaração que muda o curso da história. Sem consultar o presidente Figueiredo, falando em nome das Forças Armadas, Walter Pires ataca a idéia de fidelidade partidária no Colégio Eleitoral e defende o voto de consciência, num processo isento. Com o furo na primeira página de *O Globo*, no dia seguinte Doutor Roberto atende a um telefonema. Do outro lado da linha, uma voz afirma: "Agora, eu sou candidato." Era Tancredo Neves.

Editorial ou notícia? História...

Roberto Marinho se manteve fiel ao princípio de não discriminar interlocutores. Se não gostava de algum político de forma declarada, isso invariavelmente se devia a algum ataque feito por tal homem público às Organizações Globo. Sempre defendeu os interesses de sua empresa, nunca escondeu isso, ao contrário.

No início da campanha pelo *impeachment*[96] do presidente Fernando Collor, o governador do Ceará, Tasso Jereissati, perguntou a Alberico de Sousa Cruz, então diretor de jornalismo da TV Globo, se Doutor Roberto receberia Lula. Alberico almoçou com Lula, que concordou com o encontro. A próxima refeição seria com o patrão.

"*'Doutor Roberto, o senhor conhece bem o Lula?' 'Não. Eu tenho uma certa antipatia por ele, porque ele se aliou ao Brizola, e se tivesse ganhado a eleição, ele tinha prometido ao Brizola destruir a TV Globo.' 'Doutor Roberto, eu acho que ele pode até ter se aliado ao Brizola, prometido isso, mas o Lula não tem perfil*

[96] Primeiro presidente eleito pelo voto direto depois de vinte e nove anos, Fernando Collor de Melo assumiu o governo em 15 de março de 1990. Denúncias de corrupção contra o presidente e sua equipe, no entanto, acabaram por afastá-lo do cargo antes do término de seu mandato. As primeiras acusações envolvendo o segundo escalão do governo surgiram já em junho, três meses após a posse. Mas foi apenas em maio de 1992, quando Pedro Collor, irmão do presidente, deu uma entrevista à revista *Veja*, que as denúncias passaram a atingir diretamente o governo federal. Na ocasião foram apresentados documentos que apontavam irregularidades envolvendo Collor e o tesoureiro de sua campanha, Paulo César Farias. Com isso, foi instaurada uma Comissão Parlamentar de Inquérito (CPI) para apurar as denúncias. Antes mesmo da conclusão do relatório da CPI, o povo saiu às ruas para protestar, exigindo o afastamento do presidente. Uma das maiores manifestações aconteceu no dia 21 de agosto, no Rio de Janeiro, reunindo cerca de cem mil "caras-pintadas" – como ficaram conhecidos os estudantes que pintavam o rosto de verde e amarelo – numa passeata na avenida Rio Branco, no centro da cidade. Cinco dias depois, o relatório da CPI foi concluído e aprovado pela maioria no plenário da comissão. No dia 29 de setembro, a Câmara dos Deputados aprovou por 441 votos a 38 o parecer que pedia a abertura de processo de *impeachment* contra o presidente. Collor foi afastado da Presidência da República por cento e oitenta dias, sendo substituído, no dia 2 de outubro, por Itamar Franco. Três meses depois, quando acontecia seu último julgamento no Senado, temendo ser afastado definitivamente do cargo e ter seus direitos políticos suspensos, Collor renunciou. Mesmo assim o julgamento prosseguiu, e o ex-presidente foi condenado à inelegibilidade e à inabilitação por oito anos para o exercício de cargos públicos.

17. Lula visita Doutor Roberto com Aloizio Mercadante

para fazer isso nem nada, o Lula é uma pessoa muito boa, pessoalmente é uma figura adorável. O senhor admitiria ter um encontro com ele, Doutor Roberto?' Ele levantou-se da cadeira e falou assim: 'Pode ser até lá no sindicato. Eu vou ao encontro dele.' Eu não esperava uma reação tão favorável. 'Onde ele quiser, se ele quiser, eu vou ao sindicato. Alberico, você não sabe, mas no início da minha vida, eu freqüentei muito sindicato, tanto dos patrões quanto dos empregados, e eu gostava muito mais do sindicato dos empregados. Eu vou lá, atrás dele.'"[97]

O encontro acabou se realizando em setembro de 1992, na sala do Doutor Roberto, no jornal, tendo como testemunhas Aloizio Mercadante e Luis Erlanger.

"A redação nem tinha conhecimento disso, aí eu estava lá, eu era o editor-chefe na ocasião, e toca o telefone, era a Dona Lygia, secretária, me passou Doutor Roberto. 'Olha aqui, Erlanger, eu tenho um encontro aqui marcado com o Lula e ele trouxe um companheiro, então também quero ter um companheiro meu', que Doutor Roberto sempre se referia à gente como 'companheiro, companheiro, companheiro'. E o companheiro aqui subiu lá sem ter a menor idéia de onde ia parar. Como sempre aquela rapidez de pegar paletó e gravata, que a gente deixava sempre à disposição. Cheguei lá, estava o Lula, o então deputado Aloizio Mercadante e Doutor Roberto.

271

---

[97] Alberico de Sousa Cruz, 15 mai 2003.

Eu fiquei impressionado, da primeira vez em que os dois se encontraram, com a maneira respeitosa com que o Lula se dirigia ao Doutor Roberto, ele estava assim muito encantado de estar conversando com o Doutor Roberto. Doutor Roberto como sempre com aquela cordialidade dele." [98]

Quando Lula pediu licença para ir ao banheiro – o andar da diretoria de *O Globo* tem vários banheiros para visitantes –, Doutor Roberto encaminhou-o a seu toalete pessoal.

"Acabou o encontro, eles fizeram uma foto maravilhosa, que virou uma charge do Chico igualmente maravilhosa, os dois em frente a um Di Cavalcanti que tinha lá na sala. Aí desci para a redação, para cuidar da vida. E, chegando a foto, eu ligo para o Doutor Roberto e digo: 'Doutor Roberto, acho que essa foto vale a pena a gente dar, porque é um encontro curioso, a primeira vez.' A minha sugestão era que fosse um texto-legenda. Texto-legenda é uma foto com texto, aquela coisa clássica: 'Esteve ontem, visitou, conversaram sobre conjuntura política e tal.' 'Ah, então tá, tudo bem.' Depois ele me ligou de novo: 'Eu acho que só um texto-legenda não, é pouco. Acho que poderia ter uma matéria.' 'Tudo bem, Doutor Roberto. O que informa a matéria?' 'Conta tudo o que houve.'" [99]

Luis Erlanger, dono de prodigiosa memória, reproduziu o que presenciara sem fazer anotações, e a matéria ocupou mais de uma página, com chamada na primeira. Alberico leu.

"A matéria conta realmente o que aconteceu, o clima. E olha, quem conhecia os dois, como eu conhecia, sabia que o clima ia ser aquele, o Doutor Roberto muito afável com o Lula, o Lula admirando muito o Doutor Roberto, porque sempre admirou, e foi uma coisa admirável para o país, pô! Doutor Roberto falou tudo com o Lula, que ele tinha se aliado ao Brizola para destruir a TV Globo, que ele, Doutor Roberto, não podia apoiá-lo porque ele queria destruir a Globo, o Lula falou: 'Não! Isso...', foi um encontro fantástico." [100]

Mercadante e Lula ligaram para agradecer a fidelidade do relato. Aos oitenta e sete anos, Doutor Roberto achou tudo muito natural.

Como editor-chefe, Erlanger tinha contatos diários com Roberto Marinho. Um dia foi chamado à sala do patrão, pois o jornal publicara uma matéria sobre uma briga que o amigo Antônio Carlos Magalhães havia protagonizado, e que Doutor Roberto achou impertinente.

---

[98] Luis Erlanger, 30 mar 2000.

[99] Idem.

[100] Alberico de Sousa Cruz, 15 mai 2003.

"'Erlanger, essa matéria depõe contra o jornal, um bate-boca...', 'Por isso mesmo, Doutor Roberto, uma ministra atacando o governador — ele era governador na época — Antônio Carlos, isso fica muito feio.' 'Vocês pretendem continuar com esse assunto?' 'Doutor Roberto, eu acho inevitável, porque é um assunto público, isso amanhã vai estar em tudo que é jornal.' 'Mas como você sabe que vai estar em tudo que é jornal?' 'Doutor Roberto, eu tenho certeza, por exemplo, o Jornal do Brasil, *que é o nosso primeiro concorrente, vai dar isso na primeira página amanhã.' 'Você quer apostar comigo como não vai dar?' 'Doutor Roberto, eu não vou apostar com o senhor, porque, primeiro, o senhor é uma pessoa tão influente que é capaz do senhor ligar para o* Jornal do Brasil *e convencê-los a não dar. E, segundo, eu não tenho patrimônio para apostar com o senhor.' Aí ele disse: 'Pode ser uma coisa simbólica.' 'Um sorvete?' Aí ele falou: 'Então está, tudo bem, um sorvete.'"*[101]

Como vocês já devem ter percebido, Erlanger é um abusado, com todo o respeito. Ganhou a aposta e...

"No dia seguinte, Dona Lygia: 'O Doutor Roberto está chamando.' Subi. 'Como vai o jornal?' ...Vários assuntos, não tocou no assunto. 'Doutor Roberto, eu estou numa situação constrangedora.' 'O que é, meu filho?' 'Eu virei credor do senhor.' 'Como assim?' 'O senhor lembra que ontem...' 'Ah, o Jornal do Brasil *deu?' 'Deu.' 'Lygia, compra sorvete e distribui na redação.'"*[102]

Doutor Roberto teve a pachorra de ouvir o seu editor dizer que o único sorvete de que gostava só podia ser encontrado no exterior. E mais:

"'A gente pode alterar a aposta.' E o Doutor Roberto: 'Como assim?' 'O senhor me dá uma passagem que eu banco o sorvete.' Ele disse: 'Meu filho, esse seu cargo é muito cobiçado. Você não deve viajar, não deve se afastar deste cargo. Vamos ver como a gente faz isso.'"[103]

Era sexta-feira.

"Aí chega segunda-feira, já tinha recado que a Dona Lygia tinha me chamado para subir. Chego lá em cima ele diz: 'Para você.' Uma caixa de isopor deste tamanho coalhado do sorvete americano. 'Doutor Roberto, fico até sem graça. O mínimo que eu posso fazer é oferecer.' E ele disse: 'Já peguei. Distribua os outros para os seus colegas.'"[104]

Por falar em sorvete, está na hora do almoço.

---

[101] Luis Erlanger, 30 mar 2000.

[102] Idem. [103] Idem. [104] Idem.

18. Durante o incêndio da TV Globo-Rio, em 4 de junho de 1976

O caminhão de lixo provocara o engarrafamento habitual na estreita rua Lopes Quintas, no bairro do Jardim Botânico, no Rio. Roberto Marinho estava faminto, não agüentou esperar. Para desespero da equipe de segurança, abriu a porta do carro e saiu andando, quase correndo, subindo a ladeira rumo ao número 303 (por acaso, o prédio da direção da TV Globo tem o antigo número da casa do Cosme Velho). Com quase noventa anos de idade, Doutor Roberto botou os guarda-costas na poeira, resfolegantes, tentando acompanhar o ritmo. Era a fome.

"O Doutor Roberto era de coisas assim, grelhadas. Mas, neste dia, não sei por que cargas-d'água, ele disse: 'Estamos com fome.' O sujeito disse para ele: 'Tem peixe grelhado e tem rabada.' E ele: 'Eu vou comer rabada!' Pois ele comeu de se fartar e repetiu. Até morrer foi assim, de vez em quando aparecia um menino travesso dentro dele ..."[105]

O edifício da rua Lopes Quintas, que Otto Lara Resende apelidou de "Vênus Platinada", só incorporou-se à TV no início de 1976 para abrigar as salas das diretorias, então em processo de multiplicação. Graças a essa ampliação, a Globo não saiu do ar quando o prédio da emissora pegou fogo, em outubro do mesmo ano.

No fim dos anos 60, a decolagem de um objeto até então não identificado na TV brasileira começou em pista de paralelepípedos e terra. Cercada por ruas de calçamento precário, numa zona florestal no meio da metrópole – coisa de Cidade Maravilhosa –, a emissora foi construída num ermo, na rua Von Martius, nº 22, onde já funcionara uma fábrica de tecidos. Entre os acertos da escolha do lugar, a primeira vantagem era o contato visual direto com as antenas de transmissão no alto do Sumaré, no maciço da Tijuca.

Quando Doutor Roberto perguntou aos técnicos qual seria o melhor lugar para instalar as torres de transmissão da TV Globo, algum gaiato res-

---

[105] José Mario Pereira, 27 mai 2004.

pondeu que o ideal era o Corcovado. No que Roberto Marinho replicou veloz e perfeitamente sério: "Ótimo, botamos a antena da Rádio Globo na palma de uma mão do Cristo e a da TV na outra mão!". O engraçadinho não fazia idéia de que aquele homem não viera ao mundo de brincadeira. João Teodoro Arthou, neto de César de Mello e Cunha, assistiu à cena.

19. A TV Globo antes da Vênus Platinada

"Ele parecia achar normalíssimo botar na palma da mão do Cristo. ... Em São Paulo também disseram que o melhor lugar para colocar a antena da Rede Globo era no edifício Itália, o maior da cidade. Aí ele foi e comprou os dois últimos andares para fazer o processo de instalação dos equipamentos. Aí, não vai ser lá, vai ser em outro canto, e o que ele comprou por cem, vendeu por mil, uma dinheirama. Ele tinha muita sorte. Agora, viveu apertado nos primeiros tempos da TV Globo, não viajava, andava de fusquinha ... "[106]

O engenheiro piadista não sabia com quem estava falando.

"Você sabe com quem está falando?" Esta pergunta virou uma das mais precisas traduções do período brabo da ditadura militar. Qualquer pé-rapado que viesse a ser contraparente, afilhado, cunhado, amigo do namorado da filha de qualquer elemento que vestisse farda – não precisava ter alta patente –, fazia sem pejo a pergunta hoje ridícula, ameaçadora então, como um pé-de-cabra mágico, acima da lei. A própria lei estava suspensa.

Para o jovem leitor, fica difícil imaginar a ambigüidade violenta dos tais anos de chumbo. Ao mesmo tempo que produziu, em mais de uma geração, uma confusão dos diabos entre os conceitos de autoridade e autoritarismo, também criou uma associação compulsória de prazer e transgressão, e gerou adolescentes e jovens adultos que encontraram no "hippismo" um canal de insubordinação dentro da tirania. O *slogan* da campanha publicitária do *jeans* US Top, em 1975, resume bem o espírito da época: "Liberdade é uma calça velha, azul e desbotada."

[106] João Teodoro Arthou, 13 nov 2003.

275

Com a interdição absoluta de qualquer modalidade de militância política, ocorreu o que se convencionou chamar de "desbunde".[107] Quem dessa época não teve sua fase hippie? De forma mais flagrante nas áreas de atividade artística e intelectual, adolescentes e jovens adultos curtiram cada qual seu "Woodstock" particular.[108]

Naturalmente, isto se refletiu na TV Globo daqueles anos 70, onde era muito mais fácil encontrar túnicas hindus e *kaftans* marroquinos do que paletós e afins. Para Doutor Roberto, criado na tradição do terno e gravata do jornal *O Globo*, tal indumentária causava estranheza. Certa feita, indagou a Boni:

"'O que essas pessoas estão fazendo aqui de pijama, camisola?' Ele achou que era pijama. Era uma bata que se usava: 'Doutor Roberto, aqui nós temos um desafio muito grande, está todo mundo dormindo aqui, eles não vão para casa.' 'E você acha que isso vai dar certo?' 'O senhor fique tranqüilo que vai dar certo.' 'Então está bom.' A coisa muito importante nesse processo foi o Joe Wallach. Doutor Roberto transferiu realmente para nós a gestão da empresa, porque ele sabia que, do ponto de vista artístico e criativo, e do ponto de vista empresarial, nós íamos tocar. Do ponto de vista financeiro, ele tinha lá um cão fila, que era o Joe Wallach."[109]

Sabemos também que nosso companheiro adorava destrinchar um paradoxo e sempre disse "bem-vindo" ao futuro. E, usando a gíria da época, Doutor Roberto não era "careta". Já tinha visto filmes semelhantes, é só trocar *rock-and-roll* por foxtrote. Sexo e drogas definitivamente não eram novidade.

A novidade estava na escala do fenômeno, algo que ganhou a denominação imprecisa de "cultura de massa". Em escala mundial, Os Beatles abriram o caminho. No Brasil, a primeira rede de TV unia um país com

---

[107] Nas décadas de 1960 e 1970, em meio à Guerra do Vietnã, a juventude norte-americana e internacional desejava mudar o mundo pacificamente, acreditando numa nova organização social, propondo uma contracultura. O movimento hippie tinha como lema as palavras "paz e amor". O sexo livre e o uso de drogas, especialmente o LSD (Lysergic Acid Diethylamide), eram vistos como alternativas libertárias. No Brasil, com o AI-5 e a conseqüente interdição de qualquer tipo de militância política, muitos jovens aderiram à ideologia hippie. O abandono da atuação política pelas práticas hippies era chamado de "desbunde".

[108] Woodstock, o mais importante festival de música de todos os tempos, foi realizado entre 15 e 17 de agosto de 1969, numa fazenda do estado de Nova York. Astros do *rock*, como Jimi Hendrix e Janis Joplin, apresentaram-se para mais de meio milhão de jovens que cantavam e dançavam, pedindo paz e amor. O evento foi a maior manifestação do movimento da contracultura.

[109] Boni, 9 fev 2004.

mundos paralelos. Até programas "chapa-branca", concebidos para aquietar os militares, como o famoso *Amaral Netto, o Repórter*, serviram, mesmo que de forma involuntária, para apresentar o Brasil ao Brasil. No olhar gringo de Joe Wallach:

"... tinha uma voz meio rouca, um repórter, Amaral Netto. ... Ele viajou o país inteiro, pegava dinheiro do estado do Ceará, filmava o Ceará lá, foi no Amazonas, aí fez filme, passamos. Mas esse programa era maravilhoso porque, pela primeira vez, foi incrível, a criança, em Copacabana, viu o búfalo lá no Amazonas, e não sabia que isso existia no país. E também, lá em Belém, os índios podiam ver os prédios do Rio de Janeiro." [110]

No outro lado da moeda de mil faces, a mesma rede de TV apresentava um programa que era um caos cuidadosamente planejado e organizado chamado *Discoteca do Chacrinha*. Antes de um desses programas, uma moça com um espelho retrovisor grudado na testa abordou o "Velho Guerreiro". Abelardo Barbosa, o apresentador Chacrinha, gostou dela na hora e abriu espaço para um conjunto chamado Novos Baianos. Na época, a garota chamava-se Baby Consuelo. Hoje é a Baby do Brasil.

Esses dois personagens surgem agora e nos trazem a oportunidade de narrar dois momentos de grandeza de Roberto Marinho. Primeiro, Chacrinha.

Em atividade, batendo recordes de audiência, Abelardo Barbosa foi classificado pelos críticos como débil-mental. Anos depois, foi agraciado por acadêmicos com o título de "gênio da comunicação". Chacrinha já trabalhara na Rádio Globo e tinha uma dívida de gratidão com Roberto Marinho, que, numa hora dramática, pagara sem hesitação a custosa cirurgia de remoção de um pulmão tomado pelo câncer.

E agora a TV Globo queria Chacrinha, uma peça-chave no mosaico pretendido por Doutor Roberto e seus comandantes, que acomodasse no mesmo canal programação de alto nível e atrações desabridamente populares. Boni narra a difícil negociação para contratar Chacrinha, um astro, garantia de audiência, disputado por todas as emissoras:

"Fomos ao Cosme Velho. Eu, Walter Clark, e o representante das Casas da Banha, supermercado então patrocinador de Chacrinha em outra emissora. A negociação tornou-se dura e complicada. As Casas da Banha faziam exigências

───────────────
[110] Joe Wallach, 19 dez 2001.

descabidas. O Walter passava mal com a indiferença do Chacrinha e pediu ao Doutor Roberto para falarmos os três, em particular. Walter disse a Doutor Roberto:

— O Chacrinha lhe deve muito e ele mesmo nos contou isso. Está na hora de mencionar tudo o que o senhor fez por ele.

Doutor Roberto paternalmente disse ao Walter:

— Nada disso. Eu jamais cobrei essas coisas. Você já viu devedor gostar de ser cobrado em público? Isso iria inviabilizar a conversa.

Voltamos à mesa e fechamos o contrato sem tocar no assunto.

Depois de tudo assinado, o Chacrinha abraçou o Doutor Roberto e, emocionado, disse a todos:

— Esse homem salvou a minha vida. E não ter posto isso na mesa de negociação foi o que me fez decidir pela Globo."[111]

Sensibilidade ou estratégia? Alguma contradição entre as duas coisas? Além de conhecer a natureza humana, Doutor Roberto sobretudo a respeitava. E quem não gosta de se sentir respeitado?

> ... Porque quem vai de não
> não chega,
> chega a não...
> porque pra ir,
> só mesmo assim,
> só mesmo assim,
> só mesmo a sim,
> a sim! ... [112]

Ah sim, assim soavam nas ruas de Ipanema os hinos ambíguos dos Novos Baianos, na voz de Baby Consuelo do Brasil. Dificultava o trabalho dos censores, aquele pessoal baiano novo que vivia em comunidade, só queria ser cantor de rádio e jogar bola. Suas letras lisérgicas não se submetiam à lógica tacanha da censura. Até que, poucos anos mais tarde, os censores encontraram fundamento para afirmar que Baby Consuelo fazia a apologia da maconha. A música "O mal é o que sai da boca do homem" tinha sido classificada para as finais do Festival da TV Globo, MPB-80, e agora a Censura Federal queria sua proibição.

---

[111] Boni, 1º mar 2004.

[112] "Tinindo trincando", música de Moraes Moreira e Luiz Galvão, 1972.

Roberto Marinho não mandou ninguém ao Planalto para defender Baby. Ele foi pessoalmente garantir a liberdade de Baby criar e fumar o que bem desejasse. Difícil imaginar como Doutor Roberto conseguiu argumentos para liberar uma canção que começava assim:

Você pode fumar baseado...
baseado em que você pode fazer quase tudo...[113]

Obviamente, o ancião abstêmio Roberto Marinho estava longe de aceitar a liberação da maconha, mas seus negócios sempre dependeram de liberdade de expressão. E por que temer as palavras?

Inclusive, temos evidências de que Roberto Marinho via com simpatia certos aspectos da revolução de costumes que a contracultura pregava e praticava. Por exemplo, a liberação sexual detonada pela pílula anticoncepcional.

"Ele uma vez me disse, reconheceu para mim que a minha geração é que estava certa, ... que na época dele as meninas se faziam de santas, casavam virgens, mas antes de casar iam lá para a casa dele e faziam de tudo, só não davam a xoxota, mas o resto faziam de tudo. Ele me disse isso: 'Ah, na minha época tinha muita hipocrisia, muita mentira, com relação a essas coisas.'"[114]

Doutor Roberto se aproximava dos noventa anos de vida quando teve essa conversa com o filho.

Zé Roberto, o filho caçula, foi o responsável pelo lançamento da candidatura Fernando Henrique Cardoso para a Presidência. *"Ele falou: 'Tá maluco? Um comunista!'"*[115]

Calma, leitor, deixe-me explicar. Estamos de volta à segunda metade da década de 70, naqueles já referidos tempos sombrios, marcados por atroz maniqueísmo. Na delicada costura de algum tipo de oposição real ao regime, organizavam-se debates teóricos sobre política, de alcance limitado, porém com público qualificado. Em geral, esses encontros eram realizados em teatros, como o Casa Grande, no Rio de Janeiro.

"Eu fui ver o Fernando Henrique ali no Teatro Casa Grande, voltei para casa e falei: 'Puxa, papai, eu vi um cara tão brilhante, esse cara que devia ser presidente do Brasil.' Ele falou: 'Tá maluco? Um comunista!' Depois, papai gostava muito

[113] "O mal é o que sai da boca do homem", música de Galvão, Baby e Pepeu, 1980.

[114] José Roberto Marinho, 5 jan 2004.

[115] Idem.

20. Companheiro FH

do Fernando Henrique, ele realmente tinha muita admiração pelo caráter, pela cabeça do Fernando Henrique, mas na época não conhecia, o relato veio através de mim."[116]

Fernando Henrique Cardoso e Roberto Marinho se conheceriam e se tornariam bons amigos em 1983, quando o futuro presidente fez sua estréia no Senado. Fernando era "fonte" de Roberto, que era "fonte" de Fernando. Os dois se afinavam no senso de humor, no respeito ao princípio sagrado de nunca perder uma boa piada.

"O Fernando brincava muito. Era uma coisa assim de cordialidade, uma aproximação muito íntima. Doutor Roberto dizia: 'Esse professor da Sorbonne...', e o Fernando respondia:[117]

Eu nunca fui professor da Sorbonne, eu fui professor de uma coisa mais importante que a Sorbonne, fui professor do Collège de France. Aí o Roberto passou a dizer: 'Você que agora é do Collège de France.'"[118]

"O Roberto caía na gargalhada. O Roberto gozava o Fernando, ficou sempre com essa marcação, havia uma intimidade muita grande."[119]

[116] Idem.
[117] Jorge Serpa, 19 fev 2004.
[118] Fernando Henrique Cardoso, 13 abr 2004.
[119] Jorge Serpa, 19 fev 2004.

Roberto Marinho

O episódio em que Fernando Henrique Cardoso buscou seduzir Doutor Roberto para a candidatura Mário Covas, na campanha de 1989, demonstra um pouco do estilo político de nosso personagem, e explica o que ele queria dizer quando chamava alguém de comunista. Fernando Henrique e José Serra, com a colaboração de Jorge Serpa, procuravam emplacar um discurso de campanha que Covas assumisse, chamado de "choque do capitalismo" – algumas das idéias que Fernando Henrique poria em prática na Presidência. Segundo o ex-presidente, Doutor Roberto não simpatizava com Mário Covas, mas até tentou apoiá-lo, só que, no fim das contas, a esquerda do PSDB e o próprio candidato Covas abandonaram o discurso. Fernando Collor monopolizou parte das teses do tal "choque do capitalismo", acabando por se tornar um dos extremos de uma campanha polarizada. O outro pólo era Lula, à frente de um PT anterior à queda do Muro de Berlim.

Fernando Henrique Cardoso rememora:

"Fomos almoçar só nós dois lá na Globo. Comecei a falar sobre o Covas, e ele me disse: 'Mas esse não. Esse é comunista e tem horizonte cultural estreito.' Eu digo 'Olhe aqui, Roberto, você dizer que eu sou comunista, tudo bem, mas o Mário, o Mário nunca foi comunista, o Mário foi janista. Agora, horizonte cultural estreito eu não vou discutir com você.' Ele tinha birra com o Mário, tinha essa mania, dizia que era comunista. O negócio é que éramos todos contra a revolução. Então, ele punha tudo aquilo ali num bolo só, e quem foi contra 64 era comunista. Comigo eu já tinha até esquecido do detalhe." [120]

Entre o Lula de 1989, que "queria acabar com a TV Globo", e o ideário de Collor, Doutor Roberto acabou apoiando o último, mesmo sem gostar da figura empertigada, filho de um ex-sócio que o abandonou numa hora difícil.

É impossível precisar uma participação direta de Doutor Roberto no polêmico episódio do compacto do último debate entre Collor e Lula, apresentado no *Jornal Nacional*. Como conta o livro *Jornal Nacional – A notícia faz história*, o então vice-presidente de operações da TV Globo, José Bonifácio de Oliveira Sobrinho, Boni, declarou ao jornal *Folha de S. Paulo* que a edição tinha sido desequilibrada. No dia seguinte, na primeira página do mesmo jornal, Roberto Marinho passou um pito em Boni, dizendo em suma:

---

[120] Fernando Henrique Cardoso, 13 abr 2004.

21. A volta da democracia, com Collor e Itamar

"... que eu entendia muito de televisão, mas não entendia nada de política. Ele me deu uma esculhambada na Folha na primeira página. Aí eu fiquei quieto. No dia seguinte, falei com ele: 'Doutor Roberto, o senhor podia ter me dado uma bronca no mano a mano. O senhor me deu uma bronca na primeira página da Folha de S. Paulo!' 'Mas você cutucou o leão na primeira página da Folha de S. Paulo...'"[121]

O "leão" tinha consciência de seu imenso poder.

"A Globo era uma das instituições de poder no Brasil e sempre houve um certo sentido nisso, porque o poder da televisão é muito grande. Se você não tem um sentido institucional, é um perigo, e Roberto tinha sentido institucional. Tem gente que põe fogo no circo, quer se divertir. Tem gente que acha melhor não botar fogo no circo porque vai matar inocente. O Roberto Marinho era do estilo de não pôr fogo no circo. Era uma visão conservadora? Não é questão de ser conservadora, é que você tem que ter bons argumentos para saber o que vem depois. Você tem que ter uma visão estratégica. Ele tinha visão estratégica" – na análise de Fernando Henrique Cardoso.[122]

Essa visão institucional, essa preocupação em não botar fogo no circo, ficou clara no início do processo que levaria ao *impeachment* de Fernando Collor de Mello. Doutor Roberto conhecia os riscos envolvidos

[121] Boni, 9 fev 2004.
[122] Fernando Henrique Cardoso, 13 abr 2004.

num *impeachment* e concordou com a declaração do amigo Fernando Henrique Cardoso, quando a movimentação começou no Congresso: "Impeachment *é que nem bomba atômica, elemento de dissuasão, e não um elemento para ser usado.*"[123]

Além das imprevisíveis conseqüências da derrubada do primeiro presidente eleito pelo povo depois de trinta anos, Roberto Marinho já tinha desenvolvido uma boa relação com Collor. Mas as denúncias que se avolumavam, evidenciando o esquema de corrupção, e duas atitudes pessoais de Fernando Collor indispuseram de vez Doutor Roberto com o presidente. A primeira foi um convite súbito de Collor para que Roberto Marinho fosse a seu encontro. José Sarney conta que foi na época em que Fernando Collor estava muito magro:

"Quando o Collor emagreceu muito, o Doutor Roberto dizia: 'O senhor já ouviu falar qual é a doença que ele tem?'. Uma vez ele me disse: 'Olhe, eu estava aqui em casa e o presidente Collor me telefonou dizendo que estava vindo de um concerto, lembrou-se de mim e queria que eu fosse a Brasília.' Aí o Doutor Roberto contou: 'Eu fui a Brasília, cheguei lá e pensei que ele quisesse conversar alguma coisa comigo. Mas não, nós passamos a tarde ouvindo música, ele pegou o avião e mandou me deixar aqui. Eu fiquei sem entender o que estava acontecendo com esse rapaz.'"[124]

Depois dessa incompreensível sessão musical, outra visita à residência do presidente – a famosa "Casa da Dinda" – irritou Roberto Marinho não pelo que lhe foi oferecido para ouvir, mas sim pelo que lhe foi negado ver. Alberico de Sousa Cruz avisou a seu chefe.

"Eu fiquei sabendo que a Veja *ia sair com a matéria da casa, dos jardins da casa do Collor, e avisei o Doutor Roberto. Falei: 'Olhe, a* Veja *vai sair com uma matéria assim. Eu sei que o senhor está indo a Brasília, mas a matéria da* Veja *é...', e ele falou: 'Jardins da Casa da Dinda?' E disse: 'É', expliquei para ele, ele foi embora, ficou lá, passou a manhã toda lá com o Collor. Na segunda-feira, ele me chamou cedo lá no* Globo. *Eu fui. Ele, com a revista na mão, falou: 'Você acredita que esse...' – aí falou um palavrão que eu nunca tinha ouvido da boca do Doutor Roberto – '...que esse fulano de tal, não me mostrou nada disso na casa? Quer dizer, eu entrei por uma outra entrada, Alberico! Ele não me mostrou nada disso.' E ficou furioso com o Collor."*[125]

[123] Idem.

[124] José Sarney, 15 mar 2004.

[125] Alberico de Sousa Cruz, 15 mai 2003.

"Doutor Roberto não gostava de fazer juízo sobre as pessoas. Eu, pelo menos, ao longo da vida, não me lembro de nada que ocorreu e em que ele tivesse feito uma análise sobre a pessoa. Por isso aí a distinção, em vez dele condenar, dizia: 'O senhor sabe que estão fazendo uma cascata?'"[126]

Sim, o ex-presidente José Sarney tem razão quando afirma que Doutor Roberto não era de ficar julgando as pessoas. Mas a cascata artificial na "Dinda" tornou-se uma metáfora da corrupção do governo Collor. E havia o mau gosto, algo que ofendia o senso estético de Roberto Marinho.

Talvez, permita-me a especulação, talvez Doutor Roberto tenha lembrado dos seus tempos de criança, quando conheceu a origem da expressão "cascateiro". Nas obras de melhoramentos dos parques cariocas, cascatas eram construídas usando argamassa para criar pedras artificiais. Os mestres dessas falsas rochas e quedas-d'água "de mentira" ficaram conhecidos como "cascateiros"...

Alguns fatores decisivos para a queda de Collor nos ajudam a compreender melhor o estilo de Roberto Marinho comandar, principalmente o seu cuidado em nunca se deixar amarrar a diretrizes inflexíveis.

Qualquer diretriz, recomendação ou ordem dada por um presidente passa por diversos escalões, vai de ministro a secretário, atravessa todo o organograma até chegar quase irreconhecível à vida real. Numa empresa jornalística, o mesmo se passa: ou você acha, leitor, que nosso companheiro não sabia que a orientação do dono do jornal se transforma até chegar ao repórter, na base da pirâmide?

Comandar, nos ensina Roberto Marinho, também é aceitar o que há de incontrolável na vida. No drama do *impeachment*, há exemplos eloqüentes da imponderabilidade de alguns eventos.

No trabalho de concepção de uma nova minissérie da Globo, início de 1992, nenhum autor ou diretor poderia imaginar que a ficção acabaria tendo influência determinante sobre a realidade política nacional. *Anos Rebeldes* – quem ousaria prever? – serviria de inspiração para milhares de jovens experimentarem, de um jeito romântico, o sentimento de exaltação cívica, a excitação de uma manifestação pública, o gosto de influir na política. *Anos Rebeldes* foi ao ar entre 14 de julho e 14 de agosto de 1992.

---

[126] José Sarney, 15 mar 2004.

E é em pronunciamento na televisão que Fernando Collor tem a péssima idéia de pedir ao povo que demonstre seu apoio saindo às ruas, vestindo verde e amarelo. Procissões de adolescentes preferem o preto básico e passam o domingo portando luto. Dias depois, usariam verde e amarelo sim, nas caras-pintadas.

Fernando Collor deixa o governo no dia 2 de outubro de 1992.

Em nosso passeio pelos últimos trinta anos de vida de Roberto Marinho, encontramos mais um significativo exemplo do traquejo político de nosso companheiro, sempre a serviço dos interesses de suas empresas. Foi durante a agonia do regime militar.

Depois de pelejar durante anos com a censura, Doutor Roberto teve que administrar pressões tremendas quando a campanha Diretas Já começou a decolar. [127]

"... no caso das diretas, a gente vivia evidentemente debaixo de pressão. Por um lado, pressões para a gente não ficar fora das diretas, mas havia uma pressão homem a homem, corpo-a-corpo do Palácio do Planalto, que era uma coisa exasperante para um empresário, o dono da televisão. Os sujeitos desciam a detalhes de o Doutor Roberto botar a mão no fone, tapar o fone e dizer: 'Está chamando a Alice-Maria de comunista.'"[128]

Mesmo sob alta pressão, Doutor Roberto ainda fazia os companheiros caírem na gargalhada com tiradas assim – chamar Alice-Maria de comunista era mesmo uma piada. Mas haja nervos para conseguir rir do drama durante o seu desenrolar.

Pessoalmente, Doutor Roberto não encarou com bons olhos o início da campanha por eleições diretas para presidente. Ele não queria ver o movimento de 64, que apoiara desde o início, sair de cena derrotado.

---

[127] A campanha pelas Diretas Já começou no primeiro semestre de 1983. O deputado Dante de Oliveira (PMDB/MT) apresentou ao Congresso Nacional uma proposta de emenda à Constituição propondo o fim do Colégio Eleitoral e prevendo o restabelecimento de eleições diretas para a Presidência da República em dezembro do ano seguinte. A campanha foi lançada oficialmente pelo PMDB e contou com a adesão imediata dos outros partidos de oposição e de entidades da sociedade civil. Durante o ano de 1983 ganhou força, e no início de 1984 adquiriu dimensões sociais e políticas amplas, tomando as ruas das principais capitais do país. Os quatro meses que antecederam a votação da emenda Dante de Oliveira foram dedicados à organização de comícios em muitos estados brasileiros. Em 25 de janeiro, milhares de pessoas estiveram no comício na Praça da Sé, em São Paulo. Em abril, mais duas grandes manifestações se realizaram no Rio de Janeiro e em São Paulo. A primeira reuniu um milhão de pessoas na Candelária, e a segunda, cerca de um milhão e meio no Vale do Anhangabaú. Apesar de toda mobilização popular, a votação no Congresso Nacional terminou sem que a emenda Dante de Oliveira conseguisse, para ser aprovada, a maioria de dois terços. Perdeu por apenas vinte e dois votos.

[128] Armando Nogueira, 10 dez 2003.

Preferia o ocaso honroso da auto-extinção do regime, que citou no editorial "Julgamento da Revolução". Resistiu o quanto pôde à campanha, até que esta ganhou a adesão popular e aglutinou todo clamor nacional por democracia. A questão, para um veículo com o peso colossal da TV Globo, era como cobrir uma campanha, sem fazer campanha.

"Achamos que os comícios pró-diretas poderiam representar um fator de inquietação nacional e por isso realizamos, num primeiro momento, apenas reportagens regionais. Mas a paixão popular foi tamanha que resolvemos tratar o assunto em rede nacional."[129]

Do Planalto chegavam recados grosseiros para que a Globo simplesmente não cobrisse os comícios da campanha.

"Eu fui conversar com o papai, e ele não proibiu nada. Ele disse o seguinte: 'Vocês tomem cuidado, porque isso está sendo uma coisa tremendamente sensível com os militares.'"[130]

Enquanto coordenava, de sua sala no décimo andar, a cobertura do comício de 10 de abril de 1984, na Candelária, no Rio, até do céu Roberto Irineu recebeu intimidações.

"Um helicóptero grande do Exército circunda o prédio da TV ... e paira em frente a minha janela. Dentro do helicóptero ... alguns militares fardados e uma metralhadora apontada para nós. Ali ficaram parados por alguns infindáveis minutos e depois partiram. Nunca consegui saber de onde partiu a ordem para que o helicóptero viesse nos assombrar."[131]

Eram os fantasmas dos porões do aparato repressivo que já tinham ganhado vida própria e não acatavam ordens ou reconheciam comando.

Durante a campanha das Diretas Já, repetiu-se uma velha ameaça: tirar a TV Globo do ar, cassar sua concessão.

Na década de 70, no período mais duro da ditadura, Joe Wallach presenciou mais de um diálogo entre Roberto Marinho e generais que buscavam intimidá-lo com a ameaça de retirar a concessão:

"A censura era brutal em cima de Doutor Roberto. O general dizia assim: 'Se você não fizer o que nós queremos, nós tiramos você do ar', ameaçando. Doutor Roberto

---

[129] Roberto Marinho, "A vitória da notícia" entrevista à *Veja*, 5 set 1984.

[130] Roberto Irineu Marinho, 2 dez 2003.

[131] Roberto Irineu Marinho, depoimento a *Jornal Nacional – A notícia faz história*.

respondia: 'Está bem, então faça isso. Nos tire do ar e o senhor vai ver o que acontece no país.' Eram mais ou menos assim as conversas."[132]

Assim como sucedia no jornal, a TV Globo também recebia informes e fitas de delação. Como no *Globo*, quase invariavelmente os remetentes eram funcionários que tinham sido demitidos. Numa carta para o Doutor Roberto, o então diretor-geral Walter Clark acusa o recebimento de uma fita "gravada num órgão do Exército", repleta de acusações e calúnias. No P.S. da carta, Walter identifica o delator: *"Foi despedido por mim em 1965. Quando admoestado por mim quanto à linha do* Capitão Furacão*, respondeu-me 'Se o senhor pensa que o* Capitão Furacão *é um programa para crianças, o sr. está enganado.'"*[133]

Mais uma vez, em respeito ao leitores mais jovens, cabe a ressalva: *Capitão Furacão* era sim um programa infantil. Na época, não eram garotas bonitas que apresentavam as atrações para a gurizada. Sinal daqueles tempos, o concorrente do *Capitão Furacão* era o *Capitão Aza*, na TV Tupi.

Joe Wallach acertou em cheio quando aconselhou a contratação de Walter Clark. Gênio de estratégia da TV, a grade de programação criada por Walter pouco mudou até os dias de hoje.

A primeira manifestação da inteligência ágil de Walter Clark nos permite estabelecer um parentesco curioso entre o início da TV Globo e os tempos pioneiros do jornal *A Noite*, de Irineu Marinho: foi prestando um valioso serviço comunitário que a TV Globo ganhou a simpatia dos cariocas. Durante a chuva torrencial e a enchente catastrófica que se abateu sobre o Rio de Janeiro, em janeiro de 1966, Walter Clark ordenou que as câmeras se voltassem para fora da emissora e manteve uma cobertura contínua, organizando na TV Globo uma central de solidariedade que mobilizou toda a cidade, arrecadando agasalhos e mantimentos para os desabri-

22. Walter Clark – no poder

[132] Joe Wallach, 15 jun 2004.
[133] Walter Clark, carta a Roberto Marinho, 9 out 1974.

gados. Armando Nogueira, que ainda trabalhava na TV Rio – só iria para a Globo em outubro daquele ano –, recorda:

"Tinha uma queda-d'água que passou a ser a imagem-símbolo da enchente. A câmera que Walter Clark mandou instalar na rua Von Martius, apontando para a queda, ficava ligada dia e noite. Era como a imagem-padrão da Globo. Eu trabalhava na TV Rio. Mas a nossa referência se ia continuar chovendo ... era a cachoeira da TV Globo."[134]

"Aos meus companheiros da TV Globo:

Dirijo-me aos prezados companheiros da TV Globo para, num afetuoso abraço, endereçar à magnífica equipe, e a cada um de vocês, o meu mais sincero reconhecimento pela forma admirável com que se portaram nos dias e noites em que a nossa cidade se viu castigada por implacável catástrofe, que manteve, inclusive, em permanente ameaça, o nosso próprio edifício. ... Colocando-se na vanguarda das emissoras cariocas, vocês souberam galvanizar a opinião pública, sensibilizar a cidade e emocionar os corações que, talvez sem o apelo da TV Globo, não tivessem respondido tão rapidamente aos imperativos da solidariedade humana. Vocês ganharam galhardamente essa batalha. ... É o que lhes quero dizer, nesta carta em que à grande equipe e a cada um, individualmente, expresso a segurança da minha estima, do meu apreço e da minha admiração.

Roberto Marinho."[135]

Doutor Roberto louvava a entrega e a dedicação de toda a equipe, mas sabia que a iniciativa e a liderança tinham sido de Walter Clark. Ali ele percebeu que Clark possuía a fagulha do gênio.

Há uma versão corrente, fartamente repetida, que atribui a uma suposta antipatia pelo jovem executivo o fato de Roberto Marinho não ter freqüentado a TV Globo até a demissão de Walter.

Vamos relativizar esta assertiva. Antes de mais nada, ainda está fresca em nossa memória a declaração de Doutor Roberto a Heron Domingues, na entrevista à TV Tupi: *"Estou montando uma emissora de televisão que espero dirigir... a uma prudente distância."*[136] Portanto, seria uma precipitação imputar à presença de Walter a ausência de Roberto na TV.

---

[134] Armando Nogueira, 10 dez 2003.

[135] Roberto Marinho, carta aos funcionários da TV Globo, 25 jan 1966.

[136] Entrevista de Roberto Marinho a Heron Domingues na TV Tupi, *O Globo*, 17 dez 1962.

23. Fui eu que fiz

Além disso, há outro fator relevante. Roberto Marinho, Walter Clark e Boni tinham algo em comum: força de vontade titânica e um viés tirânico acentuado em suas personalidades. Cada um de nós carrega essa tendência no seu íntimo: a convivência em sociedade nos civiliza, na persuasão da palavra ou na marra da lei, e nos obriga a domar essa serpente geneticamente instalada em nosso *hardware*. Homens e mulheres dotados de vocação para a liderança costumam ser mais bem-sucedidos ou menos, de acordo com a capacidade que demonstram de controlar a tentação da tirania.

No livro *O campeão de audiência*, obra bastante contaminada pela amargura, Walter Clark afirma que Roberto Marinho gostava de "*... exibir-se como um Luís XIV da mídia: 'O Globo sou eu.'*"[137]

Ora, Doutor Roberto nunca tentou esconder essa total identificação entre ele e seu jornal! Se não verbalizava tal evidência, isso era apenas por seu culto à humildade, mas não só ele como todos os seus colaboradores conheciam muito bem seu absolutismo.

A relação, mais uma vez passional, entre Roberto e Walter tinha um componente de espelho. A mesma analogia poderia ser feita substituindo

[137] Walter Clark, *O campeão de audiência*.

Roberto por Walter, e mantendo Luís xiv como parâmetro: Walter Clark chegou a acreditar, e dizer, nem que tenha sido para seus próprios botões: "A Globo sou eu."

Façamos um breve relato dessa história de harmonia e desarmonia.

No dia 16 de setembro de 1975, Doutor Roberto escreve − mas não envia − uma carta em que expressa a sua insatisfação com a notícia de que Walter Clark tinha proferido uma palestra na Escola Superior de Guerra:

"Meu caro Walter

Fui surpreendido, ontem, com a notícia de que você fizera uma conferência na Escola Superior de Guerra sobre a televisão.

Mais tarde, li o texto, que mandei publicar na íntegra em O Globo, para prestigiá-lo.

... estamos vivendo um momento muito delicado da existência da nossa Rede Globo de Televisão, que infelizmente não parece possa ser resolvido a curto prazo. Pelo contrário, à proporção que vamos progredindo, aprimorando os nossos programas e conquistando maiores parcelas de audiência, mais se voltam para a nossa Rede as atenções e o espírito de crítica, nem sempre justo, das autoridades, que parecem temerosas do nosso crescente poder de atuar sobre as massas em todo o país.

... precisamos ter um sentido de unidade, com uma só voz falando em nome da nossa grande empresa.

É dentro desse espírito que desejo fazer-lhe as seguintes recomendações, antes desnecessárias:

Ninguém poderá fazer conferências ou falar sobre a Rede Globo de Televisão sem a minha prévia anuência. ... o texto deve-me ser submetido ... a fim de que eu possa aprová-lo ou fazer modificações que julgue necessárias."[138]

"A Rede Globo, pela sua audiência, vivia uma questão difícil. Ela era mais ameaçada que qualquer outro órgão de imprensa. Os jornais todos sofriam menos ameaças que a TV Globo, por causa da penetração eletrônica dela. E na faixa eletrônica, os outros concorrentes eram muito pequenos. A eles era permitido tudo. À TV Globo não era permitido nada."[139]

"Doutor Roberto adorava o Walter como pessoa. Nós almoçávamos com o Walter uma vez por semana. Só ele, Walter e eu, mais ninguém. Ele tratava Wal-

[138] Roberto Marinho, carta não enviada a Walter Clark.
[139] Boni, 9 fev 2004.

Roberto Marinho

ter como filho. E dizia: 'Walter, você não deve beber tanto.' Ele sabia que Walter bebia demais."[140]

Diga-se em defesa da embriaguez de Walter Clark que todos os craques da TV, uma conjunção de talentos difícil de ser igualada, a equipe de diretores da Globo, andavam embriagados pelo sucesso arrebatador, irresistível. Egos inflamados, chegaram a criar uma instituição discriminatória e antipática: o crachá prateado, laurel de nem tão poucos "caciques", hoje enterrado no passado da TV Globo.

Ressalte-se, porém, que Walter Clark não só perdera o controle de sua vaidade, como também mostrava-se crescentemente desinteressado no dia-a-dia da empresa. Comportava-se como imperador, quando não deixara de ser arquiduque.

"Walter tinha um grupo em volta dele, bebendo com ele. Doutor Roberto sabia disso e falava com o Walter. Eu tentava defender o Walter perante o Doutor Roberto, que não estava feliz, mas gostava muito dele. ... Walter subiu tão rápido que era rápido demais, não estava preparado. E Doutor Roberto sempre falava isso para mim: 'Walter não está preparado.'"[141]

O processo explode no mês de maio de 1977, quando a ambivalência de sentimentos de Roberto Marinho é atropelada por um pileque fenomenal de Walter Clark nos salões repletos de fardas de Brasília.

No início de maio, a relação ainda era amistosa, pesando os "apesares"... Para justificar sua ausência numa festa comemorativa de mais uma vitória "Global", Doutor Roberto manda um bilhete carinhoso para Walter:

"V. há de relevar-me que, num dia de festa, eu me ausente, temeroso das câmaras de televisão, que certamente estarão a postos esta noite...

... Abrace por mim, meu caro Walter, os nossos companheiros e a quantos ... ajudaram o esplêndido sucesso do nosso empreendimento, que desejamos cada vez mais engrandecido e mais voltado para as causas da população brasileira."[142]

Esta cartinha é de 4 de maio. No dia 13 do mesmo mês, Walter escreve para Roberto. É um longo pedido de desculpas por seu comportamento na noite anterior.

"Pensamentos e palavras difíceis de traduzir e encontrar são o que gostaria de poder escrever-lhe depois da noite de ontem. ... sei que num momento impor-

291

[140] Joe Wallach, 15 jun 2004.

[141] Idem.

[142] Roberto Marinho, carta a Walter Clark, 4 mai 1977.

Doutor Roberto Marinho

tante, esqueci-me das qualidades que me levaram a ser homem de sua absoluta confiança, por mais de dez anos, ontem faltei a esta confiança, falhei diante de mim mesmo.

Quero pedir mais do que desculpas. ...

Desculpe-me ainda utilizar deste meio que me garante não enfrentar seu olhar condenatório que bem mereço."[143]

Nos últimos dias de maio, Boni ainda tenta contornar a crise, evitar a demissão:

"'Doutor Roberto, me diga quais são as razões?' Ele mencionou álcool, comportamento com general, que passou a mão na bunda do general, que ele saía carregado da TV Globo todo dia, coisas desse tipo. E ele falou o seguinte: 'Os profissionais que estão fazendo a empresa, estão fazendo a empresa, e o Walter está usufruindo da empresa.'"[144]

Quando desconfia que a fritura fora liquidada, Walter Clark se desespera. Temia que a demissão não viesse acompanhada de uma indenização justa. Liga para Joe Wallach.

"Ligou para mim e disse: 'Joe, eles estão me mandando embora, não é isso? ... você é meu amigo, tem que me contar a verdade. Porque se Doutor Roberto não me indenizar, eu vou me suicidar.'"[145]

Joe mais uma vez faz de intermediário entre Roberto e Walter, e acerta, em termos generosos, a *love letter* − expressão inglesa bastante usada no Brasil, uma espécie de cartão vermelho recheado de dinheiro.

No dia 28 de maio de 1977, Otto Lara Resende redige duas cartas. Na primeira, Walter Clark pede demissão. "...saio cheio de fé e de confiança na vida. No início da maturidade, dou-me por feliz pela obra de que pude participar."[146]

No mesmo dia, a resposta em concordância:

"... nenhuma alegria é maior ou mais compensadora do que o descobrimento ou o encontro de uma vocação e de um talento destinados a assinalar uma presença na história de nossa comunicação. Creia no sincero pesar com que aceito o seu pedido de demissão, e que só se compara à expressão da velha amizade do companheiro de sempre."[147]

[143] Walter Clark, carta a Roberto Marinho, 13 mai 1977.

[144] Boni, 9 fev 2004.

[145] Joe Wallach, 15 jun 2004.

[146] Walter Clark, 28 mai 1977.

[147] Roberto Marinho, 28 mai 1977.

Os termos elegantes usados nas cartas de separação ocultam uma crise séria, subjacente ao drama. Vários companheiros ameaçaram abandonar a empresa, em solidariedade a Walter Clark.

"'Se você quiser sair, você estará sendo injusto comigo.' 'Por quê, Doutor Roberto?' 'Porque eu estou tentando facilitar o trabalho dos profissionais, você sabe que eu reconheço o trabalho que o Walter fez, reconheço que vocês foram parceiros, com o Joe, com todo mundo. Eu tenho reconhecimento. Mas o comportamento do Walter daqui para a frente só vai impedir a nossa velocidade de crescimento. Só vai impedir que eu faça justiça a vocês. Se vocês se voltarem contra mim no momento em que estou sendo justo com vocês, vocês estão destruindo um negócio que nós fizemos juntos.'"[148]

24. De crachá

"Naquela época, o Walter já não queria mais ajudar a fazer a Rede Globo. Ele achava que já tinha feito a Rede Globo."[149]

"Walter considerou que a empresa estava pronta. E não estava pronta. Tanto que cresceu muito mais depois que ele saiu. Por que não estava pronta? Porque nós tínhamos meia dúzia de capitais, tínhamos cem repetidoras e em três anos fizemos mil, depois. O trabalho estava no começo."[150]

Roberto Marinho encerra o drama, fazendo um comunicado em que louva o trabalho e o talento de Walter Clark, fala de seu afastamento "espontâneo" e, com toda elegância e rigor, afirma em síntese que:

"A todos os companheiros da Rede Globo

Desejo dar nesta hora uma palavra de amizade, de entendimento e de confiança. ... A partir de agora, assumo pessoalmente a direção-geral. ... Ainda há muito o que empreender. ... A Rede Globo conta com cada um dos nossos companheiros, e cada um dos nossos companheiros pode contar, como sempre contou, com a Rede Globo."[151]

---

[148] Boni, 9 fev 2004.

[149] Armando Nogueira, 10 dez 2003.

[150] Boni, 9 fev 2004.

[151] Roberto Marinho, comunicado aos funcionários da TV Globo, jun 1977.

Doutor Roberto Marinho

Sob a assinatura, o novo título: *"presidente diretor-geral"*.

Aos setenta e seis anos, Roberto Marinho repetia: *"Ainda há muito o que empreender."*

Mais uma vez, estamos diante de uma característica essencial de nosso personagem. Ele era insaciável, voraz, um eterno insatisfeito. Não se curvava nem ao próprio medo, mesmo que custasse um pouquinho.

Tomou gosto por avião, no início da década de 70, logo após a morte do filho Paulo.

O medo se metamorfoseou em paixão. Numa reportagem assinada para *O Globo*, narrando a viagem que fizera para assistir ao espetáculo escandinavo do 'sol da meia-noite', Roberto Marinho assim descreve sua aeronave: *"... o que há de mais moderno na tecnologia aplicada à aeronáutica. Durante onze horas, essa máquina fabulosa vai tomar conta de minha vida, atravessando oceanos, montanhas e continentes."*[152]

Como certos jornalistas especializados em cobertura de guerra, Roberto Marinho parecia viciado na adrenalina da superação do medo. Todas as suas ações temerárias que já presenciamos, e outras que ainda vamos acompanhar, permitem esta conclusão. Estamos falando de alguém que sente medo, como qualquer um, mas que não se conforma! Reativamente, desafia o perigo e chega ao limite da inconseqüência.

"Ele dizia: 'Iiiiih, tá com medo, é?' Eu fazia algumas coisas porque a felicidade dele era tanta! E ele ainda dizia: 'Viu, fácil pousar aqui, muito fácil, viu?' 'Doutor Roberto, o senhor não quer voar atrás não?', e ele: 'Não, quero voar do seu lado porque se tiveres algum problema de coração ou alguma outra coisa eu seguro.' Oitenta e poucos anos e começou a voar do meu lado."[153]

"Tá com medo?" Com o lendário piloto Aécio Malaguti, Doutor Roberto repetia o mesmo desafio que fazia ao treinador de cavalos Tamborete, o Francisco, frase típica de *playground* infantil: "Tá com medo, é?"

Agora estamos taxiando em torno do ano de 1985, Doutor Roberto na decolagem para sua nona década. Malaguti pilotava habitualmente a serviço

---

[152] Roberto Marinho, "Pelos mares dos vikings", *O Globo,* 11 ago 1991.
[153] Aécio Malaguti, 9 set 2004.

de Roberto Irineu, que tinha flertado com os ultraleves até "arborizar" pela primeira vez. Tradução para nós, não-iniciados em termos aeronáuticos: "arborizar" é terminar um vôo preso no alto de uma árvore.

Além disso, helicóptero é meio de transporte comum entre altos executivos como Roberto Irineu, e ultraleve é diversão, com boa dose de perigo envolvida...

Toca o telefone de Malaguti. Desta vez, não era o filho mais velho, era o pai.

"*'Você que é o Malaguti? Você que faz pirueta por aí com o meu filho de helicóptero? Eu queria dar uma volta nisso aí que o meu filho usa.' Foi, então, a primeira vez que ele voou, fomos a Angra.*"[154] Pergunta se o menino disfarçado de ancião gostou? "*Quando voltamos, ele disse: 'Agora eu também quero um brinquedo desses, avisa ao Roberto que agora eu é que vou usar.' Ele começou assim, depois passou para um helicóptero maior.*"[155]

Doutor Roberto não só adorou, como falou, a seriíssimo, que iria aprender a pilotar. Não chegou a tirar brevê, mas só ocupava o banco do co-piloto e deu uns sustos em alguns passageiros.

"*Uma vez, o helicóptero estava cheio, e ele se pendurou no comando que muda o passo, faz descer e subir, aí, vuuuum, deu aquele vazio, um vácuo, todo mundo colou no teto, uma gritaria danada, deu um grande susto em todos. E ele: 'Ha-ha-ha, que foi isso!?' 'O senhor colocou a mão aí.' E ele achando a maior graça!*"[156]

Por formação profissional, ou deformação, como queiram, o piloto Malaguti tem grande autocontrole, não se emociona à toa. Só que, numa tarde de 1985, Doutor Roberto mandou tocar para as bandas de Jacarepaguá, zona oeste do Rio de Janeiro.

"*De vez em quando ele fazia isso: 'Malaguti, vamos dar uma volta por aí, só para olhar.' Toda vez que eu chegava de um vôo, passava na janela dele. Ele gostava de ver e pedia: 'Malaguti, passa aqui?' E ficava na janela dando tchau. Num desses vôos ele falou para mim: 'Vamos até o Projac?' E eu: 'Que é isso?' 'É um negócio que tem ali.' Só tinha o terreno, e ele falou: 'Aqui vou fazer o Projac, daqui a dez anos vamos pousar aqui.' Fiquei olhando para a cara dele, que disse: 'Estás duvidando?' Um homem com mais de oitenta anos, falando de projetos para dez, tomei um susto. Um dia a gente foi até lá e ele falou: 'Tá vendo? O Projac está pronto. Eu não falei que ia pousar aqui?' Eu o levei para a inauguração.*"[157]

Doutor Roberto Marinho

[154] Idem. [155] Idem. [156] Idem. [157] Idem.

25. Ação, ação, ação!

Na inauguração do Projac, até os nervos de piloto intrépido de Aécio Malaguti vibravam em comoção. Doutor Roberto, aos noventa e quatro anos, alcançara mais um objetivo, e desta vez ele tinha mirado alto. Foi difícil não se emocionar. Até hoje vários profissionais, e me incluo entre eles, se espantam ao chegar diariamente ao Projac, a sede dos estúdios, escritórios e parques de edição e finalização da Central Globo de Produção. Inevitável sentir uma ponta de orgulho ao saber que aquela ilha de excelência não fica em Hollywood, é brasileira mesmo.

Nas primeiras décadas da Globo, há um claro componente heróico na construção daquilo que viria a merecer o epíteto de "Fábrica de Sonhos". Arquitetonicamente, a emissora do Jardim Botânico fora concebida para abrigar redações e estúdios de programas jornalísticos. Mesmo a aquisição do prédio da rua Lopes Quintas não ajudou nesse sentido, abrindo lugar apenas para a instalação de escritórios de direção, gerência e reuniões. Os estúdios permaneceram os mesmos, não tinham o tamanho necessário para comportar dezenas de cenários para teledramaturgia. Em resumo, era muita produção e pouco espaço – trabalho dia e noite, gerando centenas de empregos.

Quando Jorge Serpa diz que os *"...artistas brasileiros mudaram de condição social com a TV Globo. Roberto Marinho deu esse padrão de dignidade ao artista brasileiro"*,[158] estas não são palavras apologéticas ou vazias. Como ilustração clara do marco que a TV Globo representa na história da dramaturgia brasileira, reproduzo agora trechos de uma carta recebida por Roberto Marinho em 1974.

---

[158] Jorge Serpa, 19 fev 2004.

26. Projac, a Hollywood brasileira

"*Meu caro e velho amigo Roberto*

Tenho necessidade urgente de trabalhar para sustento de minha família. O teatro, pelas suas precárias condições, não pode oferecer salário compensador a quem, como eu, tem filhos a educar. Por isso apelo para você, como último recurso. Ainda estou em plena forma. Isso pode ser constatado pelo papel que desempenhei em A Grande Família. *Não tenho pretensões. Já superei todas as ambições de glória e todas as vaidades inúteis tão próprias dos artistas. Farei o que for preciso. Assim ponho em suas mãos generosas o meu destino.*"[159]

Não é um ator qualquer que assina esta comovente carta. Trata-se simplesmente de Procópio Ferreira, aos setenta e seis anos, apelando para o amigo que conheceu na década de 20, quando ainda era comunista, uma revelação nos palcos do Brasil. Jovem leitor: Procópio Ferreira, pai de Bibi, figura entre os maiores atores de nossa história − alguns afirmam que foi o maior, mas como arte não tem pódio, não faz sentido numerar talento ou mérito. Doutor Roberto correspondeu com generosidade ao apelo do velho ator e o ajudou, não apenas recomendando seu nome para o elenco das produções globais, como também o incluindo num rol de mesadas que distribuía, sem nenhum alarde, para dezenas de colegas e conhecidos em

297

Doutor Roberto Marinho

---

[159] Procópio Ferreira, carta a Roberto Marinho, 16 mai 1974.

27. Mensagem de fim de ano, 1994: hoje é um novo dia!

necessidade. Claro que o empresário preferia proporcionar oportunidades de trabalho, mas praticou a caridade quando julgou preciso.

Se hoje temos novas gerações repletas de talentos excepcionais, isto se deve também à maturidade de nossa dramaturgia, para a qual tanto contribuiu a televisão de Roberto Marinho.

Artistas geniais – não vamos enfileirar nomes de autores, diretores, produtores, atores ou atrizes, pois além de enfadonha, a listagem resultaria inevitavelmente incompleta – edificaram um templo aos deuses da arte, aberto dia a e noite para todos os brasileiros. Não é despropositado, porém, escolher a figura de José Bonifácio de Oliveira Sobrinho, Boni, para representar a classe.

Sempre seguindo as orientações de Roberto Marinho, empenhado em elevar a qualidade da programação e o nível cultural e artístico da televisão brasileira, sem deixar nunca de perseguir e manter a liderança, Boni torna-se o "Júpiter Tronante" da Rede Globo. E bota tronante nisso. Boni já despontara na profissão com a marca do líder, mas molda muito de seu estilo a partir do exemplo de comando do Doutor Roberto. À firmeza imperial de Roberto, Boni acrescenta berros e alguns palavrões. Questão de estilo.

Com Roberto Marinho, Boni aprendeu novos macetes no exercício do poder. Em primeiro lugar, Doutor Roberto detestava desculpas e dizia:

"Eu não estou querendo apurar culpa. Eu quero saber o que nós vamos fazer para não acontecer mais."[160]

O homem que chegou a ter o maior salário de executivo de TV do mundo recebeu lições, tão prosaicas quanto preciosas, de como se livrar de apoquentações freqüentes na vida dos que decidem sobre a vida dos outros: *"'Toda vez que você estiver falando com alguém no telefone e tiver alguma dúvida, desligue o telefone.' 'Mas Doutor Roberto, eu vou desligar o telefone na cara de uma pessoa?' 'Não! Quando você estiver falando: olhe, eu queria dizer para você o seguinte... e tum! Aí você vai apurar o que está acontecendo. Quando a pessoa ligar, você já está em outra linha. Sempre quando você estiver falando, nunca quando o outro estiver falando.' E eu aprendi a fazer isso."*[161]

28. Boni (de gravata!), Roberto Irineu, Joe Wallach e Roberto Marinho

Na casa de Boni, Roberto Marinho aprendeu a apreciar um certo vinho Romanée-Conti, o mesmo que o publicitário Duda Mendonça pediu, de forma talvez inconseqüente, num jantar com Lula, na reta final da campanha presidencial de 2001.

Em todos os aniversários de Boni, Doutor Roberto caprichava nas surpresas e presentes. Através dos anos de convivência, Roberto deu dezenas de relógios para um homem que nunca usou relógio.

Doutor Roberto não era de tietagem, pelo contrário, mas uma vez perguntou:

"'A Bruna Lombardi é mesmo tão bonita quanto parece na televisão?' Eu disse a ele que ela era ainda mais interessante. Ele falou que gostaria de conhecê-la. Apreciava a suavidade dela. A Bruna foi ao escritório e na saída perguntei ao Doutor Roberto se ele havia achado a Bruna bonita como a imaginava pela TV. E ele foi direto: 'Ela é bonita mesmo. No rosto, a televisão não engana, mas na altura engana muito. Eu não esperava que a Bruna fosse baixinha como eu."[162]

Encalacrado com dívidas, oficial de justiça nos calcanhares lhe acenando com um título prestes a ser protestado, o eterno comunista Mário Lago tomou coragem e ligou para Doutor Roberto:

[160] Boni, 9 fev 2004.

[161] Idem.   [162] Idem.

"O título era de quatrocentos cruzeiros, ou cruzados, não sei agora. Aí chegou aquela voz: 'Alô, Mário!' Eu digo: 'Está ganha a parada!' 'Doutor Roberto, é ótimo trabalhar aqui, mas a sua estação tem um defeito.' 'Qual é?' 'Paga em dia, Doutor.' Naquele tempo pagava quinzenalmente. 'E às vezes, entre um pagamento e outro, surge uma surpresa, um inesperado, não é? Eu, por exemplo, quando ia saindo para gravar, um oficial de justiça veio com um título apontado pra protesto.'"[163]

Não era o tipo de ocasião para usar o truque de desligar o telefone enquanto se está falando.

"Doutor Roberto disse: 'De quanto é esse título?' Era de quatrocentos, e eu pensei: tenho que levar alguma vantagem nisso, e falei: 'Seiscentos.' 'Vá gravar tranqüilo, depois você acerta a forma de pagar.' Daqui a pouco eu estava com o cheque na mão. Roberto Marinho, o melhor patrão do mundo."[164]

Boni conta que, certa feita, ouviu Doutor Roberto pedir a Mário: *"Olha aqui, Mário Lago, se os comunistas vencerem, por favor, mande me enforcar com corda de seda. Corda de seda, fininha."*[165]

Além da perseguição implacável aos noticiários, a censura se travestia de patrulha moral, em defesa da família brasileira. Quando as pressões partiam de órgãos oficiais, Doutor Roberto respondia pessoalmente. Como exemplo, esta carta ao Ministério da Justiça, em que repudia cortes impostos pela censura no programa de Chico Anysio:

"Francamente, achei que nenhum dos cortes tinha razão de ser. Trata-se, na maioria, de cenas de um programa cômico, Chico City. *Vislumbrar maldade em algumas falas e julgá-las perniciosas às crianças parece-me inadequado. Ainda que houvesse um* double sense, *que não me parece que haja, de duas, uma: ou as crianças não entendem, ou, se entendem, é porque já não são assim tão crianças."*[166]

Entre os telespectadores, repete-se um comportamento que técnicos e jogadores de nossa seleção de futebol conhecem bem: todo brasileiro acha que entende de futebol. Somos cento e setenta milhões de técnicos, não reza assim o chavão? Pois bem, todo mundo também acha que conhece televisão, e isso é compreensível, já que, mais que um eletrodoméstico, o aparelho de TV torna-se parte da família.

Roberto Marinho

---

[163] Mário Lago, 30 jun 2000.
[164] Idem.
[165] Boni, 9 fev 2004.
[166] Roberto Marinho, carta ao ministro da Justiça Armando Falcão, 1974.

Já sabemos que Doutor Roberto nunca foi um puritano. Era um homem de sua época, que mantinha uma cabeça bastante aberta, não se fechou com a idade. Mas não havia escapatória: em seus compromissos sociais, ou através de telefonemas, Roberto Marinho era invariavelmente bombardeado por opiniões de pais zelosos, mães moralistas e filhos avançados. Previsível, pois a telinha reflete todas as contradições de nossa sociedade ambivalente, ora despudorada, ora recatada. Além de grande, o Brasil é um país cheio de diversidade, e, de fato, a moral do Jardim Europa, em São Paulo, não é a mesma do Sertão nordestino. Aliás, nós aprendemos isso assistindo à televisão, vimos um Brasil na TV...

Em resposta a essas reclamações não-oficiais, ou mesmo quando algo o desagradava pessoalmente, Doutor Roberto estabeleceu uma prática curiosa com Boni. Transmitia as observações e pedia a Boni para escrever cartas, algumas vezes repassadas a todos os companheiros, em seu nome, outras vezes remetidas ao próprio Doutor Roberto. Desta última modalidade, aí vai um exemplo:

"Doutor Roberto Marinho

Em face de reclamações ou comentários sobre o excessivo *erotismo que estariam apresentando algumas cenas de amor da novela* Saramandaia, *julgamos que é muito importante esclarecer, considerar e salientar o seguinte."*[167]

Em seguida, Boni faz a defesa da novela de Dias Gomes, apresentando argumentos previamente combinados com o chefe, item a item. Conclui com o item:

"e) e é preciso ter em conta que é a partir das 22 horas que podemos abordar determinados temas com profundidade maior, dispensando-lhes um tratamento adulto para um público adulto, que nos prestigia com sua audiência, mas espera um espetáculo sem as ingenuidades e finais 'cor-de-rosa' das novelas das sete."[168]

Outras ponderações partem do próprio Doutor Roberto, em resposta a reações possivelmente oriundas de setores da Igreja, e a cartas de telespectadores. Como o bilhete manuscrito, de 1989, reproduzido a seguir, em que defende a sensualidade presente na abertura da novela *Tieta*:

"É um trabalho notável de computador desse genial Hans Donner. ... É o corpo de uma mulher que se torce, se retorce e se fixa na obra-prima de uma escultura.

---

[167] Boni, carta a Roberto Marinho, 1976.

[168] Idem.

Recebemos milhares de cartas de protestos, mas, francamente, estamos diante de uma questão nova. As obras de arte, inclusive os nus, estão hoje até no Vaticano. Mas, honestamente, são esculturas estáticas. O diabólico movimento, obtido com a cumplicidade dos computadores, mudará a questão?"[169]

Mais um exemplo, sucinto, também em bilhete manuscrito sem data:

"A palavra 'corno' não deve ser usada na TV Globo. 'Marido enganado' não tem inconveniente."[170]

Quando Doutor Roberto deixava-se persuadir por Boni e voltava atrás na decisão de mandar embora um funcionário, o mecanismo era semelhante.

"Doutor Roberto, sempre que encontrava uma coisa mais dura, mais agressiva, que ele tinha que dizer, procurava chamar alguém, fazer chegar aos nossos ouvidos e pedia o seguinte: 'Me responda por carta.' Doutor Roberto brigou com Magaldi. Então eu disse: 'Doutor Roberto, eu preciso sentar com o senhor no Globo para conversar, porque o Magaldi é uma pessoa importantíssima para a empresa, que tem se dedicado, é uma pessoa que não pode sair.' 'Faça uma coisa, venha almoçar, mas traga uma cartinha.'"[171]

Anos mais tarde, o diretor da Central Globo de Comunicação, João Carlos Magaldi, comoveria profundamente Roberto Marinho. Foi uma das raras vezes em que algum colaborador viu Doutor Roberto às lágrimas:

"Um dia, eu fui almoçar com ele e o encontro quase chorando: 'Doutor Roberto, tudo bem? Aconteceu alguma coisa?' 'Quantos metros tem da minha sala até aqui?' 'Seis, sete metros.' 'Sabe quanto tempo levou o Magaldi para chegar daqui até ali? Mais de dez minutos.' Magaldi estava com enfisema, quase morrendo, e Doutor Roberto ficou realmente abatido."[172]

Doutor Roberto não tinha muito tempo para ver televisão, mas, além de controlar de perto o jornalismo, apreciava os humorísticos. Num encontro de elevador com Roberto Marinho, o comediante Agildo Ribeiro descobriu que era credor do patrão. Com sorriso maroto, e voz mais grave e baixa que de costume, confessou ao filho do capitão Agildo Barata: *"Devo-lhe boas gargalhadas..."*

[169] Roberto Marinho, 1989.

[170] Roberto Marinho, em bilhete manuscrito sem data.

[171] Boni, 9 fev 2004.

[172] Jorge Adib, 22 mar 2004.

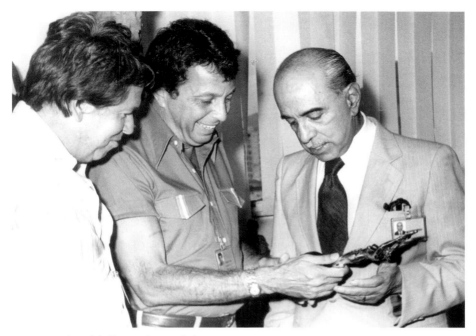
29. Com Boni, Daniel Filho e mais um prêmio

Agora, companheiro leitor, adivinhe qual era o programa xodó de Roberto Marinho. Essa é fácil...

"Doutor Roberto

Não se preocupe, pois saberemos cuidar bem do seu filho dileto. Concertos para a Juventude *não vai se abastardar. Vai, isso sim, ser dinamizado, a fim de que possa alcançar seus verdadeiros objetivos.*

... estamos, na verdade, aplicando na TV *a própria filosofia que o sr. sempre imprimiu a* O Globo, *que jamais se tornou um veículo elitista, mas que jamais desprezou os autênticos valores culturais. E que, sem esquecer os clássicos, jamais negou oportunidades à vanguarda."*[173]

Concertos para a Juventude era um programa dedicado à música erudita. Louco pelos clássicos desde garoto, Roberto sonhava com um programa diário de concertos na Globo. Custou a aceitar os argumentos de Boni, calçados no fato de que este tipo de atração não funcionava, pois as pessoas vêem TV enquanto comem, bebem e conversam, com o barulho do trânsito entrando pela janela. Até que um dia Doutor Roberto falou:

---

[173] Boni, carta a Roberto Marinho, 10 jun 1976.

"'Olhe, rapaz. Eu tive essa experiência, eu fui assistir a um concerto internacional na Globo e tinha gente em casa conversando alto. Eu fiquei irritado com o programa. Isso não foi feito para televisão, isso é para ouvir no teatro!'"[174]

Doutor Roberto podia ser teimoso, e nós já sabemos que era mesmo muito turrão. Porém curvava-se às evidências. Eis aí dois exemplos claros dos tais "traços de personalidade dos indivíduos que se exacerbam com a idade". Roberto Marinho foi-se tornando progressivamente mais teimoso e, ao mesmo tempo, quanto mais velho, maior a sua capacidade de aprender, e rápido.

Outra característica que, em vez de diminuir, aumentou com o tempo foi a ansiedade.

Tesourinha de unha, lixa, algodão, mercuriocromo e *band-aid*: Dona Liana, secretária de Doutor Roberto na TV a partir de 1984 logo aprendeu que este era o *kit* básico para atender ao patrão. A primeira lição de Liana Maria Coimbra Faria Neto no cargo de tanta responsabilidade foi de que seu chefe se autoflagelava sistematicamente.

Doutor Roberto padecia de ansiedade crônica e fazia com toda essa aflição a mesma coisa que se acostumou a fazer com a voz: engolia. A cutícula em torno das unhas acabava dilacerada, sangrando. Durante todos os seus encontros, conversas cara a cara, telefonemas, seus dedos se agrediam sem cessar – às vezes essa mania era acompanhada por um assovio fininho, quase inaudível. Usava as unhas para arrancar pedacinhos de pele, até que se machucava de verdade, sujando as mãos e os papéis de sangue. Dona Lygia, no jornal, já conhecia bem este serviço diário de "pronto-socorro". Agora chegara a vez de Liana aprender que a velhice não aquietara aquele homem. Como a orelha e a pertinácia, a tendência ao autoritarismo e a amabilidade, o nariz e a coragem, a ansiedade de Roberto Marinho só aumentara com a idade.

No início da convivência diária, pedreira: Doutor Roberto tratava Dona Liana secamente. Não é descabido presumir tratar-se de um traço de desconfiança que desenvolveu na mitológica Tijuca, essa Minas Gerais carioca. Logo Liana se tornaria mais uma "criança" adotada. E, já viu,

---

[174] Boni, 9 fev 2004.

quando o nosso companheiro cismava em tomar conta de alguém...

Quando, durante uma consulta de rotina ao dentista, um exame de sangue indicou a presença de um tipo raro de anemia incurável e foi levantada uma suspeita de leucemia, foi um Doutor Roberto nos acuda! Ele insistia que ela partisse imediatamente para os Estados Unidos e fosse tratada pelo melhor oncologista, no melhor hospital da especialidade: "Vais agora, já, para os Estados Unidos!" Para demovê-lo da idéia, a família de Liana penou, e Doutor Roberto só sossegou um pouco quando uma transfusão de sangue foi realizada na própria casa dela – prática desaconselhável e proibida, mas deus é Deus...

30. Liana, anjo da guarda na TV

Liana testemunhou e amparou o processo de envelhecimento do homem que se recusava a envelhecer. Passou a se comportar cada vez mais como filha, conseguindo achar graça de conselhos espertos – "esse negócio de tirar férias é um perigo, nunca se ausente por mais de dez ou quinze dias, é muito arriscado..." – e a trazer presentes gostosos para o "formiguinha" – "aqueles suspiros que sua tia prepara..." Impossível se acostumar com as demonstrações de saúde e força como, em dias em que faltava eletricidade, não ter paciência para esperar a luz voltar e subir dez andares de escada sem parar ou diminuir o ritmo.

Por falar em elevador, na época em que o deslumbramento subiu a todas as cabeças, das menores às maiores da TV Globo, época de crachás cor de prata – a era do "Bozó", "eu trabalho na Globo..." –, um diretor determinou que um dos quatro elevadores da "Vênus Platinada" seria exclusivo do Doutor Roberto. Ou melhor, para ser mais preciso: quando Doutor Roberto usasse o elevador, este não pararia em nenhum outro andar, e ninguém poderia compartilhar da cabine ocupada pelo patrão. Este bem-intencionado diretor não entendia nada de Roberto Marinho... Da primeira vez em que o ascensorista botou alguém para fora do elevador e tentou fechar as portas, Doutor Roberto reagiu: *"'Não, senhor! Se serve para trabalhar para mim, por que não serve para andar comigo de elevador? Quem deu essa ordem?'"*[175]

305

[175] Jorge Rodrigues, 6 fev 2004.

Não interessa agora quem deu a ordem, mas é claro que recebeu ordem de dar uma contra-ordem. E podem crer, a advertência deve ter sido bem dura, proporcional ao senso de companheirismo que não conseguia ver sentido em elevador com *apartheid*.

Liana conhecia bem o tom assustador de Doutor Roberto ao emitir uma ordem que queria ver imediatamente cumprida. Conhecia também a meiguice que o superego de velho não fazia mais questão de esconder.

Uma coisa de cada vez, ou tudo ao mesmo tempo.

Chiquinha: assim, com o nome da mãe do patrão, Liana tinha batizado uma arara que ele lhe dera de presente. Ela morava num apartamento de condomínio na Barra da Tijuca, em tranqüila coabitação com a ave. Porém, bichos sempre aprontam, e a arara Chiquinha resolveu sair para passear, se mandou pela janela. Fugiu e pousou no alto de uma cerca, inalcançável. O guardador da garagem já se adiantou: "É minha, eu vi primeiro, vou pegar e ficar com ela." Liana ficou, digamos, uma arara... Ligou para o patrão. Na hora, Doutor Roberto acionou toda a sua equipe de seguranças para resolver a questão malparada da fuga e encastelamento de Chiquinha. Mas o esquadrão não precisou entrar em ação. Logo depois de falar com Doutor Roberto ao telefone, parece que Liana incorporou o espírito do chefe e falou grosso com a arara: "Chiquinha, desça daí agora! Já!" A arara desceu, obediente, e docilmente se aninhou nos braços da dona.

Com o tempo, uma cena tornou-se cada vez mais freqüente.

Doutor Roberto requisitava a presença da secretária apenas para que ela lhe fizesse companhia. Ficavam de mãos dadas, quietos, em longos silêncios amigos.

Nos últimos anos, o escritório no último andar da TV Globo tornou-se uma espécie de refúgio. O mesmo lugar que servira de cenário a lutas encarniçadas contra ameaças concretas como chumbo, vindas do alto, Planalto, e outras abstratas, porém não menos perigosas, como esta entidade subjetiva chamada "opinião pública".

"Vamos botar dois pratos na mesma balança: aqui você tem o Palácio do Planalto e aqui você tem a opinião pública. Se a opinião pública começa a pressionar num sentido, você, que está no meio — e que é o Roberto Marinho, dono desse império —, fica olhando para onde está pesando mais. Aí, de repente, você vê a opinião pública indo numa direção; e vê o poder se enfraquecendo aqui. Sem a menor dúvida,

eu, empresário, faço o balanço: 'Ah, a opinião pública está se manifestando. Então, vamos pegar todo o nosso aparato e vamos com ela.'"[176]

Armando Nogueira compartilhou dos momentos mais duros de afirmação da TV Globo durante o regime militar. Mesmo sob as insistentes ameaças dos militares de tirar a TV do ar, Doutor Roberto permanecia fiel a seu estilo de preferir confiar no discernimento de seus diretores e delegar poder decisório no dia-a-dia a transmitir diretrizes inflexíveis. Você já sabe: assim ele não se tornava escravo de suas próprias diretrizes, e dividia as dezenas de batatas quentes com malabaristas coadjuvantes.

"... a Rede Globo era um fato novo no quadro político. A abertura ainda não tinha começado pra valer. Então, a nossa dificuldade era maior ainda, porque a gente nunca perdeu de vista o fato de que isso aqui era uma concessão de serviço público. Nós tínhamos total liberdade por parte do Doutor Roberto. Então, eu podia botar no ar. Mas ele me dizia: 'Nós temos que ser responsáveis. Nós somos uma concessão pública a título precário.'"[177]

No filme em preto-e-branco da ditadura, tudo era mais violento, porém mais simples – tratava-se de ser contra ou a favor. No jogo democrático, todas as relações tornam-se mais complexas.

Um exemplo da lógica dos anos de chumbo: quando dois profissionais da maior confiança, como Alice-Maria, diretora-executiva de Armando, e Luís Edgar de Andrade, seu chefe de redação, são convocados para ir ao DOPS, Roberto Marinho os acompanha pessoalmente, para garantir sua integridade física. É, amigo leitor, uma convocação ao DOPS podia significar tortura, sumiço temporário ou permanente, morte. Segundo Armando Nogueira, o correspondente de guerra Luís Edgar, veterano do Vietnã, preparou-se para o pior.

"Lembro perfeitamente desse episódio. Eu me lembro que liguei para o Doutor Roberto. 'Doutor Roberto, a situação é essa. O Luis Edgar já fez até o testamento, já preparou o testamento dele.' 'Não, traga eles aqui que eu os levo lá no DOPS.'"[178]

Não havia carrasco que ousasse desafiar a tremenda autoridade do revolucionário de 1930, entusiasta de primeiro momento do movimento de 1964 – uma só história, lembra?

---

[176] Armando Nogueira, 10 dez 2003.

[177] Idem.   [178] Idem.

Agora, um exemplo dos mecanismos mais intricados da relação entre uma TV com a força da Globo e um governo recém-democratizado:

"Você tinha uma televisão com o peso atômico da Rede Globo, tinha que pensar duas vezes antes de dar uma notícia, porque a nossa repercussão era muito grande. As notícias econômicas: dar uma notícia de aumento na feira na concorrência é uma coisa. Dar uma notícia do aumento da couve na feira na Rede Globo provoca uma crise: a Rede Globo está contribuindo para a inflação." [179]

Democracia engatinhando, época de Plano Cruzado, quando parecia que a inflação tinha sido derrotada, o jornalista Geneton Moraes Neto, interino na chefia do *Jornal da Globo*, prepara a edição e põe no ar a chamada de um furo: "Exclusivo! Daqui a pouco, o *Jornal da Globo* antecipa os índices que o governo vai anunciar amanhã: a maior inflação do Plano Cruzado!"

Toca o telefone. Geneton atende e reconhece:

"Uma rouquidão de personagem em desenho animado. Doutor Roberto quis saber 'que história era essa' de 'maior inflação do Plano Cruzado'. Dei os detalhes. Disse que a informação 'abriria o jornal'. 'Não', disse-me a voz cavernosa. 'É melhor o Jornal da Globo *não antecipar.' Doutor Roberto deu uma explicação simples: quando os índices fossem divulgados oficialmente, a Rede Globo daria a notícia. Mas a Globo não deveria antecipar a informação. Adiante, a rouquidão do Doutor Roberto me sopraria uma explicação final para a recomendação: 'Se a Globo começa a dizer que a inflação vai subir, a inflação sobe.'"* [180]

Armando Nogueira viu o seu futuro patrão pela primeira vez na famosa reunião com o ministro da Justiça Juracy Magalhães, em que Roberto Marinho, com lógica elegante, rejeitou a ordem para demitir cassados e/ou comunistas. Depois, mesmo já trabalhando na TV Globo, nunca mais estivera pessoalmente com Doutor Roberto – nos primeiros anos, Armando prestava contas a Walter Clark. Quando finalmente se encontraram, Armando conheceu, simultaneamente, o poder de sedução e o senso de humor de Roberto Marinho. Nessa época, Armando Nogueira já dirigia a Central Globo de Jornalismo, mas continuava colaborando com o *Jornal do Brasil*, na sua lendária coluna Na Grande Área.

---

[179] Idem.
[180] Geneton Moraes Neto, 27 set 2004.

"Nós viajamos para Recife, para inaugurar a televisão lá. ... ele sentou do meu lado no aeroporto, num banco, esperando a hora de embarcar, aí me disse assim: 'Por que você resiste à idéia de deixar o Jornal do Brasil *e se dedicar só à TV Globo?' Eu disse: 'Olha, Doutor Roberto, eu não posso fazer uma opção porque eu tenho uma boa situação no* Jornal do Brasil.' *'É, mas eu acho que a opção que tu devias fazer era levando em conta que eu sou jornalista, eu sou teu colega, eu sou teu companheiro,*

31. De jornalista para jornalista

e o Nascimento Brito não é, porque o Brito não é jornalista. O Brito é advogado. Tanto que o Brito' — ele aí chegou perto de mim — *'O Brito nunca vai poder bater na sua perna e dizer: 'Como vai, companheiro?'"*[181]

Em poucos meses, o *Jornal do Brasil* perderia seu colunista.

Assim como Boni, Armando Nogueira aprendeu várias artimanhas com Roberto Marinho. Logo no início de um cotidiano mais próximo, depois da saída de Walter Clark, Doutor Roberto arrumou um jeito de contar a história que gostava de reproduzir sobre Afrânio Peixoto e a inveja.

"Nos primeiros dias quando ele assumiu aqui, me chamou e disse: 'Armando, eu estou muito impressionado com a quantidade de Mercedes aqui. Você tem uma Mercedes?' 'Tenho.' 'Você devia vender a sua Mercedes.' 'Doutor Roberto, é um carro confortável...' 'Essa coisa de Vênus Platinada... Isso não adianta nada. Isso só desperta a inveja universal. Todos vão ficar com inveja. Esse fausto da TV Globo me preocupa.'"[182]

Em seguida, Doutor Roberto sapecou a parábola que tanto lhe agradava repetir sobre o ilustre médico e escritor Afrânio Peixoto, que, vivendo um momento especialmente próspero de sua carreira, ao encontrar um sujeito por acaso na rua, quase chora, descrevendo os excruciantes, e falsos, problemas de saúde que viria enfrentando. Com Armando, Doutor Roberto acrescenta uma imagem "rodrigueana" às lamentações de Afrânio Peixoto:

"O cidadão cumprimentou o professor Afrânio: 'Como vai o senhor professor?' 'Olha, meu filho: não vou muito bem não, para lhe ser franco. Eu estou com uma úlcera a me perfurar.' Ele foi buscar essa parábola para me dizer que a TV Globo corria um risco enorme, que a TV Globo devia ter uma úlcera a perfurando...'"[183]

309

---

[181] Armando Nogueira, 10 dez 2003.

[182] Idem.   [183] Idem.

Além de aconselhar Armando a vender um carro ostensivo, capaz de provocar inveja, Roberto Marinho ofereceu sua receita particular de aprendizado:

"Valorizava muito o fato de ele, moço, ter sido amigo de pessoas mais velhas. Ele fazia questão de, no rol de amigos, ter sempre dois ou três com os quais aprendia lições de vida. E esse conselho ele me dava: 'Tenha sempre em sua volta pessoas mais vividas.' Doutor Roberto repetia: 'Eu fiz a minha vida toda assim.'" [184]

Se ensinou Boni a se livrar de telefonemas inconvenientes, sem cometer grosserias, Roberto foi ainda mais longe em suas lições com Armando.

Uma moça bem-nascida andava telefonando para Armando, insistentemente, pedindo para ser cinegrafista do jornalismo da Globo. Naquela época, as câmeras pesavam em torno de quinze quilos, e a idéia parecia inexeqüível. Havia um complicador, no entanto: a moça ligava tão sem-cerimônia para o diretor de jornalismo por ser filha de um amigo pessoal de Roberto Marinho. Armando Nogueira expôs a "saia justa" e pediu a orientação do chefe.

"Ele olhou para mim e disse assim: 'Não se faça encontradiço.' Usou uma linguagem quinhentista, uma linguagem medieval, para dizer o seguinte: 'Não atenda o telefone.' Mas o Roberto era tão delicado que dizer 'não atenda o telefone' seria uma grosseria com a pessoa. 'Não se faça encontradiço' era uma maravilha, uma habilidade verbal..." [185]

Verbo. Com todo respeito, as palavras da Bíblia servem à perfeição para definir o trabalho de todo jornalista, desde o repórter ao dono do jornal: no princípio, é sempre o verbo.

Com palavras, Roberto Marinho construiu suas pirâmides. Também apenas com palavras, vários jornalistas dedicaram a carreira à missão de destruir. Não estou me referindo a erros eventuais: uma notícia mal apurada ou incorretamente redigida pode destruir vidas. Estou falando de alguns dos melhores textos de nossa história jornalística, que construíram sua reputação destruindo a reputação alheia. Há os que apenas espumam virulência indiscriminada. E há uns poucos geniais que acabam burilando seu talento para descarregar ira no papel: Paulo Francis foi um dos mais temidos exemplos desses últimos.

Francis atacara Doutor Roberto como poucos, em artigos ferozes, insultuosos. Apesar disso, Armando Nogueira, que já tivera a oportunidade de co-

---

[184] Idem.   [185] Idem.

nhecer melhor como funcionava a cabeça do chefe, insistia na contratação de Paulo Francis para o time de comentaristas do *Jornal da Globo*. Quando soube que Boni estaria com Roberto Marinho em Nova York, pediu ajuda.

"Armando me disse que o assunto estava quase resolvido, e eu poderia dar um empurrãozinho. Eu, em almoço com Doutor Roberto, disse que a escolha do Armando era excelente. Doutor Roberto retrucou dizendo que o Francis o havia ofendido gravemente. Insisti, e o Doutor Roberto me perguntou:

— E esse rapaz aceitaria trabalhar conosco?

Disse-lhe que o Armando já havia negociado com o Francis, e que ele havia aceitado todas as condições da proposta. Doutor Roberto me olhou marotamente e perguntou de novo:

— Mas ele aceitou mesmo?

Eu completei:

— Aceitou, Doutor Roberto.

— Então, está bem. Já que ele mudou de opinião a nosso respeito, está autorizado." [186]

HORA DA SESTA

Na velhice, a sesta que respeitou toda a vida não era mais necessariamente depois do almoço, às vezes a soneca ficava para o meio da tarde. Homem que sempre enfrentou problemas para dormir, tenso, intenso no trabalho e no lazer, indo diariamente ao limite de suas forças, essa descompensação crônica manifestou-se como um grande cansaço nos últimos anos de vida.

Mesmo com vigor raro para um velho a caminho dos noventa anos, essas dormitadas tornaram-se mais comuns quando as coisas e pessoas em volta andavam desinteressantes ou monótonas. *"Quando o assunto interessava a ele, prestava uma atenção danada. Ele ficava muito atento. Se não interessava, dormia. Quando começavam a falar abobrinha para ele, eu já pensava: 'Ih, vai dormir!'"* [187]

Roberto talvez tenha esgotado sua paciência para papo chato. Eram também os primeiros sinais de senilidade, as primeiras ausências. De repente, quando o interlocutor percebia, Doutor Roberto tinha caído no sono. O que fazer? Esperá-lo acordar, procurando manter o maior silêncio.

---

[186] Boni, 9 fev 2004.

[187] Aécio Malaguti, 9 set 2004.

"Ficávamos ali conversando, e de repente eu sentia que ele ia murchando, os olhos fechando... Ele entrava num sono tão profundo que eu saía da sala, fechava a porta que rangia, e ele não acordava. Eu voltava dali a vinte minutos e ele continuava na mesma posição mergulhado no mesmo sono profundo. Acordava e me chamava: 'O que nós estamos falando mesmo?'"[188]

Na hora do compromisso marcado, ele despertava, principalmente se fosse para receber o alfaiate e fazer a prova de mais um terno alinhado.

"'Ele foi desleal com você', me disse o Doutor Roberto. 'Olha, eu estava até com a intenção de fazer uma roupa com ele também. Não teria nenhum problema de fazer com ele e com você. Mas ele falou isso e foi desleal com você.'"[189]

Diógenes Cardoso foi o alfaiate de Roberto Marinho desde 1982. Durante vinte e um anos, confeccionou mais de quinhentos ternos, uma média de dois por mês, para o Doutor Roberto. Nessa área do vestuário, Roberto Marinho manifestava à vontade, sem pejo, sua vaidade. Quando morreu, deixou, além das centenas de ternos e camisas, 5328 gravatas e 60 pares de sapatos, a maioria absoluta sem cadarço, seus preferidos.

Na hora de confeccionar o fardão para a posse na Academia Brasileira de Letras, o alfaiate Diógenes tinha indicado um colega especialista em roupas bordadas, autor do comentário que, além de desleal, como classificou Doutor Roberto, foi de uma indelicadeza obtusa: *"Ele disse assim: 'Doutor Roberto, eu não faço só fardão, eu faço terno também. E o senhor não anda muito bem vestido.' E o Doutor Roberto: 'Ah, tá bom. Muito obrigado.'"*[190]

A gafe suicida manteve a exclusividade de Diógenes.

"Ele tinha um conhecimento terrível de tecido. Botava a mão assim — ele era uma pessoa feliz intimamente, com aquela calma dele — e falava: 'Esse aqui, as mulheres vão sentir que é diferente.' Ele dizia: 'Se eu estiver sem o meu lenço, Diógenes, eu estou nu. Porque o lenço me acrescenta.' Aquele lenço do bolso do paletó."[191]

Diógenes não esquece as medidas de seu mais ilustre freguês, 92cm de comprimento, 52cm de cinto e 61cm de tronco, mas havia ajustes imperativos. Uma das seqüelas dos inúmeros tombos na Hípica.

"Tinha caído do cavalo, quebrado a clavícula, e o ombro esquerdo era mais baixo que o direito. Então, ele chegava: 'Olha, você tem que me botar certinho.' Aí

---

[188] Claudio Mello e Souza, 4 nov 2003.

[189] Diógenes da Silva Cardoso, 16 ago 2004.

[190] Idem.   [191] Idem.

eu colocava duas ombreiras do lado esquerdo e, do lado de cá, uma ombreira fininha. Ele olhava no espelho, e eu tinha uma técnica especial: 'Sabe como eu testo? Eu vou abotoar o paletó, e se o botão estiver um pouquinho fora da casa é porque aqui não está certo.' Aí ele: 'Está bom. Está certinho.'"[192]

O exercício pleno e desinibido da vaidade coincide com o auge de Roberto Marinho, ápice como empresário e poderio político. Diógenes não se esquece da tarde em que, ao chegar à TV Globo, passou por um ministro de Estado na ante-sala e foi recebido primeiro.

"Ele disse: 'Liana: profissional não pode ficar esperando, deixe o ministro esperar um pouquinho, porque o profissional não pode perder tempo. Deixa o Diógenes entrar, porque já está na hora.'" [193]

Claro que se revela aí um pouco da "munheca" política, para usar a definição de Fernando Henrique Cardoso – para início de conversa, o senhor ministro já ficava informado de que não era necessariamente mais importante que o alfaiate de Doutor Roberto. O episódio ilustra exemplarmente esses dois vetores, magnificados pela velhice: cada vez mais implacável com os grandes, cada vez mais terno com os pequenos.

A propósito, não temos evidências para afirmar, mas possuímos informação suficiente para desconfiar que o tal ministro devia seu posto, em boa medida, à influência de Roberto Marinho.

Antes de detalhar a participação de Doutor Roberto na formação do Ministério de Tancredo Neves, vamos dar uma boa espanada no senso comum e entender por que ele chegou ao máximo de sua influência política com a democracia.

Já mencionamos dois marcos da participação de Roberto Marinho no processo de redemocratização: o editorial no *Jornal Nacional* denunciando a censura, depois da proibição de *Roque Santeiro*, e a entrevista do ministro Walter Pires no *Globo*, que viabilizou a vitória de Tancredo Neves. Vamos ler estes episódios do ponto de vista da observação de Fernando Henrique Cardoso, quando afirma que a TV Globo, com sua liderança esmagadora, tornara-se uma "instituição de poder" no Brasil.

Porém, falta um dado muito importante. Ainda em pleno governo Médici, no pior momento da ditadura, a TV Globo de Brasília começa

---

[192] Idem. [193] Idem.

32. Tancredo monta o Ministério

a contribuir para o *Jornal Nacional* com noticiário político. Uma contradição entre termos: fazer a cobertura política de uma ditadura. Pois, sob a chefia de Toninho Drummond, um dos companheiros mais próximos a Doutor Roberto, a equipe de Brasília consegue produzir jornalismo de qualidade, tão fiel ao factual que tornava muito difícil o trabalho dos censores. Mais do que isso, quando o presidente Ernesto Geisel anuncia o início do processo de abertura política, a importância dessa cobertura aumenta dramaticamente. Cada vez que o *Jornal Nacional* noticia um novo passo no caminho da redemocratização, torna mais difícil a possibilidade de retrocesso. Deu no *JN*, é fato consumado.

Portanto, é natural que, na hora de escolher os seus ministros, o presidente eleito Tancredo Neves submeta os seus nomes, um a um, ao dono da Rede Globo. Na versão do amigo e conselheiro Jorge Serpa:

"O Roberto não indicava, quer dizer, não me lembro de o Roberto ter indicado ministros. Levavam para ele consultas. Ele dava a opinião dele. O Tancredo mandava conversar com ele. Todos foram conversar. Primeiro, Tancredo confiava no critério do Doutor Roberto. E segundo, ele tinha sido companheiro dele na consolidação de sua candidatura, que não seria viável sem aquela colaboração do Globo."[194]

[194] Jorge Serpa, 19 fev 2004.

"O Tancredo o consultava, mas ele não indicava. Inclusive o Tancredo falou: 'Convide o Antônio Carlos Magalhães para o Ministério das Comunicações.' E o Doutor Roberto disse a ele: 'Não, presidente, o senhor o convide.' Então, quando sai que o Antônio Carlos seria o ministro das Comunicações, o Ulysses Guimarães disse ao Tancredo: 'Hoje o PMDB rompe com você. É inadmissível que seja o Antônio Carlos. O PMDB rompe com o governo.' Aí o Tancredo bateu na perna do Ulysses e disse: 'Olha, Ulysses, eu brigo com o papa, eu brigo com a Igreja Católica, eu brigo com o PMDB, com todo mundo, eu só não brigo com o Doutor Roberto.'"[195]

33. Com Ulysses Guimarães, na redemocratização

Num Ministério crucial, o da Fazenda, Tancredo Neves recorreu a Roberto Marinho para consolar um banqueiro que tinha como certa a sua indicação, e no entanto seria remanejado para as Relações Exteriores. O banqueiro era Olavo Setúbal, e a argumentação de Roberto Marinho antecipa em alguns anos o discurso, e a prática, de um mundo globalizado.

"Então Roberto disse: 'Olavo, hoje com esse mundo todo unificado, os problemas comerciais, financeiros, econômicos enfim, têm que ser resolvidos não apenas na Fazenda, mas no Itamarati. Ali que essas questões vão ser discutidas, e essa tua experiência é fundamental.' Esse argumento, o Olavo aceitou."[196]

Pouco mais tarde, a Chancelaria seria o trampolim de Fernando Henrique Cardoso para o Ministério da Fazenda, plataforma de lançamento do candidato à Presidência.

Tragicamente, Tancredo Neves morreu antes de tomar posse, e o vice José Sarney assumiu. Naquele momento, a democracia brasileira ainda era um projeto. Acossado pela oposição, pela Assembléia Constituinte, e pelas próprias circunstâncias que o levaram ao poder, Sarney era um presidente que carecia de sustentação. Nesse momento, buscou, e recebeu, o apoio de Roberto Marinho.

---

[195] José Sarney, 15 mar 2004.
[196] Jorge Serpa, 19 fev 2004.

34. Democratização

José Sarney e Doutor Roberto nunca tinham sido amigos, nem inimigos. Mas tinham pelo menos uma coisa em comum: cultuavam os mais velhos.

"Eu sempre tive três ou quatro pessoas amigas na vida que estavam do meu lado para qualquer decisão, e passei a ter depois o Doutor Roberto. Sempre tive uma relação meio filial com o Doutor Roberto, porque tem o peso da idade, da reverência, desde o princípio. E mesmo como presidente da República, isso sempre esteve muito incorporado."[197]

Ah! E José Sarney sempre passava com louvor pela "prova da janela", em que Brizola fora reprovado...

"Toda vez que eu chegava, dizia 'mas que beleza é o Rio, a gente nunca deixa de se admirar'. 'É, Doutor Sarney, o senhor sempre passa na prova da janela'. Ele era um homem de extrema polidez, um dos homens mais educados que eu já conheci."[198]

Polido sim, caro leitor, mas como levava a sério sua intuição... Num fim de semana, em Angra, surge um desconhecido. Roberto cunha uma de suas frases mais lapidares.

"Eu já era presidente e tinha combinado almoçar com ele. E apareceu um político que havia se insinuado, e ele não conhecia o político. O Doutor

[197] José Sarney, 15 mar 2004.
[198] Idem.

Roberto Marinho

Roberto não disse nada, ficou fechado e depois falou: 'Doutor Sarney, vamos conversar ali mais afastados.' Saiu comigo e disse: 'Quem é esse sujeito?' E eu falei: 'É Fulano de Tal.' Ele respondeu: 'Se não é safado, está desperdiçando a cara.'"[199]

Se José Sarney ficou na história do Brasil como peça fundamental na consolidação de nossa democracia, houve um momento em que ele temeu entrar para a história por outros motivos...

"Nós fomos juntos a Fernando de Noronha, eu o convidei, era presidente. Eu vi Doutor Roberto, já com oitenta e poucos anos, com pés de pato. Daqui a pouco, quando eu vejo, ele senta na beira do barco e oooopa! Eu não era acostumado com esse negócio de mergulho... Ele se jogou, como esse mergulhadores fazem. Aí, eu gritei: 'Doutor Roberto caiu dentro d'água!' Ele ficou ali, boiando, olhando as águas cristalinas. E eu gritava para a Marinha que ela era responsável por Doutor Roberto se afogar! Pensei que ele tivesse caído dentro d'água!"[200]

Chamado tantas vezes de "fazedor de presidentes" e "fazedor de ministros", as evidências há pouco narradas confirmam o peso da palavra de Roberto Marinho. Porém, um episódio que entrou para o nosso folclore político é desmentido por José Sarney. Segundo a versão corrente, teria sido Doutor Roberto o responsável pela escolha de Maílson da Nóbrega para o Ministério da Fazenda. José Sarney teria mandado Maílson encontrar Roberto Marinho com a frase: "Vá lá e saia ministro." A versão de José Sarney é outra. "Claro!", pode exclamar o leitor, na pressa da malícia. Mas existe um dado que confere verossimilhança à história de Sarney: o inegável gosto pela notícia de Doutor Roberto, que nunca abriu mão de ser repórter.

"Eu nomeei o Maílson ministro da Fazenda. O Maílson até hoje tem uma interpretação errônea de que foi Doutor Roberto quem o teria indicado para o Ministério. Não! Eu fui conversar com o Doutor Roberto sobre o futuro ministro e disse que ia ser Maílson da Nóbrega. Ele então me perguntou: 'O Globo pode dar este furo?' Eu disse: 'Pode dar.' Ele saiu correndo e deu o furo de que o Maílson seria o ministro da Fazenda."[201]

Depois que José Sarney concluiu o seu mandato, perguntaram a Doutor Roberto se ele devia muitos favores ao ex-presidente.

317

---

[199] Idem. [200] Idem. [201] Idem.

35. Com Antônio Carlos e Luiz Eduardo Magalhães

"E ele: 'Não, o que o presidente Sarney me deu foi um papagaio da Tailândia, um papagaio que tenho lá em casa, e sou muito grato a ele por isso.' Aí, virou-se de repente e disse assim: 'Perdão, estou esquecendo, me deu também a gaiola.'"[202]

A rigor, Roberto Marinho ganhou, sim, uma concessão do governo Sarney: o direito de explorar a nova tecnologia da TV a cabo, investimento de risco.

Durante o governo Sarney, com cerca de oitenta e cinco anos de idade, Roberto Marinho ainda enfrentaria sua última Comissão Parlamentar de Inquérito, a CPI da NEC.

Mário Garnero, sócio brasileiro da NEC, empresa japonesa de eletrônica, tinha caído em desgraça. Acusado de irregularidades na gestão de seu conglomerado financeiro, Garnero estava em péssimos lençóis: enfrentava processos na Justiça, pedira concordata para tentar salvar a NEC, até que um dos principais clientes da empresa, o Ministério das Comunicações, cancela todos os pagamentos devidos e encomendas, e rompe relações comerciais com a empresa. Vinte dias depois, a Globopar, a *holding* de Roberto Marinho, assume o controle acionário da NEC. O então ministro das Comunicações, Antônio Carlos Magalhães, assim resume a ópera:

---

[202] Idem.

"O problema da NEC *foi o seguinte: os japoneses queriam tirar de qualquer maneira o Garnero, e vieram procurar empresas. Foram a mim perguntar que empresas. Eu citei quatro, entre as quais a Globo. Depois eles me pediram mais quatro. Dei oito. Aí, veja como foi, eles disseram assim: 'Essa daqui, o que o senhor acha?' 'Não acho nada. Quem vai escolher é o senhor.' Quando eles chegaram na Globo, eu disse: 'Roberto Marinho é um grande amigo meu.'"*[203]

Menos de um mês depois, a TV Aratu, de Salvador, perde o direito de transmitir a programação da Rede Globo, que passa para a TV Bahia, pertencente à família de Antônio Carlos Magalhães. Parece uma grosseira troca de favores, tráfico de influência, mas Antônio Carlos diz que o projeto de transferir a programação da Globo para a TV Bahia era uma idéia bem anterior, um antigo desejo de Roberto Marinho. *"Isso vinha de muito antes... O Roberto já tinha me prometido. Os meninos até não queriam muito, porque achavam que ia dar fato político. Como deu."*[204]

"Os meninos" a que se refere Antônio Carlos, o leitor já adivinhou, eram os filhos Roberto Irineu, João Roberto e José Roberto.

A CPI se arrastou por anos a fio. No fim do inquérito, Roberto Marinho sai limpo e Antônio Carlos arranhado. Tomado pela fúria, Antônio Carlos Magalhães liga, aos berros, para o velho amigo. Doutor Roberto responde, com suavidade angelical, quase magoado: *"Antônio Carlos, nós nunca nos falamos neste tom antes."* Numa frase, desarma toda a braveza do amigo e consegue o que parecia impossível: fazer o baiano perder o rebolado...

A posse de Roberto Marinho na Academia Brasileira de Letras, sucedendo seu antigo companheiro Otto Lara Resende na cadeira 39, foi o cume simbólico de uma seqüência de títulos, prêmios e homenagens no Brasil e no mundo. A princípio, Doutor Roberto resistiu a se candidatar à ABL: *"Dizia: 'Eu não tenho obra, conheço muito bem as minhas limitações.'"*[205] Além da preguiça de assumir mais uma obrigação...

A editora Topbooks organizou a coletânea de artigos *Roberto Marinho – Uma trajetória liberal*, e acabou por convencer Doutor Roberto. Mas ele só esteve três vezes na casa dos "imortais": na cerimônia da posse, no chá da quinta-feira seguinte e na festa do centenário da Academia.

319

---

[203] Antônio Carlos Magalhães, 15 mar 2004.

[204] Idem.

[205] José Mario Pereira, 27 mai 2004.

36. O imortal e seus flamingos

Foram anos de glória em que o título de "Doutor" que ele conquistara oficiosamente, na luta diária, foi referendado por dezenas de honrarias e doutorados oficiais.

Para receber o Prêmio Emmy de Personalidade do Ano em Televisão, em Nova York, treinou firme para fazer o discurso em inglês, língua que não falava. Imagine, leitor, nosso companheiro já não gostava de falar em público nem na língua pátria... Testemunhas da noite de premiação afirmam que, não obstante, saiu-se bem decentemente.

Falava francês, língua que aprendeu muito jovem, em pouco tempo de curso pouco ortodoxo, aquele namoro parisiense. Numa estada na França, bem passado dos oitenta anos, pediu ajuda para dar uma entrevista, mas na hora não precisou de auxílio nenhum.

"Ele deu a entrevista lá no hotel dele e tinha me chamado: 'Está vindo pra cá o repórter do Figaro. Eu me debulho no meu francês muito bem, mas gostaria que você estivesse comigo.' E ele deu uma enorme entrevista sobre a televisão brasileira em geral, sobre a TV Globo em particular, sobre o relacionamento da Globo com a Telemontecarlo, num francês bastante bom, entendendo com absoluta clareza o que o repórter o perguntava e respondendo com graça, com seriedade."[206]

[206] Claudio Mello e Souza, 4 nov 2003.

Num evento da Sorbonne, que cobri como repórter, a Cité de la Reussite (Cidade do Sucesso), que homenageava grandes homens e mulheres de todo o mundo, Roberto Marinho concedeu uma entrevista para estudantes, professores e jornalistas. Nessa noite parisiense, presenciei aquele homem despido de arrogância lavrar, de improviso, uma resposta histórica, muito reproduzida, logo após sua morte:

"Não sei se sou a conseqüência das minhas qualidades ou dos meus defeitos. As minhas qualidades são conhecidas por poucos, e os meus defeitos são apontados por aqueles que me conhecem pouco. Deixo que a platéia decida."[207]

Tanto reconhecimento chegou ao mesmo tempo em que Roberto Marinho diversificou suas áreas de atuação num leque impressionante. Muitos ovos em muitos ninhos: faz novelas e geléias, discos e bicicletas, filmes, revistas, vídeos, vai do setor imobiliário ao agropecuário, se associa à empreitadas na área da mineração, da informática. Que apetite!

A primeira motivação para essa proliferação de tentáculos empresariais vem do tempo dos governos militares, e suas persistentes ameaças de retirada da concessão da Globo. Como fez na era Vargas, criando revistas em quadrinhos e investindo em imóveis, quando se tornou praticamente impossível fazer jornalismo, Roberto Marinho usa os fantásticos lucros da TV Globo para expandir sem parar seus empreendimentos.

Como aqui o que mais nos interessa é o ser humano por trás da instituição, o mais curioso de se observar é que nosso empresário se comporta como o consumidor voraz que era, incapaz de resistir a uma novidade. Compra, compra, compra e compra, mas detesta vender. Nunca gostou de vender nada, só jornal...

Mas, na hora em que a iniciativa privada corria o risco de ser tolhida, Doutor Roberto abria exceções.

Exemplo: Roberto Marinho tinha um terreno num subúrbio carioca, inu-

37. O novidadeiro

[207] Roberto Marinho, "Sorbonne homenageia Roberto Marinho", *O Globo*, 21 out 1990.

38. Com Adolfo Bloch, concorrência leal

tilizado. Um empresário já fizera inúmeras propostas de compra, e ele irredutível. Até que um argumento o fez mudar de idéia.

"Doutor Roberto tinha esse terreno que recebeu de uma dívida do Globo, lá em Todos os Santos. Talvez Doutor Roberto nunca tivesse sequer ido lá. Até que o camarada, que era dono de uma metalúrgica lá perto, mandou uma carta para o Doutor Roberto: 'Ou o senhor me vende o terreno, ou eu vou ter que fechar minha empresa, porque eu tenho que expandir.' Ele estava impedindo o camarada de crescer."[208]

Vendeu.

E quando Adolfo Bloch percebeu que não conseguiria produzir seu projeto de TV Manchete a tempo de submetê-lo às autoridades em Brasília...

"O Bloch foi ao gabinete do Roberto e disse: 'Eu não tenho condição de apresentar o projeto, vou perder.' O Roberto organizou um grupo na Globo para fazer a Rede Manchete. Todo o projeto foi feito pelo grupo da Globo."[209]

Eram quatro grupos disputando o espólio da TV Tupi: o *Jornal do Brasil*, a Editora Abril, a Manchete e Silvio Santos. Entre esses competidores, Roberto Marinho escolhe privilegiar a empresa de Adolfo Bloch, para dificultar o caminho de adversários que ele considerava mais perigosos.

---

[208] José Américo Buentes, 6 fev 2004.

[209] Jorge Serpa, 10 fev 2004.

322

RM

Roberto Marinho

Doutor Roberto convoca um de seus melhores engenheiros e ordena a confecção do projeto para a Manchete.

"Eu fui chamado pelo Boni e pelo Doutor Roberto, que pediram minha dedicação a um projeto técnico para a Manchete apresentar ao Contel [Conselho Nacional de Telecomunicações]. O Doutor Roberto deixou bem claro que eu trabalharia para a Manchete como um prestador de serviços, exclusivamente para esse projeto, e mandou que eu cobrasse deles o meu valor. Outra recomendação enfática do Doutor Roberto foi a de não usar recursos da Globo em hipótese alguma no projeto. Por isso, todos os profissionais que eu chamei para colaborar foram pagos com recursos da Manchete. Eu tive exatos vinte e cinco dias para preparar o projeto técnico. Demos entrada no projeto em Brasília no último dia do prazo. O Doutor Roberto deixou bem claro que a nossa finalidade era apenas apresentar a documentação necessária para a Manchete concorrer à concessão. Feito isso, nosso trabalho terminava, éramos emissoras concorrentes e disputávamos verbas publicitárias. As concessões foram ganhas pela Manchete e o Silvio Santos."[210]

"Quando se inaugurou a Manchete, as primeiras palavras do Bloch foram de agradecimento a Roberto Marinho."[211]

Gostava de concorrência, nosso companheiro, mas não gostava de perder.

Na esteira dessa diversificação de negócios, acabou por amargar uma derrota que custou centenas de milhões de dólares, a Telemontecarlo.

Tratava-se de uma jogada audaciosa, iniciativa do filho Roberto Irineu, competitivo como o pai: entrar no mercado italiano, dominado por estatais, e ainda concorrer com um dublê de apresentador de TV e empresário de rara agressividade, que acabaria primeiro-ministro da Itália, Silvio Berlusconi.

Era um sonho bonito, montar uma emissora na terra dos antepassados, iniciando o processo de internacionalização da TV Globo, que acabaria por se se concretizar mais tarde, por outros caminhos. *"Foi uma bela idéia no sentido de que estava na hora de a Globo se internacionalizar. Talvez tenha sido um pouco adiantado."*[212]

323

Doutor Roberto Marinho

---

[210] Herbert Fiuza, 30 set 2004

[211] Jorge Serpa, 10 fev 2004.

[212] Roberto Irineu Marinho, 23 ago 2000.

39. Lágrima na missa dos setenta anos de *O Globo*

O pior é que a danada da intuição do Doutor Roberto mais uma vez acendeu o alarme...

"O papai tinha um faro excepcional. Eu acho que a pessoa de maior faro que eu já vi na minha vida. Quando nós fomos fazer a Telemontecarlo, ele foi conversar com um camarada do Partido Democrata-Cristão. ... Após a reunião, ele disse: 'Vamos embora. Isso aqui não serve para nós. Não gostei da cara do sujeito. Isso aqui não é confiável, isso aqui não tem jogo aberto.' Ele tinha toda a razão. ... A primeira sensação dele foi absolutamente perfeita. Na primeira oportunidade fomos traídos."[213]

Ainda assim, Roberto Marinho cedeu aos argumentos dos filhos e colaboradores e tocou o projeto Montecarlo. E quando as primeiras imagens da emissora foram ao ar, o veterano de tantas batalhas marejou.

"Eu assisti a uma cena que me emocionou muito. Quando o Roberto Irineu colocou o sinal da Telemontecarlo no ar, eu estava no escritório deles lá na Itália, e eu vi o Doutor Roberto Marinho quase chorar de emoção."[214]

Seria um exagero afirmar que Roberto Marinho sabia perder. Sabia esquecer que tinha perdido, vamos combinar. Agora, que ele sabia vencer, ah, isso podemos dizer com tranqüilidade.

Estação de metrô em Berlim, fins de 1989, poucas semanas depois da Queda do Muro.[215] O jornal do diplomata Mario Calabria lhe é arrancado das mãos por um amigo brasileiro, eufórico: "Eu não disse? Não falei? Não disse que eles iam cair de podre? Não falei que era tudo mentira? Eu

[213] Roberto Irineu Marinho, 2 dez 2003.

[214] Jorge Adib, 22 mar 2004.

[215] O colapso do socialismo no Leste Europeu teve origem nas mudanças que Mikhail Gorbachev tentou estabelecer na URSS quando assumiu o governo do país em 1985, conhecidas como *glasnost* (abertura política) e *perestróika* (abertura econômica). A política de Gorbachev teve repercussão em todo o mundo socialista. A Hungria foi um dos primeiros países a seguir um processo de reformas quando afastou do poder o ditador Janos Kadar, em 1988.

Imune às tendências de reforma que aconteciam nos países socialistas, o governo da Alemanha Oriental se viu pressionado quando a Hungria decidiu abrir suas fronteiras com a Áustria, em junho de 1989, permitindo que os alemães orientais tivessem livre acesso ao mundo ocidental. A onda de emigração em massa e as manifestações populares fizeram com que o governo acabasse cedendo. No dia 9 de novembro, todos os postos de fronteira com a Alemanha Ocidental foram abertos. No dia seguinte, soldados da Alemanha Oriental começaram a derrubar uma parte do Muro de Berlim, o maior símbolo da Guerra Fria. Guindastes arrancavam blocos de concreto, enquanto alemães de ambos os lados subiam e dançavam em cima do muro que, durante vinte e oito anos, separou suas vidas. O clima de euforia tomou conta da população. Era o início do processo que levaria à reunificação dos dois países, concluída em menos de um ano, em outubro de 1990.

40. Em todas as casas do Brasil

disse! Eu estava certo o tempo todo!" – falava e vibrava Roberto Campos, saboreando a derrota do comunismo.

Não consta que Doutor Roberto, amigo do xará Campos, tenha comemorado o colapso da ideologia que combateu durante toda sua vida. Reagiu com naturalidade, nunca foi um ideológico. "*A União Soviética acabou*", mais uma notícia...

Ao contrário, não tripudiou. Em vez de se proclamar vencedor, enalteceu o lado perdedor.

No dia 21 de novembro de 1989, o *Jornal Nacional* deu uma notícia recomendada lá pelo décimo andar. Com narração de Cid Moreira, foram exibidas imagens históricas de um encontro casual, dois homens velhos conversando, na abertura de uma nova livraria, no Rio:

"*Depois de se conhecerem por muitos anos apenas de nome, encontraram-se finalmente no Rio o presidente das Organizações Globo, Roberto Marinho, e o ex-secretário do Partido Comunista Brasileiro, Luís Carlos Prestes. ... Roberto Marinho ... e o líder comunista Luís Carlos Prestes, que tiveram suas vidas afastadas por profundas divergências ideológicas, deram no encontro um exemplo de convivência democrática.*"[216]

[216] *Jornal Nacional*, 21 nov 1989.

41. Comandante e companheiro

Menos de quatro meses depois, Luís Carlos Prestes morria. Roberto escreveu o editorial "Um gigante":

"A imagem que guardo de Luís Carlos Prestes é a do bravo líder revolucionário que empolgou nossos ideais de liberdade e de combate aos governos corruptos e ineptos da República Velha. Ele teve seu momento culminante na lendária marcha da Coluna Prestes. ... Só o conheci pessoalmente há poucos meses. Não li o pensamento de Luís Carlos Prestes quando nos abraçamos numa livraria. O meu pensamento foi de ternura por aquele homem de metro e meio de altura, mas um gigante de obstinação e de coragem."[217]

Mais quatorze centímetros e estaria quase fazendo um auto-retrato involuntário.

A partir de dezembro de 1991, a Fundação Roberto Marinho passaria a trabalhar no Programa de Preservação da Memória do Partido Comunista Brasileiro.

Durante a ECO-92, conferência da ONU sobre meio ambiente realizada no Rio, um dos líderes dos cento e setenta e oito países representados insistia num encontro pessoal com Roberto Marinho.

João Teodoro Arthou, grande amigo de Roberto, foi o mensageiro:

"Fui falar com o Roberto: 'Estou aqui com uma missão. O Fidel Castro está aqui, e você sabe, ele está querendo encontrar com você.' Resposta do Roberto: 'Diz a ele que eu o recebo, mas aqui em casa.'"[218]

Tudo delicamente acertado para domingo, aquele esquema colossal – cada deslocamento de Fidel é uma operação de guerra –, chega a hora marcada e...

---

[217] Roberto Marinho, "Um gigante", *O Globo*, 8 mar 1990.
[218] João Teodoro de Mello e Cunha, 13 nov 2003.

"... o Roberto tinha esquecido do encontro. Chegamos lá, não tinha ninguém. Uma confusão. Não tinha a Lily e não tinha o Roberto. Trezentos caras de segurança, e nada. Aí, mostra passarinho, mostra carpa, flamingo... Finalmente, dá-se o encontro, acaba a conversa, a cena engraçadíssima. O Fidel alto, Roberto abraçado assim na cintura do Fidel, que diz: 'É uma pena que nós tenhamos passado tanto tempo afastados um do outro.' E o Roberto responde: 'É tudo por tua culpa, porque eu sempre andei na mesma linha.'"[219]

Como sinal de gratidão pelo encontro, Fidel Castro mandou de presente meia dúzia de flamingos cubanos, para aumentar o passaredo. As aves chegaram ao Brasil em julho de 1993. Doutor Roberto agradeceu o mimo com esta cartinha:

"Meu caro presidente Fidel Castro

Já estão em meu jardim – e tenho a certeza de estarem felizes ao lado de seus companheiros mais antigos –, os seis flamingos que V. Ex^d teve a gentileza de me enviar.

Realmente, os flamingos cubanos são de uma beleza que não encontra competidor em seus primos de outras paragens.

Receba, senhor presidente, os meus calorosos votos de felicidade pessoal e de paz e prosperidade para o povo cubano.

Cordialmente,

Roberto Marinho."[220]

Entre os cerca de quarenta flamingos dos jardins do Cosme Velho, é fácil reconhecer os provenientes da ilha do Caribe: são os mais vermelhos. Sério.

FADE OUT

O *fade out* é um dos efeitos mais antigos da história do cinema, ainda hoje útil, fartamente utilizado na televisão e mesmo na internet. Trata-se do lento desvanecimento da imagem, que vai sumindo, sumindo, até desaparecer no escuro total. A vida de Doutor Roberto foi terminando desse jeito, ele foi indo embora aos pouquinhos. Ser humano que tinha se transformado num valioso símbolo, os sintomas de sua senilidade foram escondidos e protegidos por uma muralha de discrição solidamente erguida, cuidadosa e muda.

---

[219] Idem.

[220] Roberto Marinho, carta a Fidel Castro, 2 jul 1993.

Em ocasiões públicas, a firmeza da postura de Roberto Marinho iludia o observador. Doutor Roberto só traía a idade que tinha, e sua fragilidade, na hora de falar. A voz fora aos extremos da rouquidão, sons guturais, quase inaudíveis.

As ausências começaram aos poucos, foram-se tornando mais freqüentes com os anos, tudo em câmera lenta, para buscarmos mais um termo do vocabulário audiovisual. Nos últimos anos, passou a não reconhecer certas pessoas, de repente as reconhecia, imediatamente depois já não as identificava. Velhinho.

Nesse processo de envelhecimento, naturalmente alguns hábitos viraram manias, paixões foram exacerbadas, e os caprichos se tornaram cada vez mais imperiosos. *Plus ça change...*

Por exemplo, o flamenguismo, esse sintoma brasileiro. Ainda bem ativo, firme no comando das Organizações, num certo domingo Doutor Roberto perguntou a que horas a Globo começaria a transmitir o jogo do Flamengo. Você acha, leitor, que alguém teve a coragem de dizer que a TV não iria exibir o jogo do Mengão? O impasse foi resolvido da seguinte forma: como o sinal seria transmitido para a emissora, onde seria gravado, não era tão complicado assim conectar uma linha ao Cosme Velho, para que o chefe pudesse assistir à peleja ao vivo. Faltava só um detalhe fundamental: o narrador. Para o Cosme Velho, a partida tinha de ser transmitida com a voz de um locutor. Um dos maiores narradores esportivos da história da TV brasileira foi devidamente deslocado para o Maracanã e, de lá, com todos os seus "erres" e seus "esses", caprichou na transmissão para o enorme público de um espectador só, o patrão.

Encerrado o jogo, Doutor Roberto ligou para Armando Nogueira e pediu, sem piedade, a cabeça do narrador: "*Esse* speaker *fez umas duas críticas ao Flamengo absolutamente inadmissíveis!*" Foi um custo para Armando dissuadir Doutor Roberto da decisão de demitir o *speaker*. "Mas ele consegue ser mais flamenguista que o senhor, Doutor Roberto!", ponderava Armando Nogueira. Não houve demissão.

Durante o vagaroso *fade out* do Doutor Roberto, os filhos começaram a operar, de forma imperceptível, uma sucessão em vida. É claro que esta palavra "sucessão" não era sequer sussurrada. Tudo foi feito com grande cuidado, delicadeza e paciência.

42. Todas as épocas

Para que tenhamos uma idéia do ritmo da assim chamada "sucessão em vida" – expressão monárquica –, basta dizer que no início da década de 80 esta operação já estava em andamento, uma lenta transição de pai para filhos, sem que houvesse qualquer sombra ou suspeita de abdicação, substituição ou o mínimo questionamento da autoridade máxima do pai.

Numa festa no início da referida década de 80, Lúcia Araújo, a Lucinha, mulher de João Araújo, o diretor da gravadora Som Livre, surpreende-se sem assunto ao lado de Roberto Marinho.

"Fiquei nervosíssima, eu não tinha assunto com ele. ... Ele começou a falar uma coisa aqui, outra ali, e eu, para encher o assunto, não pensei duas vezes: 'Doutor Roberto, o senhor formou esse império todo, pessoas certas nos lugares certos.' E ele respondeu: 'Que pessoas certas, minha filha? Eu é que cuido de tudo!'"[221]

Lucinha não se dá por vencida, emenda outro comentário impertinente:

[221] Lucinha Araújo, 24 set 2004.

Doutor Roberto Marinho

43. O amigo americano, Joe Wallach

Roberto Marinho

"'*Ah, Doutor Roberto, mas o senhor conduz muito bem a sua sucessão, os seus filhos são muito bem preparados.' 'Que filhos? Que sucessão? Eu é que vejo tudo nas empresas!'*"[222]

Na impossibilidade de se desmaterializar, Lucinha saiu correndo: "*Tchau, Doutor Roberto, foi um prazer conversar com o senhor...*". *Fui levantando, e ele me perguntou: 'Espera aí, minha filha, qual é o seu nome?' 'Haidée Adib, muito prazer.'*"[223]

Lucinha contou na hora para Haidée, que cobriu a amiga de merecidos palavrões. Elas não imaginavam quão perfeita tinha sido a mentira de Lucinha.

Logo, Lúcia Araújo não conseguiria nunca mais disfarçar sua identidade para o Doutor Roberto. Educada, ela procurava facilitar e sempre se antecipava a Doutor Roberto:

"*... eu sempre falava: 'Oi, Doutor Roberto, eu sou a Lúcia, mulher do João Araújo.' Depois de um tempo, o Doutor Roberto passou a responder sempre: 'Sim, eu sei, a mãe do Cazuza.' Eu dizia: 'Oi, Doutor Roberto, eu sou a Lúcia...' E ele, sempre: 'Sim, eu sei, a mãe do Cazuza.'*"[224]

---

[223] Idem. [223] Idem. [224] Idem.

Bem, leitor, agora vamos saber por que a mentirinha de Lucinha foi perfeita.

Haidée Adib é mulher de Jorge Adib, o homem que organizou, ampliou e sistematizou a idéia do *merchandising* nos programas da TV Globo. O primeiro almoço de Jorge Adib com Roberto Marinho foi um desastre de conseqüências maravilhosas.

"O Joe Wallach queria a todo custo que eu viesse trabalhar nas Organizações. Eu venho, está o Doutor Roberto aqui, eu ali, o Joe Walach ali. Ele diz assim: 'Você é paulista, você lê o jornal O Globo*?' 'Doutor Roberto, o senhor sabe que jornal é hábito, e eu, honestamente, não tenho hábito de ler o seu jornal.' 'Que jornal do Rio que você lê?' 'Eu leio o* Jornal do Brasil. *Alguma coisa na paginação do* Globo... *Eu tenho o hábito de ler o* Jornal do Brasil.' *O Joe Wallach começa a ficar branco."*[225]

Na época, *O Globo* estava fazendo uma campanha em São Paulo. Doutor Roberto perguntou:

"'O que você está achando dessa promoção do Globo*?' 'Muito inteligente, Doutor Roberto. Só tem um detalhe, essa campanha foi feita por cariocas. Ela é muito inteligente, mas não se aplica a São Paulo porque paulista é diferente de carioca.'"*[226]

Joe Wallach não acreditava no que acabara de escutar, Adib, um homem sedutor, agradável...

"'Jorge, eu conheço poucas pessoas educadas como você. O que houve, Jorge?' Chego no hotel, e tinha dois recados do Joe Wallach: 'Venha aqui falar comigo, por favor.' Aí voltei, entrei na sala do Joe, e ele disse: 'Você saiu, ele me chamou e disse: Joe, eu quero esse rapaz trabalhando comigo de qualquer maneira.' Olha o que era o Roberto Marinho."[227]

Esclareça-se que esta não foi a primeira vez que Jorge Adib encontrou Doutor Roberto. No primeiro encontro, Adib já tinha visto o que era o Roberto Marinho. Foi na segunda metade da década de 60, fase braba, todos os bens empenhados, dívidas, cobranças; Ralph Baruch, presidente da TV americana CBS vem ao Brasil pessoalmente, como credor. Reunião dura. Jorge Adib presenciou:

"Roberto Marinho sai-se com a seguinte promessa: 'Diga ao Ralph que em seis meses eu vou ser líder da audiência no Rio de Janeiro e, em seguida, em São

[225] Jorge Adib, 22 mar 2004.
[226] Idem. [227] Idem.

Paulo.' O cara, muito educado o Baruch, ria na rua, às gargalhadas: 'Esse homem não entende nada de televisão.' Seis meses depois, a Globo era líder no Rio de Janeiro e, pouco depois, líder em São Paulo.[228]

Poucas décadas e muitos milhões de dólares depois, Doutor Roberto encontra com o já companheiro Jorge Adib.

"Eu olhei para ele um dia: 'Você está bonito hoje, Doutor Roberto. Está tão bem. Pois é, eu tive um tio que morreu com cento e quatro anos.' Doutor Roberto tinha então oitenta e cinco, oitenta e seis anos. ... 'O senhor, Doutor Roberto, vai viver até os cento e vinte anos.' Ele olhou para mim com uma cara triste e disse: 'Pena que tudo tenha um fim.' Ele achou pouco, cento e vinte anos."[229]

Achou pouco mesmo. E convenceu todo mundo que viveria cento e trinta anos. Chegou ao 49º lugar na lista da revista *Forbes* dos homens mais ricos do mundo. Comprou tudo o que tem preço.

Uma vez, ao lado do treinador de cavalos Tamborete, seu Francisco exclusivo, Roberto admirava um animal excepcional que tinha aparecido na Hípica. Tamborete cometeu uma imprudência, fez um comentário que caiu como um desafio:

"'Doutor Roberto, esse cavalo não tem preço não.' 'Francisco, não diga isso. Tudo na vida tem seu preço.' Chamou o dono do cavalo: 'Você vende o cavalo?' Sei lá o que eles conversaram. Na mesma hora ele vendeu."[230]

Como a vida não é um bem negociável em termos financeiros, Doutor Roberto tomou a decisão de aproveitar a permanência no planeta até as últimas conseqüências. Com aquele alívio já mencionado que o superego dá, a partir dos sessenta e cinco de idade, aí então... O próprio Tamborete lembra de uma tirada tão naturista quanto engraçada. Na propriedade da família na praia de Jaconé, litoral do Rio de Janeiro, época de Ruth, casais de amigos presentes, Roberto resolve vestir a roupa de borracha para dar um mergulho. Ali mesmo, na areia, com vista para as ondas.

"Eu falei: 'Doutor Roberto, está cheio de mulher aí!' 'Quem não quiser ver que vire os olhos.' Na beira da praia! Ele vestindo aquele macacão de borracha, rapaz! Sem nada!!! 'Francisco, quem não quiser me ver pelado que se vire de lado.'"[231]

[228] Idem. [229] Idem.
[230] José Francisco Alves Nascimento (Tamborete), 21 set 2004.
[231] Idem.

Os sinais de assanhamento passaram a se manifestar mais amiúde. Quando Doutor Roberto cismou de criar ostras e mexilhões, Dona Ruth quase se mordeu de ciúmes. Não dos frutos do mar, é claro: havia uma jovem bióloga australiana prestando aconselhamento ao mais novo criador de moluscos da praça...

Se aconteceu algo mais concreto, assim dizendo, não se pode garantir. Mas que rolou um clima além de mero dengo platônico, isso pode-se deduzir da carta que a moradora de Sydney enviou, assim que chegou em casa:

"É bom estar na Austrália outra vez, mas não esquecerei quão triste me senti ao deixar o Rio. A vida é sempre assim? Para cada alegria contrapõe-se uma tristeza. Eu tenho tão boas recordações de você que nunca esquecerei seu amor, sua generosidade e amizade. Você é uma das pessoas mais especiais que existe neste mundo, e desejo que você receba tanto quanto você dá."[232]

A moça conta que está escrevendo com o auxílio de dicionários e livros de português. Exprime-se muito bem, não deixa dúvidas de que ao menos uma proposta tinha ficado no ar.

"Há tanta coisa a fazer por mim agora, colocar minha casa em ordem, ... encontrar trabalho e ganhar algum dinheiro, e depois... Eu não tenho certeza. É algo que teremos de discutir mais tarde, quando eu estiver mais sossegada."[233]

Não interessa saber a que nível de intimidade chegou essa amizade. O que fica evidente é que Roberto estava disponível emocionalmente. Em seu peito, havia uma porta aberta para o afeto.

Portanto, pode ter sido uma surpresa, um tremendo susto para todos, na época; mas, para nós, amigo leitor, não espanta que, aos oitenta e quatro anos, quando todos achavam que tinha se aquietado, Roberto arrume uma namorada nova!

Já seria encrenca para qualquer homem com quase vinte anos de casado. Para Doutor Roberto, então, imagine...

Segundo Lily Marinho, tudo começou numa brincadeira, durante uma conversa inocente com uma velha amiga íntima, e acabou se tornando realidade. Coisa de realismo fantástico. Essa antiga companheira, que prefere o anonimato, disse:

---

[232] Carta de "Nena", ago 1984

[233] Idem.

"'Ah, você é muito moça', ela estava querendo dizer de cabeça. 'Você devia casar de novo.' O Horácio tinha morrido em 83 e eu fiquei até 86 sem freqüentar ninguém, mais ou menos isso. 'Deus me livre, fiquei casada quarenta e cinco anos, de maneira que agora não quero mais casar. Depois, eu não vejo nenhum homem depois do Horácio que poderia me interessar... A não ser...' – eu disse de brincadeira – 'Tem um que é casado, que é o Roberto Marinho.' Mas tudo isso brincando. Eu tinha admiração pelo Roberto, admiração. Só que é diferente de amor."[234]

Mulheres... À primeira oportunidade, na festa que ofereceu pelo aniversário de sessenta e seis anos de Lily, sua boa amiga aprontou uma surpresa: convidou o casal Marinho. Ruth não ouviu, mas sinos ecoaram na cabeça do instantaneamente rejuvenescido Roberto.

No dia seguinte, Roberto mandou flores para Lily. Com um bilhete citando Marcel Proust: "À la recherche du temps perdu."

No réveillon, Roberto e Ruth foram ver os fogos na praia de Copacabana, numa festa num apartamento da avenida Atlântica. Roberto dançou a noite inteira sem parar. Com Lily.

"O detalhe engraçado foi que um tirou o outro para dançar, e isso era antes da meia-noite, onze e meia da noite. E aí, o tal de dançar ficou bom. Dançaram até cinco da manhã. Todos os convidados foram embora, e eles continuavam dançando. A Ruth foi embora, e eles continuavam dançando. Isso ele me contou com detalhes, e me contou o seguinte: 'Eu estava convencido de que estava morto nessa área. Eu vou dançar e descubro que eu estou vivo, não quero mais parar.'"[235]

Crise! E para manter o segredo? Todo aquele escudo de proteção invisível e visível, Doutor Roberto vai a uma recepção em Brasília. O namoro do presidente das Organizações Globo era o tititi da capital, fofoca difícil de acreditar. Cochichava-se muito, mas ninguém ousara publicar uma linha. A não ser o velho inimigo Hélio Fernandes, na sua Tribuna da Imprensa.

"Publicou na primeira página. Foi uma bomba aqui no Rio. A notícia saiu num início de semana e na quinta-feira o Doutor Roberto tinha um jantar em Brasília. Um jantar formal no Itamarati. Nos levaram para um salão, formou-se uma roda de ministros, e um deles, o então ministro da Indústria e Comércio, que era o Roberto Cardoso Alves, o Robertão, lá pelas tantas, com aquela roda formada, vira-se para o Doutor Roberto e diz: 'Doutor Roberto, me permite uma pergunta

[234] Lily Marinho, 5 mar 2004.
[235] Roberto Irineu Marinho, 11 nov 2003.

pessoal?' 'Claro. Pois não, ministro.' 'Doutor Roberto, o que esse jornalista Hélio Fernandes tem contra o senhor?' Doutor Roberto, calma e educadamente como sempre, respondeu: 'Ministro, não sei. Confesso ao senhor que essa sua pergunta eu já me fiz, há muito tempo que eu me faço essa pergunta. Não sei se eu fiz algum bem, se eu fiz algum mal. Não sei, confesso ao senhor que não sei. Mas, ministro, devo dizer ao senhor que pelo menos agora ele está sendo veraz, quando diz que estou apaixonado.'"[236]

Os queixos ministeriais evidentemente foram à lona, olhos arregalados, o arrepio percorreu até as colunas desenhadas por Niemeyer.

Já conhecemos a arrastada e sofrida separação de Ruth, mas Doutor Roberto quis viver intensamente todos os direitos que uma paixão impõe, em qualquer idade. Roberto, que antes sustentava um casamento cansado, sem desejo, algo previsível para um casal de idade, não resistiu ao imprevisível.

Uma das primeiras providências foi submeter-se a um tratamento odontológico revolucionário, invenção recente dos americanos: trocou toda a dentadura por implantes dentários. O romantismo não haveria de ser comprometido pelos estorvos da velhice.

Provavelmente foi nessa época que disse ao amigo Zé Luiz de Magalhães Lins:

"'Eu vou me ausentar aí...' Falou assim en passant. *Quando passaram-se uns dias, eu voltei e não tinha percebido nada. 'Você está percebendo alguma coisa?' Ele tinha ido ao Pitanguy e fez face."*[237]

Os poucos amigos que entravam no seu quarto de dormir – Antônio Carlos Magalhães, Jorge Serpa, José Aleixo – repararam também que as cuecas "samba-canção" foram substituídas por modelos contemporâneos. Roberto estava se sentindo um garoto!

Ilude-se quem compra a imagem de grande dama, inatingível de tão altiva, que Lily Marinho pode transmitir. Há um senso de humor esperto, um traquejo de espírito raro e medido nessa mulher com nome de flor.

"Ele gostava de tudo que era bonito. Gostava do mar, gostava do campo, gostava da flor..."[238] Ainda hoje, octogenária, não é necessário recorrer a teste-

[236] Toninho Drummond, 3 out 2001.

[237] José Luiz de Magalhães Lins, 16 dez 2003.

[238] Lily Marinho, 5 mar 2004.

44. À luz de velas com Lily

munhos de época para reconhecer a jovem extraordinariamente bela. "*Eu me chamo Lily Monique. Lily, que é um nome inglês, não é um diminutivo.*"[239]

Ainda hoje, a moça, nascida na Alemanha e criada em Paris, fala português com sotaque francês pronunciado. "*... Eu sou metade francesa, metade anglaise e hoje naturalizada brasileira.*"[240] Ainda hoje, a venerável senhora guarda uma garota travessa sob a máscara da idade. Igualzinho a Roberto.

"*Ele voltou, com Lily, a ter um senso de humor extraordinário. Lily era dada a brincadeiras tais como costurar as mangas e as calças dos pijamas do papai, e o papai ficar horas tentando vestir o pijama sem conseguir. Então ele aí voltou às gargalhadas.*"[241]

E Roberto ficou tão prosa! Ainda na fase do namoro, antes de se casarem e morarem juntos, Doutor Roberto chegou uma noite a seu carro, depois de um encontro com Lily. O segurança à espera, ainda que completamente sem jeito, cumpriu a obrigação de avisar ao patrão, aos sussurros, que sua braguilha estava aberta... Fechou as calças, diligentemente, enquanto o sorriso se abria.

---

[239] Idem.   [240] Idem.
[241] Roberto Irineu Marinho, 2 dez 2003.

Mas Roberto não estava para aventuras, Lily era mulher para casar.

"Dona Lily dizia: 'Estou muito nervosa porque o Roberto tem mania de trocar de mulher de vinte em vinte anos.'"[242]

E não é que o nervosismo de Lily tinha razão de ser... Às vésperas do casamento, todos aqueles trâmites compulsórios, um advogado de Doutor Roberto se aproxima com um documento que requer sua assinatura, o pacto antenupcial, um instrumento jurídico que estabelece o regime de bens no casamento – comunhão, separação parcial ou total –, uma dessas habilitações para o matrimônio.

"Aí, Doutor Roberto foi assinar, e eu expliquei a ele, que disse: 'Eu já entendi. Eu vou fazer uma pergunta ao senhor, o senhor não vá rir!' 'Pois não, Doutor Roberto.' 'Se eu assinar isso aqui, eu posso me casar de novo?'"[243]

José Américo Buentes, o advogado, sequer esboçou um sorriso, assentiu.

Roberto e Lily trocaram alianças no dia 12 de setembro de 1991. Quando uma repórter lhe perguntou por que apenas cinco pessoas foram convidadas para a cerimônia de casamento, a menina de setenta anos respondeu:

"Eu casei grávida."[244]

Cerca de um ano antes do matrimônio, no já referido evento Cidade do Sucesso, na Sorbonne, eu estava ao lado dos cinegrafistas brasileiros e franceses que, refletores acesos, filmavam a caminhada do casal de braços dados, e pude ouvir claramente Lily dizer a Roberto: "Todas essas luzes, Roberto! Parece até o nosso casamento..."

Encontravam-se numa adolescência sem fim, Roberto e Lily.

"Eu sou muito ciumenta."[245]

A cada edição do *Jornal da Globo*, ele fazia questão de elogiar a beleza de Ana Paula Padrão. Lily bufava, como só os parisienses sabem.

"E a Ana Paula Arósio? Na hora em que ela aparecia: 'Que olhos bonitos!' 'Roberto, você já repetiu isso umas dez vezes.' Dona Lily se levantava e ia para

---

[242] José Sarney, 15 mar 2004.

[243] José Américo Buentes, 6 fev 2004.

[244] Revista *IstoÉ*, 14 set 1994.

[245] Lily Marinho, 5 mar 2004.

45. Portrait

o quarto dela. Ele olhava para mim e ficava só rindo. Depois ele voltava lá: 'Lily, a novela já acabou...'"[246]

Roberto também não perdia chance para contar histórias das namoradas de juventude.

"Eu dizia a ele: 'Olha, o seu passado não me interessa.'"[247]

Quando conseguia pegá-lo de surpresa, Lily dava mordiscadelas no cangote de Roberto.

Ele adorava contar e mostrar as sem-vergonhices que seu chimpanzé fazia nos jardins do Cosme Velho.

"O chimpanzé comia sozinho, era muito engraçado ... Ele adorava macacos porque são parecidos conosco."[248]

Encontravam-se no culto à música. Numa viagem de jatinho, de Brasília ao Rio, a secretária Liana se comoveu:

"Como dois namorados, cantaram árias de ópera um para o outro, sem parar, durante todo o percurso."[249]

A ópera preferida, ouviram juntos, infinitas vezes, uma história de paixão fatal.

"Carmem, meu Deus, quantas vezes nós ouvimos Carmem!"[250]

E gostavam de cantar juntos, até o fim, uma canção infantil francesa, "Au clair de la lune":

Au clair de la lune,
Mon ami Pierrot,
Prête-moi ta plume
Pour écrire un mot.
Ma chandelle est morte,

[246] Edgar Peixoto, 17 abr 2004.
[247] Lily Marinho, 5 mar 2004.
[248] Idem.
[249] Liana Coimbra Faria Neto, 17 set 2004.
[250] Lily Marinho, 5 mar 2004.

Je n'ai plus de feu,
Ouvres-moi ta porte,
Pour l'amour de Dieu.[251]

Estes primeiros versos adquirem significados inesperados, nas vozes de um casal de velhinhos.

No dia 6 de agosto de 2003, o mordomo Edgar Peixoto abriu mansamente as cortinas do quarto do patrão. Lá fora, um dia esplendoroso, céu azul no falso inverno carioca. Era tarde, quase meio-dia. Nos últimos anos de vida, Doutor Roberto mudara seus hábitos, continuava dormindo tarde, mas deixara de acordar cedo. Ao despertar o patrão, o mordomo Edgar cumpria ordens dos médicos, que temiam as crises de melancolia de Doutor Roberto. No seu lento *fade out*, Roberto Marinho tinha sim suas ausências, mas em determinados momentos demonstrava consciência plena de seu afastamento do dia-a-dia no trabalho, e ficava triste.

"Ele teve uma dificuldade enorme de se adaptar. Ficava assim na janela, pensando, e comentava com a gente: 'Se a gente pudesse tocar a vida até aonde a vista alcançasse seria bom demais.'"[252]

Edgar Peixoto, cearense da cidadezinha de Santana do Acaraú, passara de copeiro a mordomo, depois de cair nas graças de Doutor Roberto cobrindo as férias do titular. Bem que ele avisava que esse negócio de férias era muito arriscado... No primeiro dia na nova função, Edgar ouviu instruções detalhadas. Roberto Marinho esmerou-se em explicar, minuciosamente, as tarefas de Edgar:

"Foi lá, abriu a torneira, mostrou: 'Aqui é a água quente e aqui é a água fria. Aqui é o chuveiro, mas o chuveiro pode deixar que, quando eu quiser, eu abro. Abre só a água da banheira. Aqui fica meu pente, aqui fica a minha toalha.' Eu estava vendo, mas parece que ele fez de brincadeira. Eu digo: 'Sim, senhor.' Aí ele pegou um roupão pendurado e disse: 'Sabe o que é isso aqui?' 'Eu acho que é um roupão.' 'É um roupão não para sair, é um roupão para vestir depois do banho.'"[253]

---

[251] À luz da lua,/ Meu amigo pierrô,/ Empreste-me a caneta/ Para escrever uma palavrinha./ Minha vela se apagou,/ Acabou a luz,/ Abra-me a tua porta,/ Pelo amor de Deus.

[252] Edgar Peixoto, 17 abr 2004.

[253] Idem.

46. Com o amigo Edgar

Edgar aprendeu que o chefe começava a escolher a roupa que iria vestir pela gravata.

"Eu separei umas trezentas gravatas para dar. Ele: 'Depois eu dou.' Passou uns dias, e eu falei: 'Doutor Roberto, eu vou dar essas gravatas.' 'Não, guarda que é tudo meu. Você quer dar para quem?' 'Eu vou dar para os seguranças.' 'Não, deixa essas aí e manda comprar para eles.'"[254]

Um dia, Edgar descobriu por que Doutor Roberto se recusava a lhe dar conselhos sobre como aplicar seu dinheiro:

"'Cada um pensa de uma maneira. Vai que eu te digo para comprar um terreno, e esse terreno está todo encrencado? Aí tu vais ficar pensando que o Doutor Roberto que indicou...'"[255]

Edgar aprendeu que, naquele casamento, quem ficava esperando o outro terminar de se arrumar era a mulher.

"Ele não saía de casa antes de ir no espelho três ou quatro vezes. Ia sair para o teatro, Dona Lily ficava na porta: 'Vamos embora, Roberto.' 'Espera aí', e ficava arrumando o cabelo. Ele ficava arrumando o cabelo, me chamava: 'Está bom?'"[256]

[254] Idem. [255] Idem. [256] Idem.

Roberto Marinho

Em várias noites de insônia, foi ao mordomo Edgar que Roberto Marinho recorreu, em busca de companhia.

"Ele perdia o sono, me chamava à noite: 'Edgar, dá para você dar um pulo aqui?' Eu moro aqui do lado, atravessando a rua. Ele: 'Dá para vir aqui?' 'Doutor Roberto, já é uma hora da manhã.' 'Mas dá para vir aqui?' 'Dá, sim senhor. É só eu vestir a minha roupa.' Aí eu vinha, e era para perguntar de um papel que estava na gaveta ao lado dele. Coisas que dava para ver que ele estava sentindo falta de alguém."[257]

Edgar aprendeu que, quando Doutor Roberto olhava fixamente pela janela, era sinal de melancolia. Na véspera, tinham tido uma conversa, mirando a paisagem. Por isso, naquela quarta-feira, 6 de agosto, Edgar não confundiu o mal-estar com tristeza, percebeu rapidamente que o negócio era sério.

"Normalmente eu chamava duas, três vezes até ele se levantar. Nesse dia, quando eu chamei, ele levantou de primeira: 'Doutor Roberto, vamos levantar? Onze e meia.' 'Vamos.' Eu abri a janela do quarto e ele disse: 'Que dia lindo!' ... e falou para mim: 'Eu estou com fome.' 'Doutor Roberto, eu já trouxe o café.' 'O serviço hoje está muito bom. Vocês estão ficando cada dia mais eficientes.' 'Muito obrigado, Doutor Roberto.' Quando terminou o café, botei ele de volta na poltrona para pegar um pouco de sol, e ele começou a olhar para o jardim. Aí chegou o rapaz da fisioterapia. Nesse intervalo eu desci, porque precisava dar telefonemas. ... Quando eu estava no segundo telefonema, o enfermeiro me liga: 'Doutor Roberto não está bem, não.' Quando cheguei lá, vi: 'Doutor Roberto está muito é mal. Vamos deitar ele aqui.' Eu conhecia ele, conhecia a fisionomia dele. ... o olhar dele foi assim e voltou. Voltou, parou no meio e ficou. Vidrado, olhando. Aí, quando a gente deitou, ele deu o primeiro apago. O enfermeiro fez massagens no peito e aí ele voltou. E disse: 'Eu não estou me sentindo bem. Eu estou sentindo um mal-estar, um cansaço, uma coisa ruim.'"[258]

Os médicos chegam, Edgar chama Lily, que, ao ver o estado de Roberto, também começa a passar mal e é levada para deitar em seu quarto. A equipe de emergência consegue reanimar Doutor Roberto. Ele pede a presença de Lily.

"Aí ele pegou no braço dela, e disse: 'Não sai daqui.' Ficou do lado direito dele. Aí, do lado esquerdo, eu estava segurando, estava o soro, para não fechar o braço dele. Aí ele disse para mim: 'Me tira dessa, Edgar.'"[259]

E fechou os olhos para sempre.

257 Idem.   258 Idem.   259 Idem.

341

Edgar viu os médicos aplicarem choques elétricos para manter seu patrão vivo, mas quando a ambulância levou Roberto Marinho, vitimado por um edema pulmonar causado por uma trombose, o mordomo "... *tinha tanta certeza de que ele não voltava mais, que quando saiu, eu arrumei a roupa dele e deixei tudo pronto.*"[260]

Enquanto o coágulo ganhava a batalha no hospital, Edgar esperava, tomava providências, cuidava do que podia ser cuidado, mas a conversa que tivera na véspera com Roberto, diante da janela, não saía de sua cabeça:

"— *A vida nos oferece tanta coisa, e a gente passa por cada uma.*

— *É, Doutor Roberto, mas isso vai passar, daqui a pouco o senhor já vai estar andando.*

— *Você é que pensa.*

— *Por que o senhor está falando isso?*

— *Olha, há dois anos...* Edgar pensou: 'Ele lembra direitinho...'

— *Há dois anos eu levei um tombo e quebrei um braço.*

— *Quebrou, mas já está tudo bem.*

— *Há um ano quebrei a perna.*

— *Mas isso aí já foi superado, já está tudo bem, o senhor já está andando.*

Roberto Marinho respondeu:

— *É, eu acho que a minha missão já foi cumprida.*

◆

---

[260] Idem.

47. Doutor Roberto Marinho

1. Longevidade

6

Não tem conclusão

"O teste de uma inteligência de primeira categoria é a habilidade de manter duas idéias opostas em mente, ao mesmo tempo, e ainda reter a capacidade de funcionar. Ser capaz de reconhecer, por exemplo, que as coisas não têm esperança e ainda assim manter a determinação de transformá-las"

F. Scott Fitzgerald

Em 1925, perde o pai e herda um vespertino recém-lançado, num país em estado de sítio, economia em recessão e câmbio maxivalorizado. Naquele ano, a incipiente produção industrial brasileira sofrera queda de 24% na produção.

Quando assume a direção do jornal, em 1931, o mundo ainda balança sob o impacto do *crack* da Bolsa de Nova York, que jogou os Estados Unidos na depressão econômica e, no Brasil, fez despencar o preço do café, produto então decisivo para nossa balança comercial.

A rádio, compra no meio da guerra para disputar um mercado quase monopolizado pela estatal Rádio Nacional, em sua fase áurea.

Funda a TV Globo em meio a um surto inflacionário que o governo combate com medidas recessivas pesadas.

Essas observações de Miriam Leitão, em sua coluna de 8 de agosto de 2003, servem para demonstrar quantas idéias opostas convivem na cabeça de um empreendedor em que teimosia e esperança podem ser sentimentos sinônimos.

Não, esta história não tem conclusão.

Ao mesmo tempo que sua biografia reflete fielmente sua época – trata-se essencialmente de um homem do século XX –, nosso companheiro suscita e antecipa questões que enfrentamos neste início de século XXI.

Escrevo no silêncio de uma pequena sala sem janelas, num cantinho de uma grande catedral da iniciativa privada chamada TV Globo, num prédio cujo apelido caiu em desuso: "Vênus Platinada". Este livro pretendeu contar a história de um homem que ergueu uma catedral à iniciativa privada, a história de *um* indivíduo. Essa narrativa pode bem servir de parábola para quem acredita que tudo começa no indivíduo.

Fazer o elogio do indivíduo não significa atacar o Estado. Mesmo porque foram indivíduos que tiveram a idéia de Estado, cansados de matarem-se uns aos outros. Mais ou menos como a história da União Européia, tribos que guerreavam há milênios acabaram convertidas à idéia da paz, dobradas pelo desejo de prosperidade. Oxalá este dia chegue logo para tantos Balcãs do mundo.

Quando cobri, como repórter, a morte do comunismo na Europa do Leste, enquanto milhares de alemães orientais só pensavam em comprar bananas e automóveis bacanas, perguntei a um colega, logo após a queda do Muro de Berlim:

— *Então quer dizer que os valores da classe média prevaleceram?*

Meu companheiro chamava-se Paulo Francis e respondeu, sem amargura:

— *Pedro. O ser humano é de classe média.*

Se desejar paz e oportunidades de prosperar é ser de classe média, então, permita-me abusar da metáfora: a natureza humana é tijucana.

Agradeço a paciência, chega de blablablá ideológico, leitor, aceite como um imperativo de honestidade por parte do autor. Se nem a maioria silenciosa é muda... Nós vimos: Roberto Marinho sempre soube escutar a maioria silenciosa.

Acho, aliás, que o ouvido esquerdo do Doutor Roberto não era bom por causa daquela violência que ele sofreu na escola primária, lembram, o murro do Mongaguá? Ou então foram os anos de mergulho profundo,

—VISITA AO PALÁCIO DOS PRINCIPES PISANI, EM VENEZA, EM COMPANHIA DE STELLA E DE ALGUNS AMIGOS
ITALIANOS, QUE CONHECIAM A MINHA ASCENDÊNCIA ITALIANA E O NOME DA FAMILIA DA MINHA MÃI. AS CON-
GRATULAÇÕES DEPOIS DA VISITA PELA ASCENDÊNCIA ILÚSTRE, DOS PRINCIPES PISANI E A MINHA RESPOSTA,
XXXXXXX DIZENDO QUE OS PISANI, MEUS AVÓS, ERAM DE NAPOLES, E TINHAM CHEGADO AO BRASIL COMO EMI-
GRANTES. DIÁLOGO TRAVADO:—TODO O MUNDO VEM À ITALIA BUSCAR UM PERGAMINHO PARA PROVAR A SUA ORI-
GEM NOBRE.V.JÁ TEM ÊSSE NOME ILÚSTRE.PORQUE DESMANCHAR ESSA IMPRESSÃO?—PORQUE NO BRASIL, OS PRIN-
CIPES NÃO TEM MAIOR VALOR, MAS XXXXXXXXXXXXXXXXXXX AS PESSOAS QUE SE FIZERAM POR SI, OS
DESCENDENTES DE EMIGRANTES QUE CONSEGUEM SER ALGUMA COISA. FALAR EM PAPAI, AS SUAS ORIGENS, AS
SUAS DIFICULDADES. CONTAR A FUNDAÇÃO DA ANOITE. DETALHES DA ORGANISAÇÃO DA REDAÇÃO, NO LARGO
DA CARIOCA I)—PAPAI ERA SUPERSTICIOSO. ERA CAPAZ DE VOLTAR PARA CASA, QUANDO AS COISAS NÃO LHE
CORRIAM BEM E MUDAR A GRAVATA,TROCAR DE BENGALA(QUE SE USAVA MUITO NAQUELE TEMPO.)COMO PAPAI
SAIU DA "GAZETA DE NOTICIAS". A AMIZADE DE OLIVEIRA ROCHA E A INIMIZADE DE SALVADOR SANTOS, QUE
O PERSEGUIU DURANTE MUITOS ANOS. A REPORTAGEM DA ANOITE SÔBRE SALVADOR XXXXXXXXXXXXX SANTOS,
O QUAL EU VIM A ENCONTRAR, MUITOS ANOS MAIS TARDE COMO GERENTE DO CLUBE DOS 200. A VIDA DE PAPAI,
O SEU GENIO JORNALISTICO, AS SUAS INOVAÇÕES,AS REPORTAGENS SENSACIONAIS. CONTAR A DO FAQUIR, O
PRIMEIRO VOO, GARRAUX, CREIO, O VOO DO VIRGINIUS DELAMARE, ETC. A REPORTAGEM DO HOSPICIO E OU-
TRAS. O SEU ESPÍRITO PIONEIRO, A SUA EXTREMA BOA-FÉ. O"RIO D'AGUA" DO ENGENHEIRO LAMBERTI CAMPI.
AS TENTATIVAS CINEMATOGRÁFICAS "A QUADRILHA DO ESQUELETO". A CÊNA DA FUGA NOS FIOS DO BONDINHO
DO PÃO DE ASSUCAR. A SUA PAIXÃO PELO MAR, A SUA IDA DIÁRIA AO CAIS FAROUX, ONDE FICAVA LONGO TEM-
PO   TANDO O MAR. HOJE, QUANDO VIAJO NO "ARISCO", COM A MESMA PAIXÃO PELO MAR, QUE GOSTO TRAN-
QUILO OU REVOLTO, TEMPESTUOSO, FICO XXXXXXXXXXXXXXXXXXXXXXXXXXXXX FAZENDO A COMPARAÇÃO, SEM
POD.. DEIXAR DE TER UM PENSAMENTO DE PROFUNDA TERNURA PARA COM PAPAI. O VERDADEIRO HEROISMO DE
I.M.,QUE VOLTAVA XXXXXXXXXXXXX DO TRABALHO DE MADRUGADA E ME LEVAVA AO INSTITUTO PASTEUR, PARA
TOMAR INJEÇÕES POR TER SIDO MORDIDO POR UM CÃO DANADO.

—DESAFIO DE PAPAI, EM VESPERAS DE SUA PARTIDA PARA A EUROPA, NUMA VIAGEM EM QUE IA TENTAR A
RECUPERAÇÃO DA SAUDE: SENTA AÍ E ESCREVA UMA COMPOSIÇÃO. ACHO QUE V.É INCAPAZ DISSO, V.NÃO SABE
NADA. A RESPOSTA: EU NÃO ME PRESTO A PROVAS DE AMANUENSE. NESSE TEMPO EU AINDA NÃO SABIA NADA
.E FREUD E NÃO PODIA COMPREENDER O QUE SE ESTAVA PASSANDO. PAPAI TINHA VENDIDO A NOITE PORQUE
ACREDITAVA QUE IA MORRER E NÃO TINHA SUCESSORES. A VENDA A GERALDO ROCHA, POR ESCRITO. A RETRO-
VENDA, PROMETIDA MORALMENTE. CONVERSA EM PARIS DE PAPAI, A MINHA REAÇÃO. A CARTA QUE ESCREVI
A UM AMIGO(VASCO LIMA) XXXXXDE GORDO, E QUE ENTREGUEI A MAMÃI, PARA SER ENVIADA JUNTAMENTE COM
A CORRESPONDENCIA À CHEGADA A GENOVA. O QUE ME DISSE MAMÃI NO DIA SEGUINTE"O SEU PAI LEU A CARTA

2. Fac-símile da primeira página do Roteiro para "Condenado ao êxito"

pressão, descompressão, pressão. Pertinente mesmo é lembrar que, por causa disso, ele acomodou todos os seus interlocutores a sua direita, no lado do braço de companheiro. Companheiro... Roberto Marinho foi o primeiro a chamar todo mundo de companheiro, e isto não é nem paradoxo, é ironia sociolingüística mesmo.

Conversando com uma companheira, observávamos a importância de três judeus na trajetória de Roberto Marinho: Herbert Moses, Joe Wallach e

Henrique Caban. Minha colega levantou a hipótese de algo como um "pró-semitismo" do Doutor Roberto. Naquele momento, compreendi a frase de Roberto Irineu Marinho: "*a ideologia dele era o jornal*". Que "pró-semitismo", qual o quê! Entendamos de uma vez por todas: em primeiro lugar, sempre, os interesses da empresa. Ideologia não; "o que é bom *pro* lojinha", sim.

Antes de cultuar o ideal de "fazer o bem" – conceito bastante vago que já serviu para justificar muito mal –, Roberto Marinho preferia o "fazer bem", idéia no mínimo mais clara. Uma coisa bem feita dá gosto de ver, dá vontade de fazer. Inteligência estimula inteligência, excelência produz excelência, prosperidade gera prosperidade.

No jogo pesado das relações de poder, grande capital, alto empresariado, a pior acusação que recolhi contra Roberto Marinho foi a de que tinha o pecado da ganância. Nada a declarar em defesa, a não ser que ele jamais ganhou sozinho. Muita, muita gente ganhava junto com o Doutor Roberto, a cada nova conquista.

Uma vez, Otto Lara Rezende encontrou um amigo jornalista num banheiro da TV Globo, no dia seguinte a uma grande vitória empresarial de Roberto Marinho. O amigo comentou com Otto:

— O chefe deve estar feliz hoje, hem?

Otto meneou a cabeça.

— Que nada... Ele tem a goela desse tamanho!

"O mercado é movido a ambição e medo: vontade de ganhar e temor de perder." Não conheço melhor definição desta onipresente e misteriosa entidade denominada *mercado*. No limiar do século xxi, as sociedades humanas experimentam a supremacia deste tal mercado que ninguém inventou, e seus embates com o desejo ético por mais democracia, que os gregos esboçaram como idéia. No que vai dar esta briga ninguém sabe, mas tem sido assim história afora: o desejo do indivíduo gerando movimento, encontro ou choque com o interesse coletivo. Taí uma história que vende jornal e dá audiência...

Roberto Marinho... Nunca imaginei que me coubesse tal missão, escrever, com independência um perfil biográfico de Roberto Marinho. Assim como nunca sonhei em vir a ser apresentador do *Fantástico* ou do *Big Brother Brasil*... Artes do mercado! Desdobramentos de vinte anos de plena democracia no Brasil.

Ih, esqueci de contar!

Teve aquela vez em que Roberto tinha aprontado tamanha travessura que seu pai Irineu o deixou de castigo: não iria ao concerto no Theatro Municipal com a família, ficaria preso em casa. Roberto, que conhecia e herdou a proverbial distração do pai, esperou passar um tempinho. Aí, assim de repente, como quem não quer nada, perguntou:

— Pai, vou de terno azul ou preto?

— Azul – respondeu Irineu, sem perceber.

Acabou indo ao Municipal com toda a família e a cara mais lavada deste mundo, o malandro do Roberto... Gostava de música, o rapaz.

Até o fim da vida, ocupou a frisa de nº 13 do Theatro Municipal do Rio de Janeiro, à esquerda de quem senta na platéia.

Ah, e aquela vez que entrou montado a cavalo na casa da avó Cristina! Não tinha onde deixar o bicho naquela noite, e a avó não só aquiesceu a este pedido como também concordou em armar a cena imaginada por Roberto: pôs para rodar no gramofone uma de suas óperas prediletas, para que o cavaleiro adentrasse na sala e cruzasse cômodos e corredores até o quintal, ao som de uma determinada ária. Que ária deve ter sido? De que ópera?

Em determinado momento de nossa pesquisa nos arquivos do Doutor Roberto, deparamos com um documento tão fascinante quanto enigmático. Quatro folhas de papel datilografado, com o título "Roteiro". Todo escrito em maiúsculas – o que indica ter sido feito no início da t v, em que as máquinas de escrever eram adaptadas para caixa-alta permanente, a fim de facilitar a leitura "no ar" –, é uma sucessão de frases sem preocupação narrativa ou cronológica. São lembranças, anotações de episódios ou pessoas que não deveriam ficar de fora do sonhado "Condenado ao êxito". Algumas referências nos foram valiosas, outras permanecem indecifráveis. Trata-se de um fluxo livre de associação de idéias, mais para Freud que para Proust.

"Desafio de papai, em vésperas de sua partida para a Europa, numa viagem em que ia tentar a recuperação da saúde: sente aí e escreva uma composição. Acho que você é incapaz disso, V. não sabe nada. A resposta: eu não me presto a prova de amanuense [escrevente, secretário]. *Nesse tempo eu ainda não sabia nada de Freud e não podia compreender o que se estava passando. Papai tinha vendido* A

Noite *porque acreditava que ia morrer e não tinha sucessores. A venda a Geraldo Rocha, por escrito. A retrovenda, prometida moralmente. Conversa em Paris de papai, a minha reação."* [1]

De um assunto pula para outro, de uma década a outra, deixe a memória mandar.

"O telefonema do general Góes Monteiro. O senhor hoje é ministro da Guerra, amanhã será um general aposentado. Eu serei, se Deus quiser, toda a vida diretor do O Globo.*"* [2]

Em meio aos projetos pessoais e profissionais, uma lembrança doída e misteriosa.

"A construção da minha casa no Cosme Velho. O meu programa de receber estrangeiros. O início da minha vida amorosa. Elza. Conseqüências do desengano. O castigo que impus às mulheres." [3]

Quem é Elza? Quem foi Elza na vida deste homem que só se casou aos quarenta e dois anos de idade?

"A casa da Urca (um conto e duzentos mil-réis mensais). As minhas festas. Avant-première das apresentações na Urca." [4]

Em 1996, Doutor Roberto em sua décima década, homem velho, "o mais poderoso do Brasil" não teve poder para dar uma olhadinha na casa onde viveu tantos anos. A atual dona da casa ficou sem graça diante de Roberto Marinho, alegou que "estava tudo muito bagunçado". Precisava prender dois cães de guarda, e com a filha Bianca, de seis meses, no colo, ficou toda atrapalhada. Roberto disse: "Deixa que eu seguro a tua filha, o neném, só quero entrar aí antes de morrer, tenho muitas e boas recordações daqui, onde vivi momentos muito felizes. Eu só queria entrar..."

Ela pediu para que voltasse outro dia. Ele voltou, queria mostrar a Lily. Também não conseguiu entrar...

"Darke Mattos, o seu Aeronca, a sua casa de Paquetá. A sua generosidade." [5]

Aeronca? Poderia ser nome de cavalo ou barco, mas era a marca de um aeroplano. Fundador do Iate Clube, o amigo Darke de Mattos morreu fazendo manobras aéreas em frente à Urca. Roberto deve ter acompanhado a tragédia de perto. Custou, como sabemos, para usar avião.

[1] Roberto Marinho, Roteiro para "Condenado ao êxito".

[2] Idem. [3] Idem. [4] Idem. [5] Idem.

3. Elza?

"A vida de papai, o seu gênio jornalístico, as suas inovações, as reportagens sensacionais. Contar a do Faquir. ... O seu espírito pioneiro, a sua extrema boa-fé."[6]

Ao esboçar esse roteiro, Roberto Marinho não tinha idéia de quanta história ainda lhe reservava a vida.

Por exemplo, não poderia ficar de fora da lista aquela tarde, logo depois da brigalhada com João "Calmão" e os "Diários", em que é convidado e, para espanto geral, aceita ir a uma reunião na sede de *O Cruzeiro*, um dos principais templos do império de Chatô. Roberto vai entrando, com os bons modos e a naturalidade de sempre. Ninguém sabia da visita, a redação é pega de surpresa. Quando um famoso repórter, especializado em tecer ataques espumantes contra o dono do *Globo*, entra na sala de reuniões e dá de cara com Roberto, gira no mesmo passo e, releve o palavrão, escafede-se.

"Ele era inimigo declarado do Doutor Roberto. Estamos no Salão Nobre, reunidos, o Davi não sabia que estava aquela gente toda lá em cima e subiu. Quando Davi Nasser chegou na porta do Salão Nobre e viu o Doutor Roberto, deu uma meia-volta e saiu às carreiras."[7]

[6] Idem.
[7] Paulo Cabral de Araújo, 23 set 2004.

4. Fac-símile do Roteiro para "Condenado ao êxito"

Essa eu aposto que Doutor Roberto incluiria no "Condenado..." Já aquela outra passagem cinematográfica, não sei... Creio que nosso companheiro julgaria a cena toda imperial demais, mafiosa, mas, com licença, não dá para deixar de contar.

Foi por ocasião de um dos inúmeros acidentes hípicos de Doutor Roberto. Havia uma reunião marcada com os distribuidores de jornais. Mais do que sindicato, os jornaleiros do Rio formavam uma máfia mesmo, italiana, na origem, nas roupas e nas práticas. Contundido, Doutor Roberto marcou a reunião na casa dele, no Cosme Velho. Os italianos foram chegando, vieram uns doze.

"Aí estava todo o pessoal sentado, de terno, sem gravata, com a camisa abotoada, aquele colarinho assim cortado, e todos de chapéu. Aí, todo mundo sentado, conversando, aquela expectativa, abre-se a porta."[8]

A enfermeira se aproxima conduzindo Roberto Marinho, na cadeira de rodas. Quem sentiu vontade de tossir, não tossiu.

"Quando abre a porta e o Doutor Roberto entra, a turma levanta. O presidente do sindicato deles, dono da Central do Brasil, levanta, chega em frente à cadeira, se ajoelha e beija a mão dele."[9]

[8] Luiz Paulo Vasconcelos, 12 mai 2004.
[9] Idem.

Não é uma questão apenas de *capo di tutti capi*, "chefão dos chefões" – Doutor Roberto conhecia os jornaleiros pelos nomes, freqüentava o sindicato, procurava ouvir, negociar. Sabia que dependia deles e os tratava com respeito. Roberto Marinho era um dos únicos donos de jornal que fazia isso. Muitas vezes, como na cena recém-descrita, foi chamado para resolver crises entre a máfia dos jornaleiros cariocas e algum outro jornal.

Roberto Marinho sempre teve uma agenda eclética, recebia a todos que pedissem uma audiência.

A propósito, a mais avançada neurociência contemporânea comprova que todos nós nascemos com a capacidade de "ler" o outro, especialidade em que Doutor Roberto era craque. É um instrumento inato, que trazemos nos genes, desde os tempos da savana africana, há centenas de milhares de anos.

"Se o leitor costuma diagnosticar rapidamente a energia ou o entusiasmo de alguém que acaba de conhecer, ou se é capaz de detectar mal-estar ou ansiedade nos seus amigos e colegas, é bem provável que seja um bom leitor de emoções de fundo. Se for capaz de fazer tais diagnósticos sem ouvir sequer uma palavra da parte do diagnosticado, pode mesmo ser um excelente leitor de emoções de fundo." [10]

Outro adendo que Doutor Roberto poderia fazer a seu roteiro: a demissão de Joe Wallach.

Só depois de alguns anos, Roberto conseguiu perdoar Joe pela audácia de pedir demissão. Confortavelmente instalado na cúpula global, no fim da década de 70, *mister* Wallach resolve ir embora. Andava com problemas cardíacos, sentia saudades dos filhos nos Estados Unidos. Numa atitude nada americana, abre mão de poder e dinheiro, e vai embora.

"Eu disse ao Doutor Roberto que eu queria sair da Rede Globo por causa da saúde, porque o trabalho era intenso. Quando falei que eu queria sair, ele falou: 'Não, Joe.' Ele simplesmente dizia não. 'Não, Joe, não, Joe.'" [11]

Joe insistiu durante mais de dois anos:

"Eu dizia: 'Não quero trabalhar mais na vida. Eu quero é explorar outras facetas da vida.' Eu falei isso para o Roberto, e ele olhou para mim como se eu

[10] António Damásio, *Em busca de Espinosa: prazer e dor na ciência dos sentimentos*.
[11] Joe Wallach, 15 jun 2004.

fosse um louco: 'Outras facetas da vida? Você quer ser um cientista nuclear? Algo assim? O que você vai fazer?'" [12]

Roberto ficou de mal. Joe Wallach manteve, durante alguns anos, participações significativas em algumas empresas das Organizações Globo, mas não recebeu nenhuma indenizacão de Doutor Roberto.

"Ele se sentiu traído com o fato de eu sair. E eu só percebi isso depois, que ele estava muito aborrecido, que tinha se sentido abandonado por mim. Nós éramos muito próximos, e ele ficou magoado. Só entendi isso mais tarde. Depois de anos, tentei dizer a ele, explicar. Aí, viramos amigos de novo!" [13]

Doutor Roberto... Escrevendo a mão, tinha a tendência de ir entortando o texto, que ficava meio adernado no papel.

E aquele pauteiro? Aquele que o Caban achava muito preguiçoso, um sujeito que não queria acordar às três da manhã e que depois se meteu com *rock-and-roll*. Sabe quem era, quem é? Paulo Coelho, o escritor brasileiro que mais livros vendeu em todos os tempos.

Quanto talento freqüentou a redação do *Globo*! Quanta gente, quantas histórias...

Caramba, já ia me esquecendo!

Pereira Rego! Sempre elegante, echarpes de seda volteando-lhe o pescoço, jornalista agitado, homem nervoso. Pereira Rego... Um dos fundadores de *O Globo*! Pertencia ao grupo que deixou *A Noite*, solidário a Irineu Marinho, para começar tudo de novo.

Foi em 1943, ainda na antiga sede da rua Bittencourt da Silva, largo da Carioca. Apressado como de costume, Pereira Rego saiu do prédio e não olhou para os lados na hora de atravessar a rua. Foi atropelado ali mesmo, em frente à porta do prédio do Liceu.

O Lima, que tinha sido motorista particular do velho Irineu Marinho, corre para ver o que aconteceu. Encontra Pereira Rego estirado no chão, gravemente ferido, grita por socorro. Pereira Rego murmura alguma coisa. Lima, um sujeito forte e alourado, se agacha para ouvir o que tenta dizer o atropelado. *"Um beijo, Lima..."* Sentindo a morte

---

[12] Idem. [13] Idem.

chegar, Pereira Rego pede que Lima lhe dê um beijo. Lima realiza o último desejo do moribundo.

Se Nelson Rodrigues não viu a cena, ouviu o relato naquele mesmo dia. Trabalhava ali, aquela era sua área. Dezoito anos depois, quando Fernanda Montenegro lhe encomenda uma peça, Nelson escreve, em vinte e um dias, *O beijo no asfalto*.

Ah, e o Lima! Boa pinta, acabou namorando a governanta Rubine, uma francesa que tentava, sem o sucesso do motorista Joffre, exercer alguma autoridade sobre a prole de Doutor Roberto.

Roberto Marinho teve quatro filhos. Quatro homens.

1. Continuidade

Os meninos

"Aliás, vocês não me perguntaram.
Qual é o sentido da vida? Os filhos. Ponto final.
Mais nada. O sentido da vida está nos filhos".
Evandro Carlos de Andrade,
final do depoimento ao
Projeto Memória Globo

"Meu querido Roberto Irineu:

Ontem, assisti a um filme e, durante as duas horas em que estive no cinema, evoquei muita coisa da minha vida e lembrei-me também de meus filhos. O filme era A Grande Olimpíada, *que seria um excelente e belo documentário sobre o acontecimento esportivo que se verifica de quatro em quatro anos, se não fosse, antes de tudo, uma extraordinária demonstração do valor humano, na sua ânsia de competir e vencer.*

Creio que V. ainda não leu O velho e o mar, *e que talvez não tenha visto o filme de Spencer Tracy no papel do velho e obstinado Santiago. Os longos e longos anos de curtimento ao sol, a luta insana no mar nem sempre dadivoso, tinham-lhe vincado o rosto, e até mesmo curvado um pouco a espinha, mas não conseguiram abater o espírito do velho pescador, e muito menos a sua fé inquebrantável no dia de amanhã. É por isso que ele, isolado no seu pequeno barco, afastou-se tanto da costa, para perseguir o peixe das suas esperanças. ...*

E é esse espírito de luta, do velho pescador ou dos flamantes atletas, do cientista que vai ao fundo abissal do oceano ou do astronauta que desvirginou o espaço sideral, que anima a humanidade a vencer e a progredir, porque a vida, meu querido Robertinho, é justamente essa luta pela conquista de um ideal ambicioso

357

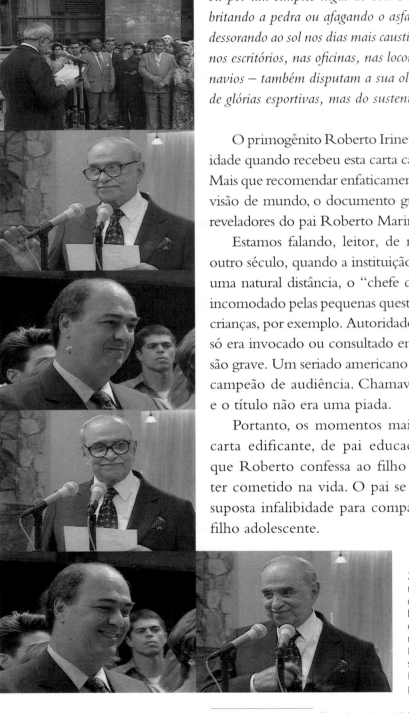

ou por um simples lugar ao sol. *Porque os trabalhadores, britando a pedra ou afagando o asfalto nas ruas da cidade, dessorando ao sol nos dias mais causticantes, suando a camisa nos escritórios, nas oficinas, nas locomotivas, nos porões dos navios — também disputam a sua olimpíada, não em busca de glórias esportivas, mas do sustento das suas famílias.*"[1]

O primogênito Roberto Irineu tinha quinze anos de idade quando recebeu esta carta caprichada e carinhosa. Mais que recomendar enfaticamente o filme e expor sua visão de mundo, o documento guarda dois momentos reveladores do pai Roberto Marinho.

Estamos falando, leitor, de relações familiares de outro século, quando a instituição paterna pressupunha uma natural distância, o "chefe da casa" não devia ser incomodado pelas pequenas questões domésticas, como crianças, por exemplo. Autoridade inquestionável, o pai só era invocado ou consultado em momentos de decisão grave. Um seriado americano de TV marcou época, campeão de audiência. Chamava-se *Papai Sabe Tudo*, e o título não era uma piada.

Portanto, os momentos mais significativos desta carta edificante, de pai educador, são aqueles em que Roberto confessa ao filho dois erros que julga ter cometido na vida. O pai se desfaz do escudo da suposta infalibilidade para compartilhar lições com o filho adolescente.

2 a 7. No discurso de inauguração do Projac, um momento de hesitação de Doutor Roberto. Emocionado, ele se cala e olha para o filho Roberto Irineu, que o incentiva, sorrindo. Depois de nove segundos de silêncio e troca de olhares, Roberto Marinho retoma a palavra e conclui o discurso

[1] Roberto Marinho, carta ao filho Roberto Irineu, 13 fev 1963.

Primeiro, a vitória de um atleta etíope na Maratona leva Roberto Marinho a fazer um *mea-culpa* político-jornalístico.

"... um dos corredores junta-se ao atleta que comanda o pelotão e não mais o larga. É um preto e corre descalço. ... A corrida prossegue. Muitos corredores vão ficando para trás, mas o representante da Abissínia ganha terreno, acelerando o ritmo da corrida. E ali nas ruas da orgulhosa Roma de César e de Mussolini, ele derrota, com os seus pés descalços, os atletas de todo o mundo, inclusive os corredores italianos... Lembrei-me da invasão da Abissínia. Mussolini, alegando razões históricas, lançou toda a força das suas armas contra a pobre e indefesa Abissínia. Aí eu cometi um grande erro. Feito comendador por Mussolini, cortejado pela embaixada daquele grande país, ferveu-me o sangue dos avós maternos, e coloquei O GLOBO *ao lado do invasor contra a pequena nação, cujos filhos − descalços como o corredor da Maratona − jogavam as suas flechas contra a blindagem dos aviões que semeavam a morte e a desolação.*

Por muitos anos lembrar-me-ei daquela cena admirável da chegada do corredor etíope, que assumiu aos meus olhos o simbolismo de uma lição na história, e trouxe-me a recordação de um ato de que me penitencio." [2]

No parágrafo seguinte, Roberto revela outro arrependimento:

"Em 1947 e 1948, eu estava em plena forma e tinha ganho a maioria das provas de tipo olímpico aqui disputadas. Nas vésperas da escolha do team *hípico que devia ir às Olimpíadas de Londres, a Federação Hípica resolveu que todos deveriam submeter-se às eliminatórias. Achei a resolução injusta. Além do mais viria a desgastar os cavalos com que contava para a Prova das Nações. Neguei-me a participar das eliminatórias e, com esse gesto, que hoje julgo pouco esportivo, perdi a única oportunidade que me foi oferecida para participar das Olimpíadas.*

De qualquer forma, meu filho, também eu me julgo um pouco participante dessa outra olimpíada que disputamos a vida toda, por um ideal, uns, por ambições, outros, por necessidades, quase todos, mas que constitui a essência da vida: lutar, disputar, vencer se possível, mas sempre sabendo perder." [3]

"Papai era o sujeito mais competitivo do mundo. O segundo sujeito extremamente competitivo era eu." [4]

[2] Idem. [3] Idem.
[4] Roberto Irineu Marinho, 11 nov 2003.

O primogênito Roberto Irineu não herdou sozinho esse gene da competitividade. Seus irmãos, filhos, sobrinhos e netos – a família parece ter esta vocação.

No dia 27 de setembro de 2000, o Projeto Memória Globo promove uma entrevista dos filhos João Roberto e José Roberto com o pai. Doutor Roberto, já bastante minado pela velhice, parece apaziguado, farto de competição.

Os filhos mostram-se curiosos pelas histórias mais antigas. Na hora de fazer a primeira pergunta, ambos falam ao mesmo tempo:

"Zé Roberto: — Pa...
João Roberto: — Eu..."

Risadas, o pai relaxa o corpo no encosto da cadeira. Durante toda a entrevista, porém, mantém a velha mania de maltratar a cutícula em torno das unhas.

"João Roberto: — Você chegou a freqüentar a redação da Noite?
Roberto Marinho: — Cheguei, cheguei a freqüentar a redação da Noite. Mas papai era que era o astro. Depois, começamos com O Globo, e a princípio com muita timidez. Temeroso mesmo com aquelas figuras importantes.
Zé Roberto: — Tinha um time muito bom lá desde o início?
Roberto Marinho: — Muito bom, muito bom. Isso era até o que me atemorizava, ficava atemorizado."

Agora, o homem velho já podia dizer que sentia medo, sim.

13. "Um só sorriso"

"João Roberto: — Seu pai morreu, e vovó Chica, sua mãe, imediatamente tomou uma atitude de dizer que você seria o comandante do jornal. Você tomou a atitude de não ser o comandante, e deixar o Eurycles como diretor do jornal por um tempo.

Roberto Marinho: — Eu fazia questão disso.

José Roberto: — Foi assim mesmo? Como é que foi isso?

Roberto Marinho: — Foi assim mesmo.

João Roberto: — E a vovó Chica queria que você fosse o comandante?

Roberto Marinho: — É. Mais até do que os meus desejos."

Mesmo quando provocado a respeito da tentativa de Brício Filho de alijar o "tenente-interventor" da direção, em 1931, e nomear o médico Velho da Silva, Doutor Roberto dá uma boa gargalhada...

"João Roberto: — Quando o Eurycles morreu, e você ia assumir a redação, um companheiro seu conversou com você e disse que achava que o Velho da Silva devia assumir o jornal. Como é que foi essa história?

Roberto Marinho: — É verdade. Ele disse: 'Olhe, você está sendo muito endeusado, muito requerido, mas o seu chefe mesmo seria o Velho da Silva.' Eu falei:

Os meninos

'Ah, mas essa é uma idéia muito boa, porque vocês dirigem o jornal e eu vou dirigir os doentes do Velho da Silva.' Isso felizmente despertou um pouco de riso."

Mais uma declaração para comprovar que desde moço usou o senso de humor oportuno para desarmar adversários declarados ou em potencial.

Pai e filhos estão visivelmente comovidos, mas a emoção alcança seu pico quando Doutor Roberto pega nas mãos o exemplar do *Globo* daquele dia.

"Roberto Marinho: — E parece que conseguimos, graças a alguns companheiros bastante qualificados, meus irmãos, o talento de nosso pai, a capacidade que eles tinham, que papai tinha, de fazer do Globo aquilo que nós acompanhamos durante toda a vida e que nos deu a grande alegria, de toda a família Marinho. Companheiros que assimilaram essa família com seriedade, dedicação profissional no desempenho das missões jornalísticas. E foi graças a isso que nós podemos fazer uma transição, que está aqui, na minha frente [levanta o jornal], com essa pujança que vocês vêem hoje. Mas que naquela época, era apenas um jornal desejoso de crescer."

Segundo a mitologia familiar, Paulo Roberto, morto aos dezenove anos, era o filho mais parecido com ele.

"Para mim ele falou uma vez que o filho mais parecido com ele foi o que morreu. Ele me contou."[5]

Paulo Roberto morreu muito cedo, não houve tempo para verificar se seria mesmo assim. Mas é compreensível e natural que esta idealização ocorra.

Pai temporão, homem importante, ultra-ocupado, Roberto Marinho deixou, principalmente nos filhos mais novos, a lembrança de uma figura meio ausente.

"Roberto Irineu: — Na minha infância, ele não tinha saco com criança, mas ele era muito carinhoso comigo. Me lembro dele no sábado, domingo, até de andar no colo dele, o que já não aconteceu muito com o João e o José.[6]

João Roberto: — Para mim, é assim: praticamente ausente até eu virar adulto. Mas na fase adulta, nós fomos nos descobrindo um ao outro e construímos uma relação muito legal, muito legal mesmo.[7]

[5] Paula Marinho Azevedo, neta de Roberto Marinho.
[6] Roberto Irineu Marinho, 11 nov 2003.
[7] João Roberto Marinho, 11 nov 2003.

Roberto Marinho

José Roberto: — *Era uma coisa do tempo, sem querer defendê-lo. Agora, além disso, o feitio dele era de não achar muita graça em criança, ele não achava.*"[8]

Ausente, não tinha paciência, não gostava de criança? Chamemos os netos!

---

[8] Idem.

1. Correndo riscos

Vovô Roberto

"Neto e neta são netos,
no masculino. Filho e
filha são filhos, no
masculino. Pai e mãe
são pais, no masculino.
Avô e avó são avós."
Arnaldo Antunes

Até o ano de 2004, os filhos de Roberto Marinho tinham gerado uma prole de onze netos, com mais um a caminho, e cinco bisnetos.

Vamos agora, leitor, presenciar uma conversa entre alguns desses netos. Reunidos, por ordem de entrada em cena:

Paula Marinho de Azevedo, filha de João, nascida em 1973. Flávia Daudt Marinho Vieira, de 1974, filha do Zé, e Rodrigo Mesquita Marinho, mais um de João, nascido em março de 1976. Em outubro de 1976, chegava Paulo, outro do Zé Roberto. Presentes também a filha mais velha de Roberto Irineu, Maria Antônia, de 1977, e a mais nova de João Roberto, Luiza Mesquita Marinho, de 1982. O mais jovem na roda é filho de Roberto Irineu, nasceu em 1983 e chama-se Roberto Marinho Neto.

Reunidos os maiores de idade, papo de gente grande: rememorar, lembrar de quando eram pequenos, e tinham um avô, como os netos mais afortunados costumam ter.

"Flávia: — Pra gente ele sempre foi velhinho.
Paulo: — É, porque na convivência com o nosso avô ele já devia ter de setenta em diante. Mas é engraçado, porque eu não tenho aquela imagem do avô

365

2. Dezembro de 1988

velhinho e tal. Ele era superanimado, esportista, ativo pra burro. Então, a imagem que fica é essa.

Inclusive, toda vez que a família se reúne, a "zoação" dos primos se repete: obrigatório lembrar daquela vez em que vô Roberto desafiou Paulinho para uma corrida

"*Flávia:* — *Apostava corrida na praia com o Paulinho, em Angra. E ganhava, hein! Na areia!*

Paulo: — *Eu carrego essa marca. Eu tinha uns sete, oito anos, e meu avô devia ter quase oitenta, mais de setenta e cinco. A gente estava brincando no jardim, e ele me chamou para apostar uma corrida. Obviamente escolheu o mais novo porque queria ganhar a corrida. E ganhou! A saúde dele! Setenta e sete, setenta e oito anos, ganhar de uma criança de oito...*

Luiza: — *Eu acho que a coisa que mais marcou em mim com relação ao vô Roberto foi que ele me ensinou a jogar gamão, eu era muito pequena, devia ter uns sete, oito anos.*

Paula: — *E ele sempre roubava da gente, sempre!*

Luiza: — *Sempre! E você tinha que ficar calada, não podia falar.*

Paula: — *Eu sempre ficava pensando: 'Mas não é possível...'*

Flávia: — *Sempre roubava naquela varanda lateral ali de Angra. Mas você ganhou dele uma vez.*

Luiza: — Provavelmente, deve ter chegado um dia em que eu consegui ganhar dele. Mas, provavelmente também, ele deve ter deixado eu ganhar uma vez na vida, né?

Paula: — Duvido!

Todos: — Duvido também! Duvido! Eu também!"

Todos também lembram da mão pesada. Na segunda pessoa do singular.

"Rodrigo: — Era 'como estás?'.

Flávia: — Ele sempre cumprimentava a gente com uns tapas pesadérrimos. [Gargalhada geral.]

Roberto: — Dava uns tapinhas assim na cara, e ficava até a mancha da mão dele.

Flávia: — Eu já ia falar com ele assim, com a boca travada, se não...

Paulo: — E a primeira pergunta era sempre: 'Como é que vão os estudos.' E a segunda era: 'Deixa eu ver se você está forte.' Essa coisa esportista dele, né? Sempre perguntava isso. Pegava no braço e: 'Deixa eu ver se você está forte.' Abraçar eu não lembro muito, mas lembro que toda vez que a gente chegava na casa dele, ele pedia para alguém sentar do lado.

Flávia: — É, sentar do lado dele! 'Vem aqui sentar do meu lado.' Ele não cansava de contar as histórias de mergulho, e de cavalo também, pra gente. E quando o Rodrigo começou a montar, ele vinha e: 'Mas você não tem a panturrilha como a minha. Olha aqui, sente aqui!' Fazia todo mundo tocar a panturrilha dele.

Paula: — E pior que era dura mesmo.

Flávia: — Era dura mesmo, feito pedra, e ele sempre fazia a gente apertar. Era supervaidoso com o corpo, muito engraçado."

3. Com a neta Flávia

Quando chegava Maria Antônia, alta como o pai, vô Roberto não titubeava:

"Maria Antônia: — 'Como estás alta!' E resolvia subir no sofá, ai meu Deus! E ele não queria que ninguém ajudasse. Ele subia e: 'Agora acho que posso te cumprimentar.'

4. Roberto Marinho e Roberto Marinho Neto

Roberto: — Ele fazia questão de levantar. A gente: 'Não vô, não precisa levantar', mas ele queria e levantava. E se a gente tentasse dar um beijo nele no sofá, ele meio que empurrava assim. Isso eu me lembro bem. Se você o puxasse para levantar, ele meio que 'não vem não meu irmão', dava de ombros.

Luiza: — Lembrei que num desses eventos, lá no Cosme Velho, eu tive que ir embora mais cedo e ele falou: 'Vou te levar na porta.' 'Não, vô, não precisa não.' 'Faço questão, vou te levar na porta.' Foi, me levou na porta... Caramba, tinha uma escadinha, ele caiu tão feio, eu ali sozinha com ele. Caiu descendo a escadinha. Eu fiquei num desespero, ele já devia ter uns noventa e poucos anos. Caramba! Fiquei desesperada, não sabia o que fazer. Comecei a chamar 'pai, pai!', e ninguém chegava. Só que na mesma hora ele: 'Não, não, não, pode deixar, eu estou bem.' E se levantou, dei o braço para ele, assim, e ele nem quis, se levantou sozinho. E não quis que ninguém soubesse...

Rodrigo: — Eu me lembro de uma história com relação ao mergulho. A gente estava chegando de barco, um barco grande, mas muita gente não saía no barco, ficava em casa, só a família que saía no barco. Eu me lembro que uma vez a gente estava chegando do passeio, e ele estava mergulhando em frente à casa. Ele viu a gente e: 'Oi, tudo bem?' Aí, ele resolveu fazer uma demonstração, passar por baixo do casco e aparecer do outro lado. Acho que ele já tinha oitenta, oitenta e dois anos. E aí, quando ele afundou para sair do outro lado, meu pai falou: 'Não aplaude, porque senão ele vai querer fazer de novo!' Imagine, cheio de convidados dele, todo mundo começou a aplaudir para agradar. Quando a gente menos esperava, ele já tinha afundado para sair do outro lado. Era muito vaidoso também. Tinha uma outra coisa: lá em Angra, volta e meia umas pessoas apareciam com uns protótipos, uns ultraleves para oferecer para ele, estavam colocando no mercado. Muitas vezes

nem era comprovada a segurança do negócio, e ele sempre ia. Era só aparecer lá e ele entrava, não queria nem saber."

Alguém falou em vaidade? 5 de outubro de 1997, missa campal celebrada pelo papa João Paulo II, dois milhões de pessoas no Aterro do Flamengo.

"*Luiza:* — *Eu e o Roberto fomos uma vez com ele quando o papa veio para o Rio. A gente foi à missa no Aterro com ele. Chegamos e tinha aquele tapete vermelho enorme, que ia até lá em cima, no altar, onde só o papa ficava. E quando a gente chegou, não sei se você lembra, Ro, para ir procurar o lugar, ele achou que era para ele ir por ali!*
[Gargalhada geral.]
Luiza: — *Na saída, a gente passou por um corredor cercado para pegar o carro. Todo mundo que estava em volta — tinha muita gente — começou a gritar: 'Eeeh, Roberto Marinho!' E ele começou a acenar, todo convencido. Ele adorava.*
Paula: — *Lembrei de uma coisa. Eu casei na igreja, e ele foi padrinho com a Lily, mais um monte de gente. Aí, acaba a cerimônia e você vai para a fila dos cumprimentos. E ele subiu e foi para o lugar da noiva. Ficamos eu, meu marido e ele ali espremidinhos, recebendo os cumprimentos.*"

"*Roberto:* — *Essa foi meu pai quem me contou: eles estavam mergulhando e deviam estar a uns quinze metros de profundidade, encostados na pedra. De repente, meu pai viu meu avô descendo mais um pouco. Viu uma coisa meio turva, mais escura na água, e foram olhar mais de perto. Quando chegaram mais perto, viram que era um tubarão, um tubarão gigante, enorme. Meu pai viu, ficou desesperado e subiu para sair da água rapidinho. E falou que meu avô foi lá, olhou o tubarão direito e deu um tiro de arpão no tubarão. A sorte é que o tubarão estava dormindo e continuou dormindo, nem acordou.*"

"*Flávia:* — *O vovô sempre contava também a história de um tubarão, de que ele foi jogado em cima das pedras. Pelo menos para mim ele contou algumas vezes.*
Luiza: — *Ah, é!*
Paulo: — *Contava muita história de mergulho. A gente chegava na casa dele, e ele sempre puxava para contar uma história, normalmente era de mergulho.*"

Vovô Roberto

5. Raro flagrante fora d'água

Paula: — Era isso e cavalo. Cada história de cavalo!

Rodrigo: — É por isso que eu, como neto, até estranhei esse depoimento que outras pessoas deram de que ele não tinha muita paciência com criança. Conosco, netos, toda vez que a gente estava com ele, no final de semana, quando ele tinha mais tempo, sempre tinha uma história para contar. Ou mergulho ou cavalo, sempre contava história.

Luiza: — Eu me lembro que a gente ia lá no Cosme Velho, e ele sempre pedia para a gente levar uma foto da gente saltando, vídeos. E uma vez eu levei lá uma foto minha saltando, eu era pequena, e ele ficou corrigindo a posição: 'Você tem que fazer mais assim, mais assado.'"

Portanto, se papai disser que vovô não tinha paciência com criança:

"Todos: — Eu não concordo! Eu discordo! Não concordo!
Flávia: — Discordo, ele sempre foi superengraçado, divertido, brincava.

E quando chegava a idade do namoro das meninas?

Luiza: — Ele sempre perguntava: 'Ah, tá namorando? Quero conhecer! Não pode namorar agora, só mais tarde. Primeiro eu tenho que aprovar.' Eu era novinha.

Flávia: — Eu uma vez viajei para Angra, já mais velha, com o namorado. E eu fui porque ele estava em casa, acho que meu pai também estava. Então, ele me colocou num quarto ao lado dele, meu namorado mais perto ainda, e todo dia de noite ele abria a porta do quarto do namorado...Ah! E o suspiro! Toda festa nossa tinha o suspiro que a Dona Ema fazia. Tinha dois tipos: um recheado de ovos e outro comprido, branquinho, crocante e que por dentro é cremoso. Não tinha uma festa em que ele não comesse a bandeja inteira. Tem fotos dele comendo, comendo mesmo! Pudim de clara também ele amava."

Roberto Marinho

Vovô Roberto.

"*Roberto: — Ele chegou na minha festinha, eu estava fazendo sete anos. Era uma festa com tema de futebol no play do meu prédio, e eu estava até todo vestido de Flamengo. Ele chegou e alguém desafiou: 'Você não anda mais nisso'. Não anda?! Ele tinha oitenta e cinco anos, oitenta e quatro. Me lembro que ele montou na bicicleta, deu duas pedaladas, a bicicleta começou assim, cambaleou e ganhou velocidade. Você entrava no meu prédio e tinha um lago de um lado, um lago do outro e uma reta de uns cinco metros de largura. Mesmo com lago de um lado e do outro, ele não quis nem saber, montou e deu uma pedalada boa, uns cinqüenta metros. Ficou todo mundo babando e depois ele ainda falou:*
— Não duvidem de mim!"

6. 85 anos – Roberto Neto de camisa rubro-negra

O mergulho como metáfora

"Amigo Aleixo, eu não sei o que me deu na cabeça naquele dia. Não estava muito fundo, menos de dez metros, mas quando eu vi aquele tubo, lá embaixo, não sei o que me deu, Aleixo... Entrei."

Aleixo foi talvez o amigo mais próximo de Roberto Marinho em seus últimos anos de vida.

Assim como Joe Wallach, o português José Aleixo entrou na Globo virando casaca. Começou como auditor a serviço do Time-Life, até que, em 1978, passou a trabalhar na TV Globo, primeiro como *controller*, depois como diretor-financeiro. Acabou responsável pela contabilidade pessoal de Doutor Roberto.

"Eu era procurador dele, sempre fui procurador dele. Administrava a conta bancária, aplicava o dinheiro dele, eu é que dava o papelzinho para ele todos os dias com o saldo bancário." [1]

O papelzinho era sagrado. Doutor Roberto chegava à TV, chamava o Aleixo e perguntava, sempre usando a palavra inglesa para cifras:

---

[1] José Aleixo, 4 dez 2003.

"Nos últimos anos, eu tinha que já estar na porta, se não estivesse: 'Cadê o Aleixo?' – eu era quase uma bengala. Ele dizia: 'Como é que vão as coisas?' 'Bem Doutor Roberto.' 'E os figures?'"[2]

Aleixo mostrava os números no computador, mas Doutor Roberto...

"'Vem cá, não tem escrito isso aí?' Aí eu mandava imprimir. E ele: 'É meu? Isso é verdade?' Pegava o papelzinho e punha no bolso: 'Não está mal... É meu? Não está mal.'"[3]

No computador, Doutor Roberto gostava de jogar paciência. Passavam horas juntos, diariamente, Aleixo e Roberto. Aliás, Doutor Roberto, pois uma ordem Aleixo nunca conseguiu cumprir: chamar o chefe de você. Não saía: era, foi e continua sendo o Doutor Roberto. Até hoje Aleixo só se refere ao patrão que virou amigo usando os verbos no tempo presente.

Mais do que brincar com o baralho eletrônico, Doutor Roberto gostava de pôr a mão no joelho de Aleixo e contar histórias. De vez em quando dava uma dormidinha, Aleixo ficava esperando. Quando acordava, as histórias do passado. E as aventuras submarinas...

O mergulhador Roberto gostava de ser rebocado pelo cabo de esqui, a lancha bem devagarinho, para não assustar os peixes. Quando avistava uma presa tentadora, afundava direto.

"Uma vez, persegui um mero grande. Acertei o tiro mas ele se meteu numa toca. Subi, peguei outra arma, arpoei o bicho de novo. Ele se enrolou no arpão e não havia jeito de arrancar o peixão da toca.

Aí ele subiu e pediu o cabo de esqui da lancha. Daqui a pouco, voltou e disse: 'Amarre aí e dê uma puxada. Reboque com a lancha.' Aí surge o mero, uns cento e setenta quilos de peixe. Só no dia seguinte ele me contou: tinha pegado o cabo do reboque, metido o cabo pelas guelras, para sair pela boca. Aí ele foi com a outra mão puxar a outra parte. Quando foi puxar, o mero fechou a boca. Fechou a boca e pegou a ponta da luva. Ele puxou, e a luva ficou lá, presa. Se pega um pouquinho mais ficava junto com o mero. E ele: 'Não fala nada com a Ruth, não fala nada com ninguém!'"[4]

E dava risada, lembrando das travessuras...

[2] Idem. [3] Idem.
[4] Manuel Abelleira Carman (Manolo), 27 jul 2004.

Quando mergulhava, e mergulhou até quase os oitenta anos de vida, passava o dia todo na água, das sete às sete. Tinha um fôlego extraordinário. *"Ficava três minutos, sumia. Quem não conhecia, ficava preocupado.*[5]*"*

Não tinha medo de tubarão, ao contrário.

"Veio um cardume enorme de cações devorando um peixe gordo. Qual é a primeira coisa que ele faz? Antes do barco parar, ele mergulha para ir caçar cação. Quando eu digo cardume, era um cardume de duzentos cações. Ele mergulhou no meio, matou uns seis e voltou com os seis pendurados."[6]

E um sorriso rasgado no rosto.

Mas a especialidade de nosso predador marinho era a "pesca no salseiro", modalidade muito perigosa. Nessa área, Doutor Roberto assumia plenamente a vaidade. À revista *Náutica* – a propósito, fundada por ele –, declarou: *"Eu era o rei das anchovas e dos pampos. O pessoal do barco me via subir e descer nas pedras, no meio do espumeiro e ficava em pânico.*[7]*"*

"Pescar no salseiro" significa ficar boiando no meio das ondas e da espuma, procurando peixe, ao lado de um costão de pedra. Pedra quase sempre coberta de lâminas, cracas e mariscos em geral, bem afiadas. Mais de uma vez Doutor Roberto foi arremessado pelas ondas contra os costões.

"A onda varria. Quando a onda descia, às vezes ele ficava na pedra, às vezes voltava rolando, muitas vezes. Se você dissesse: 'O senhor não pode fazer isso, Doutor Roberto', aí é que ele fazia mesmo. Quantas vezes fiquei apavorado com ele subindo, e o mar levando-o para cima daqueles costões... Voltava todo machucado, ralava naquelas cracas – craca é um perigo –, com a roupa toda rasgada. 'Mas Doutor Roberto, não faça isso!' 'Não, não, você está certo, você está certo.' E fazia de novo."[8]

Como se divertia, relembrando as maluquices que aprontou, garoto até o fim...

Só nunca conseguiu entender por que entrou naquele tubo no fundo do mar. Dizia para o Aleixo:

— Não sei o que me deu na cabeça! Por que entrei naquele tubo? Era uma espécie de cano, bem estreito. Se eu quisesse dar meia-volta, não tinha

[5] Idem.

[6] Roberto Irineu Marinho, 2 dez 2003.

[7] Roberto Marinho, revista *Náutica*, set 2002.

[8] Manuel Abelleira Carman (Manolo), 27 jul 2004.

Epílogo

espaço, não teria como voltar. Quando eu estou bem lá dentro, pensei: E se não tiver saída?

Tinha saída.

Para Aleixo, ele disse com todas as letras:

— Eu sou um homem de sorte!

Nos últimos dois meses de vida, Doutor Roberto deixou de pedir o pedaço de papel com os *figures*. No seu lento *fade out*, as ausências foram se tornando mais freqüentes. Aleixo tinha paciência de amigo.

Uma tarde, Doutor Roberto voltou de uma dessas ausências com um ar intrigado. Olhou em volta, espiou a tela do computador, perscrutou toda a sala, examinou os objetos sobre a mesa, os porta-retratos, os quadros na parede, e falou:

— Aleixo, parece, tudo indica, parece mesmo... que eu sou... o Roberto Marinho...

O amigo Aleixo pôs a mão delicadamente sobre o braço de seu chefe e disse, baixinho:

— Isso mesmo, Doutor Roberto. O senhor é o Doutor Roberto Marinho.

O homem velho aprumou-se, estufou o peito e sorriu, feliz da vida.

◈

1. Uma história real

Fontes e bibliografia

Depoimentos ao projeto Memória Globo e entrevistas ao autor

Aécio Malaguti Ferreira, Agildo Ribeiro, Alberico de Souza Cruz, Ali Kamel, Ana Luisa Marinho, Antônio Carlos Magalhães, Armando Nogueira, Arthur de Almeida, Arthur Peixoto, Bibi Ferreira, Carlos Tavares, Chico Caruso, Claudio Mello e Souza, Daniel Filho, Diógenes da Silva Cardoso, Edgar Peixoto, Edmundo Barbosa da Silva, Edson Nery da Fonseca, Elizabeth Marinho, Elizabeth Marinho Medrado Dias, Evandro Carlos de Andrade, Fernando Henrique Cardoso, Fernando Segismundo, Flávia Daudt Marinho Vieira, Francisco Daudt da Veiga, Francisco Graell, Geneton Moraes Neto, Georges Joffre Delahaye, Heitor D'Alincourt, Hélio Barroso, Helvécio de Alcântara, Henrique Caban, Herbert Fiuza, Hilda Marinho, Hilton Berredo, João Alberto Malik de Aragão, João Roberto Marinho, João Teodoro Arthou, Joe Wallach, Jorge Adib, Jorge Rodrigues, Jorge Serpa, Jorge Spitz, José Aleixo, José Américo Buentes, José Bonifácio de Oliveira Sobrinho, José Francisco Alves Nascimento (Tamborete), José Luiz de Magalhães Lins, José Mario Pereira, José Roberto Marinho, José Sarney, Karin Marinho, Laura Machado, Lenita Vasconcelos, Luiz Paulo Vasconcelos, Lily Marinho, Lucia Hippolito, Lucinha Araújo, Luis Erlanger, Luiz Alberto Bahia, Luiz Felipe Queiroz Matoso, Luiz Mendes, Luiza Mesquita Marinho, Lygia de Souza Mello, Manuel Abelleira Carman (Manolo), Maria Alice Fontes, Maria Antônia Marinho Steiman, Maria Elisa Berredo, Mário Lago, Mauro Salles, Patrícia Cruz Saragô, Paula Marinho de Azevedo, Paulo Autran, Paulo Cabral de Araújo, Paulo César Ferreira, Paulo Daudt Marinho, Pedro Malik de Aragão, Rafael de Almeida Magalhães, Renée Castelo Branco, Roberto Irineu Marinho, Roberto Marinho Neto, Rodrigo Campos Goulart, Rodrigo Mesquita Marinho, Rogério Marinho, Ruth Albuquerque, Ruy Mesquita, Salomão Schvartzman, Sérgio Cabral, Tônia Carrero, Toninho Drummond, Vera Cairo, Walter Poyares.

Bibliografia

ABREU, Alzira Alves de, Israel Beloch, Fernando Lattman-Weltman e Sérgio Tadeu de Niemeyer Lamarão. *Dicionário histórico-biográfico brasileiro*, vols.I, II, III, IV e V. Rio de Janeiro, FGV, 2001.

BAHIA, Juarez. *Jornal, história e técnica*. São Paulo, Ibrasa, 1972.

BARBOSA, Marialva. *Desvendando a face do público: 50 anos de imprensa do Rio pelo olhar do leitor*. Texto inédito do autor.

BLOOM, Harold. *Gênio – os 100 autores mais criativos da história da literatura*. Rio de Janeiro, Objetiva, 2001.

BOJUNGA, Cláudio. *JK: o artista do impossível*. Rio de Janeiro, Objetiva, 2001.

CALDEIRA, Jorge. *A nação mercantilista*. São Paulo, Editora 34, 1999.

CAMPOS, Humberto de. *Perfis: Irineu Marinho*. W.M. Jackson inc. (s.d.).

CASTRO, Ruy. *O anjo pornográfico: a vida de Nelson Rodrigues*. São Paulo, Companhia das Letras, 1992.

100 anos de República, vol.II (1904–18), Nova Cultural.

CLARK, Walter. *O campeão de audiência*. São Paulo, Best Seller, 1991.

CONTI, Mário Sérgio. *Notícias do Planalto*. São Paulo, Companhia das Letras, 1999.

DAMÁSIO, António. *Em busca de Espinosa: prazer e dor na ciência dos sentimentos*. São Paulo, Companhia das Letras, 2004.

FALCÃO, Armando. *Tudo a declarar*. Rio de Janeiro, Nova Fronteira, 1989.

FOSTER DULLES, John W. *Carlos Lacerda: a vida de um lutador*, vol.1 (1914–60). Rio de Janeiro, Nova Fronteira, 1992.

_____. *Carlos Lacerda: a vida de um lutador*, vol.2 (1960–1977). Rio de Janeiro, Nova Fronteira, 2000.

FREYRE, Gilberto. *Casa-grande & senzala*. Rio de Janeiro, José Olympio, 1987.

GARAMBONE, Sidney. *A Primeira Guerra Mundial e a imprensa brasileira*. Rio de Janeiro, Mauad, 2003.

GASPARI, Elio. *A ditadura envergonhada*. São Paulo, Companhia das Letras, 2002.

____. *A ditadura escancarada*. São Paulo, Companhia das Letras, 2002.

____. *A ditadura derrotada*. São Paulo, Companhia das Letras, 2003.

____. *A ditadura encurralada*. São Paulo, Companhia das Letras, 2004.

Getúlio Vargas e a imprensa. Cadernos de Comunicação, série memória, vol.10. Rio de Janeiro, Prefeitura da Cidade do Rio de Janeiro, 2004.

Jornal Nacional: a notícia faz história. Memória Globo. Rio de Janeiro, Jorge Zahar, 2004.

LACERDA, Carlos. *Depoimento*. Rio de Janeiro, Nova Fronteira, 1977.

MARINHO, Roberto. *Uma trajetória liberal*. Rio de Janeiro, Topbooks, 1992.

MORAIS, Fernando. *Chatô, o rei do Brasil*. São Paulo, Companhia das Letras, 1994.

MOREL, Edmar. *Histórias de um repórter*. Rio de Janeiro, Record, 1999.

RIBEIRO, Ana Paula Goulart. *Imprensa e história no Rio de Janeiro dos anos 50*. Tese de doutorado. Rio de Janeiro, 2000.

Roberto Marinho 90: depoimentos. São Paulo, Globo, 1994.

RODRIGUES, Nelson. *O remador de Ben-Hur*. Confissões culturais. São Paulo, Companhia das Letras, 1992.

____. *A menina sem estrela*. São Paulo, Companhia das Letras, 1993.

SODRÉ, Nelson Werneck. *História da imprensa no Brasil*. Rio de Janeiro, Mauad, 1999.

YOURCENAR, Marguerite. *Memórias de Adriano*. Rio de Janeiro, Nova Fronteira, 1974.

Artigos e periódicos

Abreviações: AN – A Noite; CB – Correio Braziliense; EPO – Época; ESP- O Estado de S. Paulo; FSP – Folha de S. Paulo; GLO – O Globo; IE – IstoÉ; JB – Jornal do Brasil; OD – O Dia; OJ – O Jornal; TI - Tribuna da Imprensa; VJ – Veja.

A Batalha, 25 out 1930; "ABL comemora os 90 anos de Roberto Marinho", *GLO*, 16 dez 1994; "A história de quem a conta todos os dias", *Revista Propaganda,* 1975; "Alves Pinheiro", *Revista de Comunicação*, 1962; Alves Pinheiro, "Memórias de *O Globo* –VII: fui intimado a prender Roberto Marinho", 1975 (arquivo pessoal Roberto Marinho); *AN*, 2 abr 1917; *AN*, 19 mai 1924; *AN*, 26 mai 1924; "*A Noite* nasceu com um dia lindo e morreu na tarde mais quente do ano", *JB*, 23 dez 1957; "*A Noite* foi fechada para dar lugar à TV-2", *GLO*, 30 dez 1957; Angélica de Moraes, "Roberto Marinho expõe sua coleção no MASP", *ESP*, 17 mar 1994; *Anuário da Imprensa Brasileira*, nº 1, DIP, 1942; Arthur da Távola, "Stella Marinho", *GLO*, 2 nov 1995; Augusto Nunes, "O rei do Brasil", *Revista Interview*, set 1994; Austregésilo de Athayde, "Irineu Marinho", *GLO,* 19 jun 1976; "A violência contra *O Globo*", *GLO*, 2 abr 1964; "A violência contra *O Globo*", *GLO*, 2 nov 1995; Aziz Filho e Hélio Contreiras, "Maestro do poder", *IE*, 13 ago 2003; "Bandeira única", *GLO*, 7 jul 1932; "Brizola disse que vive 'lua-de-mel' com Globo", *FSP*, 1º jul 1994; "Brizola ressalta diferenças, mas elogia Marinho", *FSP*, 8 ago 2003; "Camisolão", *ESP*, 8 abr 1993; "Coerência na vida política e no jornalismo", *GLO*, 7 ago 2003; *Diário da Noite*, 24 out 1930; Divulgação de *GLO*, 30 abr 1971, repórter Jessé (material interno de divulgação); "Dona Heloísa Marinho Velho morre no Rio", *GLO*, 18 ago 1995; "Dor, emoção e amor de Dona Lily", *Caras*, 15 ago 2003; "Doutor Roberto vira Robertão", *Diário de S. Paulo*, 8 ago 2003; "Em busca da bênção do imperador", *JB*, 8 ago 2003, p.A-13; "Equipe Roberto Marinho chega e é recebida pelo rei Juan Carlos", *GLO*, 11 mai 1985; Entrevista de Roberto Marinho, *ESP*, 5 ago 1990; Fábio Altman, "Sr. Globo", *IE* Dinheiro, 13 ago 2003; "Fardão levinho", *IE*, 28 jul 1993; "Felipinho com Miss Globo dá um show em Roma", *GLO*, 2 mai 1985; Fernando Molica, "Roberto Marinho ameaça retirar candidatura à Academia de Letras", *GLO*, 31 mar 1993; Fernando Molica e Plínio Fraga, "PDT ataca Globo na TV", *GLO*, 7 ago 1993; Francisco Gonçalves, "No caderninho de PC", *JB*, 9 set 1993; Francisco Vianna, "Biografia de grandes empresários", *IE*, Coleção Dinheiro (s.d.); "Fundação pela paz vai se reunir em Moscou", *GLO*, 5 jan 1990; *Gazeta de Notícias*, 27 jun 1935; Georgie Anne Geyer, "Gravíssima acusação a um parlamentar brasileiro", *GLO*, 9 mai 1966 (originalmente publicado no *Washington Post*, 3 abr 1966); Geraldo Rocha, "Vivo o espírito de Marinho", *GLO*, 3 ago 1956; Gilberto do Vale, "*O Globo*, o jornal de Roberto Marinho", *Revista de Comunicação*, ano I, n⁰2 (s.d.); *GLO*, 21 ago 1925; *GLO*, 22 ago 1925; *GLO*, 24 ago 1925; *GLO*, 6 mai 1931; *GLO*, 8 mai 1931; *GLO*, 27 jun 1935 (5ª edição); *GLO*, 3 ago 1956; *GLO*, 8 dez 1958; Helena Carone, "A TV Globo na berlinda", *JB*, 13 mai 1993; *IE*, 14 set 1994; "Infarto mata Ricardo Marinho aos 81 anos", *GLO*, 12 fev 1991; Ivan Cláudio, "Tela larga", *IE*, 16 mar 1994; "Jantar comemora 30 anos da TV Globo", *GLO*, 12 mai 1995; "Jean Batten nada sofreu!", *GLO*, 15 nov 1935 (ed. 11h); "Jean Batten foi passar o dia com seu namorado, *Percival Gull*, em Araruama", *GLO*, 18 nov 1935 (ed. 12h); "Jean Batten, ilesa, fala ao Globo", *GLO*, 15 nov 1935 (ed. 13h); José Mario Pereira, "Sou um obcecado pelo trabalho", *GLO*, 1⁰ nov 1992; "Julgamento da Revolução", editorial de Roberto Marinho, *GLO*, 7 out 1984; Leonel Brizola, "O desempenho do governo do Rio de Janeiro", *JB*, 20 jul 1986; Leonel Brizola, "Restabelecendo a verdade", *JB*, 24 ago 1986; Leonel Brizola, "Quem diz o que quer, ouve o que não quer", *JB*, 19 out 1986; "Levada a todo país a mensagem de esperança da Rede da Democracia", *GLO*, 26 out 1963; Lucila Soares, "Interrompemos nossa programação", *VJ*, 13 ago 2003; Luiz Antonio Pereira, "O lado marinho do Dr. Roberto", *Náutica*, set 2002; Marco Aurélio Ribeiro, "Jockey faz homenagem a Roberto Marinho", *GLO*, 6 set 2003; "Marinho afirma que Lacerda é oportunista e chantagista", *GLO*, 5 set 1965; "Marinho diz que Brizola 'é um celerado'", *GLO*, 7 ago 1993; Maurício de Medeiros, "Roberto Marinho", *GLO*, 6 jul 1960; Maurício Dias, "A morte do dono do poder", *Carta Capital*, 13 ago 2003; Memória Roberto Marinho, Caderno Especial, *EPO* 11 ago 2003; "Missa lembra os 80 anos de Lacerda", *GLO*, 30 abr 1994; Mônica Bergamo, "O mordomo é testemunha", *FSP*, 10 ago 2003; Mônica Yanakiev, "Sorbonne homenageia Roberto Marinho", *GLO*, 22 out 1990; "Morre Roberto Marinho, aos 98 anos", *GLO*, 7 ago 2003; "Na intimidade dos Marinho", *IE*, 14 set 1994; "Nova mina", *FSP*, 10 fev 1994; "O brasileiro do século", *IE*, Especial, n⁰8, ed. 1561 (s.d.); "O *Conte Rosso* de viagem para Gênova", *OJ*, 21 mai 1924; "O diretor de *O Globo* na TV", *GLO*, 17 dez 1962; "O fazedor de reis", *IE*, 12 dez 1984; "*O Globo*, a Rádio Globo e o Canal de TV", *GLO*, 12 jul 1957; "O homem que apostou no Brasil", *GLO*, Caderno Especial, 8 ago 2003; *OJ*, 14 jan 1940; *OJ*, 6 jan 1946; "O maior eleitor do país", *IE*, 6 abr 1994; "O saimento fúnebre e o cortejo", *GLO*, 7 mai 1931; "O sr. Roberto Marinho venceu o campeonato brasileiro de salto em altura", *GLO*, 24 dez 1946; "Para Lula, Roberto Marinho é 'latifundiário da comunicação'", *TI*, 6 mai 1993; Paulo Francis, "Um homem chamado porcaria", *O Pasquim*, 14 a 20 de jan 1971; Plínio Salgado, "A lei de segurança visa exclusivamente o integralismo", *GLO*, 30 mar 1935; "Pluralismo político nos 90 anos de Roberto Marinho", *GLO*, 5 dez 1994; "Pompa na virada de página", *JB*, 8 ago 2003; "Quem manda na Aldeia Global", *TI*, 28 fev 1986; Regina Echeverria, "Roberto", *ESP*, 5 mai 1990; Regina Rita, "Um novo tempo que começa no café da manhã", *OD*, 29 nov 1994; "Repúdio de todos à volta do terror", *CB*, 24 set 1976; Roberto Marinho, "Liberdade de informação", Assembléia Geral das Nações Unidas, 2 nov 1952; Roberto Marinho, "Que o Legislativo legisle e o Executivo governe", *GLO*, 29 fev 1988; "Roberto Marinho sai irritado de audiência", *TI*, 15 jun 1989; Roberto Marinho, "Um gigante", *GLO*, 8 mar 1990; Roberto Marinho, "Reiteração de compromisso", *GLO*, 9 ago 1990; Roberto Marinho, "Pelos mares dos vikings", *GLO*, 11 ago 1991; Roberto Marinho, "Austregésilo", *GLO* 14 set 1993; "Roberto Marinho venceu a primeira prova de amadores na Gávea", *Revista do Jockey Club* (s.d.); "Roberto Marinho, depoimento à CPI do caso Time-Life", *ESP*, 26 abr 1966; "Questionário", *Realidade*, 27 jun 1967; "Roberto Marinho vence a prova General Lindolfo Ferraz", *GLO*, 5 jul 1974; "Roberto Marinho torna Globo um fato imortal em quase um século de jornalismo", *Associação Nacional de Jornais*, 10 fev 1994; "Roberto Marinho, 90 anos", *OD*, 3 dez 1994; "Roberto Marinho, o único poder é o de poder fazer", *Diário do Nordeste*, 8 ago 1999; "Salvo pelas